D0496691

FILLES DE LUNE

Tome 2

La Montagne aux Sacrifices

De la même auteure

Paru

- *Filles de Lune*
  tome 1 : Naïla de Brume

À paraître

- *Filles de Lune*
  tome 3 : Le Talisman de Maxandre

Elisabeth Tremblay

FILLES DE LUNE

Tome 2

La Montagne aux Sacrifices

ÉDITIONS DE MORTAGNE

Données de catalogage avant publication (Canada)

Tremblay, Elisabeth
Filles de Lune
Sommaire : t. 1. Naïla de Brume -- t. 2. La Montagne aux sacrifices.

ISBN : 978-2-89074-761-6 (v. 1)
ISBN : 978-2-89074-762-3 (v. 2)

I. Titre. II. Titre : Naïla de Brume. III. Titre: La Montagne aux sacrifices.

PS8639.R450F54 2008 C843'.6 C2008-940221-9
PS9639.R450F54 2008

Édition
Les Éditions de Mortagne
Case postale 116
Boucherville (Québec)
J4B 5E6

Distribution
Tél. : 450 641-2387
Téléc. : 450 655-6092
Courriel : info@editionsdemortagne.com

Dépôt légal
Bibliothèque et Archives Canada
Bibliothèque et Archives nationales du Québec
Bibliothèque Nationale de France
4e trimestre 2008

ISBN : 978-2-89074-762-3
5 6 7 8 9 – 08 – 18 17 16 15 14
Imprimé au Canada

Nous reconnaissons l'aide financière du gouvernement du Canada par l'entremise du Fonds du livre du Canada (FLC) et celle du gouvernement du Québec par l'entremise de la Société de développement des entreprises culturelles (SODEC) pour nos activités d'édition. Gouvernement du Québec – Programme de crédit d'impôt pour l'édition de livres – Gestion SODEC.

Membre de l'Association nationale des éditeurs de livres (ANEL)

Conseil des Arts du Canada
Canada Council for the Arts

À Blaze,
en souvenir de ce que nous étions,
pour ce que nous sommes devenus,
mais surtout, pour tout ce qu'il y a eu
entre les deux...

Sommaire

Prologue

Filant sous la bénédiction de la lune, nous chevauchons à toute allure à travers bois, soucieux de semer ainsi d'éventuels poursuivants. Comme dans un rêve devenu cauchemar, je revis en pensée tout ce qui m'a conduite jusqu'à ce moment précis, tandis que je fuis avec un soulagement indescriptible le château du sire de Canac. Ne pouvant m'empêcher de penser que je suis la seule et unique responsable de ma vie transformée en enfer, je me mords furieusement la lèvre inférieure, ravalant des larmes de rage et de désespoir.

Je me revois, heureuse dans Charlevoix, à l'âge innocent de l'enfance. Devant mes yeux défilent les séquences de ma vie : la maladie de ma fille jusqu'à sa mort, le suicide de Francis, le calvaire de mon double deuil jusqu'à mon désir viscéral de renaître à la vie. Cette enfilade de souvenirs m'entraîne nécessairement jusqu'aux événements qui m'ont amenée ici : la découverte, dans le grenier de la maison de Tatie, du certificat de naissance de ma mère, de la dague ouvragée, des dizaines de livres parlant d'une communauté de Filles Lunaires, de créatures étranges et de mondes parallèles, des lettres de mon arrière-grand-mère et de celles de ma mère. Puis, dansant une sarabande échevelée dans mon esprit : les récits d'Hilda, mes recherches pour trouver la pierre de voyage sur la grève de Saint-Joseph-de-la-Rive, ma soif de plus en plus vive de partir vers ce monde lointain, imaginaire ou réel, et mes adieux à tout ce que je quittais...

Suivant Kosta, j'évite les branches d'instinct, faisant confiance à ma monture. J'ai beau essayer de me concentrer sur la route, sur ma fuite, je n'y arrive pas. Des images continuent de se succéder en kaléidoscope, m'obligeant à revivre tout ce que j'aspire à oublier : ma traversée vers la Terre des Anciens, ma rencontre avec Alexis et la chevauchée fugitive qui a suivi. Dans mon esprit renaissent les circonstances qui ont mené à ma capture par les hommes de Simon, puis à ma délivrance orchestrée par Alexis et Zevin, à la trahison de Marianne, la femme de mon Cyldias, et finalement, à mon incarcération dans les cachots du château.

Je serre farouchement les paupières, souhaitant de toutes mes forces que le compte à rebours s'arrête là, que les longues semaines ayant succédé à ces événements qui, à mon sens, tiennent plus de la fiction que de la réalité, ne ressusciteront pas. Je rouvre les yeux, fixant la nuit noire, cherchant désespérément quelque chose à quoi me raccrocher pour ne pas sombrer. Mais c'est peine perdue...

Lentement, les arbres qui défilent prennent forme humaine, les ombres de la nuit se transforment, des scènes renaissent malgré moi : Mélijna et le pouvoir qu'elle rêve d'exercer sur moi, Alejandre et les nuits infernales de viols répétés. Je hoche la tête, espérant chasser ces troublantes visions, ces démons qui me hantent sans répit, n'y parvenant qu'à moitié. Dans mon crâne résonnent des bribes de phrases synonymes d'écueils et de tourments : les trônes de Darius et d'Ulphydius, la quête de Mévérick, la prophétie de la Recluse, la Montagne aux Sacrifices... Les mots s'enroulent dans une spirale sans fin, des larmes inondent mes joues, mélange de peur, de désarroi et d'appréhension, mais aussi d'une joie primitive, celle d'être libre...

Traîtresse, une petite voix me chuchote alors à l'oreille, me ramenant brusquement à la réalité : « Libre, oui... Mais pour combien de temps ? »

-1-

Blessures

Lors de la réunion des mancius, le coup porté à Alix par son frère Alejandre avait fait des dommages considérables. Déjà très affaibli par le temps passé loin de la Fille de Lune qu'il se devait de protéger et par ses nombreuses blessures qui ne guérissaient pas, le jeune Cyldias s'était effondré. Au moment même où la lame avait rouvert son ancienne cicatrice, il avait su qu'il ne pourrait pas quitter les lieux sans une aide extérieure. Une main sur la plaie, Alix avait fermé les yeux. Il respirait de façon saccadée, attendant que son frère lui porte un autre coup. Son attente avait pourtant été vaine. Rien n'était venu troubler sa souffrance. Il s'était finalement évanoui, sa blessure laissant échapper entre ses doigts un liquide qu'Alix savait empoisonné.

Pendant une très longue période, il avait eu l'impression de ne plus avoir de corps. Il lui semblait flotter dans le même brouillard que celui qu'il avait pu observer en songe, quelques heures plus tôt. Dans ce rêve, une voix de femme lui avait dit veiller sur lui depuis sa naissance, comme elle veillait sur Naïla.

Reprenant enfin conscience, le Cyldias jura plusieurs fois, maudissant tous les dieux de cette terre ingrate qui lui rendaient la vie si compliquée. Quand il ouvrit les yeux, la nuit lui parut encore plus noire qu'au moment de son évanouissement. Le feu, qui tantôt éclairait la réunion, était maintenant moribond. Le jeune homme s'étira le cou, mais il ne vit personne autour des braises. Ce seul mouvement lui arracha un gémissement de douleur. Il savait, pour avoir déjà goûté à cette médecine haineuse une dizaine d'années plus tôt, qu'il n'était pas au bout de ses peines. Il soupira. Sans la Fille de Lune, il risquait de ne pas être sur pied avant des mois, et ça, c'était à condition qu'il puisse regagner le domaine ou son refuge. Il était à des milliers de kilomètres de chez lui, dans un territoire où les êtres magiques pouvant lui venir en aide étaient aussi rares que ces maudites Filles de Lune. La seule personne utile qu'il pouvait rejoindre par télépathie ne serait pas disponible avant le lendemain matin : Madox se trouvait actuellement en cellule temporelle, cherchant à parfaire un don aussi récalcitrant que pratique ; il ne serait donc pas réceptif à son appel. Uleric était la dernière personne qu'il contacterait ; il ne voulait surtout pas lui être redevable d'une quelconque façon.

L'oreille aux aguets malgré ses pensées vagabondes, le jeune homme perçut bientôt un bruit, non loin de l'endroit où il gisait. Un instant, il eut envie de crier, mais il se ravisa. C'eût été de la folie ! Il risquait de signaler sa présence à des êtres qui ne pourraient que lui nuire. Il préféra attendre, scrutant la nuit noire comme en plein jour. Il gardait ce don jalousement secret. Il savait que cette faculté était habituellement l'apanage des Filles de Lune. Alana, déesse protectrice de ces femmes exceptionnelles, leur en faisait cadeau afin qu'elles puissent plus facilement surveiller les passages entre les mondes et intercepter ceux qui tentaient de traverser sans autorisation, surtout la nuit. Curieusement, il ignorait toujours pourquoi il avait lui aussi hérité de ce don hors du commun.

Un nouveau bruit inhabituel se fit entendre. Alix tenta aussitôt d'en établir la provenance à l'aide de ses sens. Habituellement, il pouvait facilement repérer toute forme de vie dans un très large rayon, mais il craignait que cette faculté, à l'instar de ses pouvoirs de guérison, lui fasse maintenant défaut. Il ferma les yeux, se concentrant longuement. Comme il le prévoyait, ses capacités ne furent pas à la hauteur de ce qu'elles auraient dû être ! S'il parvint néanmoins à localiser l'origine du son, une dizaine de mètres derrière lui, sa nature lui échappa. Sa magie aurait normalement dû lui permettre de quitter son corps et de survoler les environs, mais ce soir, il ne pouvait que ressentir. Un net retour en arrière pour un être comme lui...

Il hésitait toujours entre une forme de vie animale et une autre, plus intelligente, quand une voix se fit entendre, dans la langue des mutants.

– Je ne sais pas qui vous êtes, mais je présume que vous aviez de bonnes raisons de ne pas vouloir que votre présence soit connue par les chefs de clan et leurs nouveaux associés...

Alix comprit immédiatement à qui appartenait cette voix : il s'agissait du mancius qui avait perçu sa présence au cours de la soirée. Doutant des intentions du mutant, il observa un silence prudent.

– Je sais que rien ne prouve ma bonne volonté, reprit Frayard, mais comme vous avez visiblement besoin d'aide, peut-être pourrais-je faire quelque chose ? Même si je doute que mes connaissances soient à la hauteur des vôtres...

Le mancius avait parlé très vite, craignant vraisemblablement qu'Alix lui fasse un mauvais parti avant qu'il ne termine.

Le Cyldias ne tergiversa pas longtemps. Il n'avait nulle envie de passer de longues heures seul, à attendre que Madox émerge de son espace-temps. À ce moment-là, il risquait d'être trop mal en point pour voyager.

– Vous pouvez venir. Je ne suis pas en position de refuser une aide quelconque...

Alix entendit le mutant s'approcher lentement, cherchant à repérer le jeune homme avec, pour seul soutien, le dernier rougeoiement des braises. Dans un effort manifeste, le Cyldias éclaira magiquement son environnement, conscient qu'il ne diffusait qu'une bien faible lumière comparativement à ce dont il était normalement capable. Quelques secondes plus tard, le mancius palmé apparut dans son champ de vision. Il était plus grand que la majorité de ses semblables, et ses membres couverts d'écailles brillantes semblaient trop courts par rapport au reste de son corps. Il avait toutefois conservé un visage humain.

– Mais vous... Vous êtes le frère du sire de Canac ! s'exclama-t-il.

– Malheureusement, oui, soupira Alix avec lassitude. On ne choisit pas sa famille...

Puis il demanda :

– Pourquoi êtes-vous resté ?

Le mancius eut un haussement d'épaules.

– Parce que j'ai vu le geste de votre frère, mais il n'y avait que le vide autour de lui. À ma grande surprise, la lame de son épée s'est teintée de sang dans les secondes qui ont suivi la sortie de son fourreau. Comme j'étais convaincu d'avoir aperçu quelqu'un un peu plus tôt, j'en ai déduit que c'était cette présence que le sire avait attaquée. J'ai préféré attendre que tous soient partis avant de me risquer sur les lieux. Je ne voulais surtout pas que quelqu'un de ma race sache que je m'apprêtais à venir en aide à un humain, surtout s'il possède des dons magiques.

– Personne n'a vu mon corps après le coup porté par mon frère ? s'enquit Alix, soucieux.

L'autre secoua la tête en signe de dénégation.

– Même votre frère a semblé surpris de ne pas voir sa victime se matérialiser sous ses yeux.

Alix ne comprenait pas non plus ce qui s'était passé. Normalement, avec une blessure comme celle qui lui avait été infligée, sa magie aurait dû cesser de fonctionner, provoquant sa réapparition instantanée. Comment avait-il pu rester invisible ? Surtout dans le contexte actuel de l'emprise qu'exerçait la Fille de Lune sur lui. Légèrement incrédule, il finit par demander :

– Êtes-vous capable de soigner des blessures ?

– Oui. Si elles ne sont pas seulement magiques, je me débrouille plutôt bien.

Le mancius s'agenouilla aux côtés du jeune homme.

– Vous pensez pouvoir produire cette lumière encore longtemps ou serais-je plus avisé de m'assurer un éclairage fiable ?

– Compte tenu de mes blessures, je ne suis sûr de rien, répondit Alix.

Le mutant trouva rapidement de quoi raviver les flammes. Il revint bientôt vers le jeune homme, souhaitant le déplacer. Il était temps ! La magie d'Alix avait considérablement faibli depuis tout à l'heure. Tandis que Frayard réfléchissait à la meilleure façon de mouvoir Alix sans lui causer trop de douleur, celui-ci perçut une nouvelle présence.

– Il vaudrait mieux que...

Mayence se matérialisa avant la fin de sa phrase. Le jeune mancius ne put retenir un juron en constatant l'état de faiblesse de son ami. Il ne vit cependant pas immédiatement l'autre représentant de son espèce.

– Mais qu'est-ce qui t'est arrivé, Alix ? Voilà bien deux heures que j'attends ton retour avec Zevin. Je...

Le Cyldias interrompit Mayence, parlant d'une voix rauque et anormalement basse.

– Alejandre a profité d'une faiblesse de ma part pour s'offrir un nouveau coup en traître dont il a le secret. Mais puisque tu es là, tu vas pouvoir donner un coup de main à ton compatriote.

Ce n'est qu'à ce moment que Mayence remarqua l'autre mutant. Celui-ci se tenait près du feu, attendant vraisemblablement des éclaircissements. Le nouveau venu prit les devants quand il reconnut Frayard.

– Content que ce soit toi qui aies découvert Alix. Il vaudrait tout de même mieux reporter à plus tard les explications concernant nos présences respectives ici ce soir. Il est plus urgent de s'occuper de cette blessure.

Frayard hocha la tête en signe d'assentiment, se rapprochant du Cyldias qui respirait de plus en plus difficilement.

– Tu crois pouvoir te déplacer, avec notre aide, jusqu'aux abords du feu ? demanda Mayence à Alix.

Ce dernier fit signe que oui, avant de clore les paupières dans une grimace de douleur. Les deux mutants l'aidèrent à se relever et à marcher sur une dizaine de mètres. Ils l'allongèrent ensuite sur une couverture, avant de lui enlever sa chemise. Frayard retint une exclamation de surprise devant l'aspect peu engageant de la blessure. Mayence, qui connaissait le passé d'Alix, lui expliqua :

– Mélijna a fait don à Alejandre, pour son quinzième anniversaire, d'une épée très particulière. Forgée par les nains de Mésa, l'arme a été longuement trempée dans du venin d'aspic ; elle inflige donc des blessures magiques, de celles qui ne guérissent qu'au prix d'efforts quasi inhumains et qui laissent des marques profondes, souvent permanentes.

D'une voix chargée de ressentiment, Mayence ajouta :

– Le genre que nous allons bientôt voir apparaître dans nos rangs, grâce au cadeau empoisonné de cette sorcière aux chefs de clan.

Il parlait naturellement du feu de Phédé, qui permettait aux armes d'être constamment brûlantes, comme si elles sortaient tout juste de la forge.

– Ne m'en parle pas ! éructa Frayard avec une haine féroce. Comme si nous avions besoin d'un coup de main pour nous entretuer !

Le mancius palmé soupira.

– Je n'arrive pas à croire que nous en soyons à renouer avec les douteuses associations qui ont fait notre malheur par le passé. Je me demande parfois si nous n'aurions pas été plus avisés de disparaître...

Il laissa sa phrase en suspens pendant qu'il nettoyait la plaie qui ne cessait d'exsuder un mince filet de liquide vert. Mayence passa une main sur le front de son ami, mais la retira aussitôt ; Alix était brûlant. Le jeune mancius jura. Il ignorait s'il pourrait le conduire en territoire neutre en se servant uniquement de ses propres capacités. Il ne possédait pas le dixième des dons du Cyldias et n'avait jamais tenté de se servir de sa magie pour déplacer plus d'une personne à la fois. Une exclamation brisa sa réflexion.

– Je n'ai jamais vu un corps aussi marqué par des cicatrices que celui-là ! Je ne sais pas ce que fabrique ce jeune homme dans la vie de tous les jours, mais c'est à se demander par quel miracle il est toujours en vie...

Frayard avait parlé avec un respect et une admiration sincères. Alix esquissa un sourire désabusé.

– J'avoue qu'en ce moment, je préférerais un corps tout ce qu'il y a de plus ordinaire et une vie paisible...

Le fait de parler lui arracha un gémissement, mais il poursuivit tout de même, donnant ses directives :

– Vous devez panser la plaie à l'aide d'un morceau d'étoffe propre et très absorbant, puis trouver le moyen de le maintenir en place. Ensuite...

Le Cyldias s'adressait maintenant à Mayence :

– Tu dois me ramener au domaine ; il me faut absolument voir Zevin.

Le mutant fronça les sourcils.

– Je ne suis pas certain d'être capable de...

Mais Alix n'avait ni le temps ni les capacités physiques nécessaires pour convaincre le mancius de ses propres aptitudes. Il fallait qu'il quitte la plaine au plus tôt pour se rapprocher ensuite de la Fille de Lune.

– Quoi que tu en penses, il va bien falloir qu'on tente le coup parce que je ne peux pas rester ici. Tu vas me ramener et revenir plus tard pour expliquer à...

Alix se rendit compte qu'il ne connaissait même pas le nom de celui qui était venu à son secours.

– Frayard, répondit ce dernier.

Le blessé s'immobilisa, puis son visage de plus en plus pâle s'éclaira faiblement lorsqu'il comprit à qui il parlait.

– Vous êtes le père de Sédélie, celle qui...

Mais le jeune homme ne termina pas sa phrase, par respect pour l'homme que fut naguère ce mancius et ce qu'il avait vécu. Appréciant sa retenue, Frayard dit simplement :

– En effet, je suis le père de Sédélie. Vous comprenez maintenant pourquoi je ne suis pas très chaud à l'idée que notre peuple se retrouve doté de pouvoirs qu'il ne maîtrisera qu'à demi.

Alix hocha lentement la tête. Il aurait bien aimé rencontrer cet homme devenu mancius en d'autres temps, mais il comprenait surtout pourquoi celui-ci lui était venu en aide. Mayence ne dit mot, connaissant lui aussi la triste histoire de Frayard.

– Mayence reviendra donc vous expliquer qui je suis et ce que nous cherchons à faire, reprit Alix. Vous seriez un allié de taille dans la quête que je poursuis. Si vous le voulez, bien entendu...

Le Cyldias ne doutait pas un seul instant du soutien qu'il pourrait obtenir de la part de ce nouvel ami.

– Soyez sans crainte, j'attendrai le retour de Mayence. Et de vos nouvelles, par la même occasion.

Alix lui sourit faiblement, avant de tendre la main à son compagnon.

– Pour réussir à nous déplacer tous les deux en un seul voyage, nous devons être en contact permanent. Il faut donc trouver le moyen de me fixer à toi parce que je ne suis pas certain de pouvoir tenir bien longtemps.

Frayard montra la chemise déchirée d'Alix.

– Vous n'avez qu'à vous attacher l'un à l'autre par un bras avec ce qui reste de la chemise.

Le Cyldias hocha la tête, puis reprit à l'intention de Mayence :

– Je t'aiderai à prononcer la formule. Il me reste suffisamment de forces pour te transférer le peu de pouvoir qui te ferait défaut, mais nous devons faire vite.

Frayard aida Mayence à ajuster la pièce de tissu aux bras des deux êtres, les liant ainsi solidement. Il s'éloigna ensuite pour leur laisser suffisamment d'espace. Il fallut trois tentatives pour qu'Alix et Mayence puissent enfin quitter la plaine. Le mancius palmé ne put s'empêcher de penser qu'il ne reverrait peut-être jamais le jeune homme qu'il avait voulu aider. Il ignorait que cette blessure ne pouvait tuer le Cyldias, en raison d'une très ancienne forme de magie dont Alix lui-même ne connaissait pas l'origine.

* *
*

Soulagé, l'hybride qui observait la scène de loin regarda Alix quitter le désert de Jalbert. Il était resté près du jeune homme pour s'assurer que celui-ci obtienne l'aide que lui-même hésitait à lui offrir. Depuis longtemps déjà, il suivait le cheminement d'Alix, toujours incertain du statut à lui donner. L'homme connaissait trop d'éléments du passé du Cyldias pour lui accorder sa pleine confiance. Malheureusement...

* *
*

Au beau milieu de la nuit, Alix et Mayence se matérialisèrent dans la cour arrière du domaine du Cyldias. Zevin et Edric les attendaient. En voyant la blessure de son ami d'enfance, Zevin comprit immédiatement ce qui avait dû se produire. Alix ayant perdu conscience durant le voyage, Mayence relata le peu qu'il savait avant de rejoindre Frayard. Zevin lui avait certifié ne pas avoir besoin de lui pour remettre Alix sur pied ; l'aide d'Edric serait suffisante.

Les deux hommes transportèrent Alix dans l'écurie, espérant trouver une meilleure cachette avant le lever du jour et l'apparition de Marianne. Zevin maudit le fait qu'il n'ait pas pu aller lui-même au-devant de son ami ; ils auraient ainsi évité d'affronter l'épouse jalouse et totalement incompréhensive. Malheureusement, il n'était jamais allé aussi loin dans les Terres Intérieures ; il ne pouvait donc pas s'y rendre magiquement pour la première fois.

Avec un soupir, il reporta son attention sur son ami mal en point. Il commença par lui administrer une potion de son cru pour s'assurer qu'Alix dorme pendant qu'il faisait un survol des blessures visibles. Il constata que la plaie au côté était en tout point identique à celle qu'Alix avait eue au cours de sa seizième année, résultat de l'escalade de violence entre lui et son frère Alejandre.

C'est à cette époque que les jumeaux avaient appris qu'ils ne pouvaient pas s'entretuer ni même donner l'ordre de supprimer l'autre. Mélijna et Wandéline s'étaient entendues pour dire que cet état de choses résultait probablement du sortilège de Siam, une forme de magie très ancienne qui remontait au temps de Darius et dont plus personne ne connaissait le secret. Quand Alix, alors en compagnie de Zevin, avait interrogé Wandéline à ce sujet, la sorcière avait avoué ne pas avoir la moindre idée de la personne qui avait pu les ensorceler, son frère et lui. La vieille avait cependant été formelle : personne sur la Terre des Anciens n'avait la capacité de lever une protection comme celle-là, pas même Mélijna. Les grimoires renfermant les secrets de cette incantation avaient depuis longtemps disparu. En même temps que leurs propriétaires, en fait. Si l'un des deux frères tenait à ce que ce sortilège prenne fin, il lui faudrait retrouver l'un des trois Sages, supposément emprisonnés dans des cages de verre quelque part dans les autres mondes ou sur la Terre des Anciens.

Pour sa part, Alix ne tenait pas vraiment à ce que le sortilège soit levé. Tant et aussi longtemps qu'il ne serait pas certain de survivre aux attaques vicieuses de la sorcière des Canac, il préférait que rien ne change.

– Tu crois pouvoir le guérir ? demanda Edric à Zevin.

Tiré de sa réflexion, Zevin sursauta. Il se tourna vers son compagnon en affichant une mine triste.

– Pour être honnête, je ne sais pas. La dernière fois, Alix a mis plusieurs mois à se remettre, avec l'aide de Wandéline et des connaissances que je possédais à l'époque. Aujourd'hui, la situation est différente : cette sorcière ne voudra jamais m'aider en raison de sa querelle avec Alix. Et son rôle de Cyldias risque de grandement lui nuire puisque ses dons ne fonctionnent plus que par intermittence loin de la Fille de Lune.

Tout en parlant, le jeune guérisseur versait doucement une solution d'alcool sur la plaie. À ce contact, le liquide vert qui s'en échappait toujours prit une vilaine teinte violette et produisit un filet de fumée noire. Fronçant les sourcils, Zevin fouilla dans le sac qu'il portait en bandoulière.

– Va me chercher un œuf, Edric. Je connais la recette d'une mixture qui me permettra de gagner du temps. Peut-être même de stopper la progression du poison.

Le jeune homme s'en fut aussitôt. Le guérisseur en profita pour examiner les autres blessures d'Alix. Ce dernier ne lui avait montré que ses mains au cours des dernières semaines, affirmant qu'il n'y avait qu'elles qui refusaient de guérir complètement. Zevin se rendait maintenant compte à quel point cet énoncé était loin de la réalité. Rouge vif, les brûlures infligées par Vigor suintaient toujours, au même titre que les ampoules parsemant ses paumes ; sa respiration sifflante indiquait clairement qu'il avait probablement quelques côtes brisées. Et c'était seulement ce qui était visible ! Zevin ne doutait pas un instant que le corps entier d'Alix soit en mauvais état.

Même s'il ferait de son mieux pour que les plaies se cicatrisent et que la douleur de son ami s'apaise, le guérisseur savait que seule la présence de Naïla aurait un véritable effet bénéfique, dans tous les sens du terme, sur le corps et l'esprit d'Alix. Il fallait donc trouver le moyen de le déplacer, au cours de la prochaine nuit, jusqu'au point de rendez-vous prévu, tout en veillant à ce que personne ne le voie dans cet état. Zevin ne connaissait qu'une personne susceptible de réussir cet exploit sans s'attirer les foudres du guerrier qui dormait près de lui. Il allait toutefois devoir attendre l'aube avant d'entrer en contact avec elle.

Edric revint bientôt avec l'œuf demandé. Zevin s'empressa de le mélanger, coquille comprise, avec le contenu d'une petite fiole qu'il trimballait dans son sac. En l'espace de quelques secondes, la mixture laissa s'échapper la même fumée que celle aperçue plus tôt sur la plaie. La couleur se modifia une nouvelle fois, provoquant un sourire de satisfaction chez le guérisseur tendu. Il étala le produit sur un linge propre et le plaça ensuite sur la plaie. La réaction ne se fit pas attendre. Alix se cambra brusquement, laissant fuser une longue plainte déchirante, tandis que l'étoffe se teintait lentement de rouge. Le sang s'échappait enfin de la blessure, signe que le poison ne progressait plus.

Soulagé, Zevin desserra les dents. Même s'il avait été à peu près convaincu d'avoir trouvé une solution temporaire, il avait tout de même douté de sa réussite jusqu'à la dernière seconde. Il fallait maintenant que son ami se repose jusqu'aux aurores, moment où Madox pourrait lui donner un coup de main.

* *
*

Madox fit son apparition alors que le soleil tardait à sortir de derrière les nuages. Le jeune homme aux longs cheveux blonds, noués sur la nuque, avait immédiatement répondu à l'appel lancé par Zevin quelques minutes plus tôt. Tout au long de la nuit, alors qu'il s'était coupé du monde extérieur pour améliorer un don particulièrement récalcitrant, il avait eu l'étrange impression que rien ne se passait comme prévu dans le désert de Jalbert. Il avait craint que ne l'attende une bien mauvaise surprise quand il émergerait de sa cellule temporelle. Et c'est effectivement ce qui semblait se passer.

Il franchit la porte de l'écurie et se rendit auprès de son compagnon d'armes des dernières années. Il connaissait Alix depuis plus de sept ans déjà et les deux hommes avaient partagé tellement de missions et de combats qu'ils avaient parfois l'impression d'être des frères, chacun représentant un point d'ancrage pour l'autre et une raison de continuer.

En quelques mots, Zevin résuma la situation à Madox.

– Je suis heureux que tu aies pu arrêter la progression de ce poison avant qu'il ne fasse davantage de dégâts. Tu as sûrement raison pour Naïla. Il faut absolument qu'Alix soit près d'elle avant la fin de la journée pour que nous sachions à quoi nous en tenir.

– Tu crois pouvoir le déplacer magiquement jusque là-bas même s'il est toujours inconscient ? Je ne sais pas si...

– Vous pourriez peut-être me demander mon avis avant de me transporter quelque part, grogna Alix. Je suis encore capable de prendre des décisions...

D'un même mouvement, Zevin et Madox se retournèrent pour apercevoir Alix qui tentait tant bien que mal de s'asseoir sur sa paillasse de fortune. Le jeune homme grimaça, plaçant une main sur son flanc droit. Un gémissement de douleur à peine audible lui échappa avant qu'il ne rouvre les yeux.

– Comment te sens-tu ? demanda Zevin. Est-ce que ta blessure a empiré ou te semble-t-elle inchangée ?

– Difficile à dire considérant que je ne garde aucun souvenir des dernières heures, répondit le patient d'un ton bourru.

Alix coula un regard de reproche vers son ami, le sachant responsable de son sommeil artificiel.

– Il me semble t'avoir déjà mentionné que je n'appréciais pas être en situation de vulnérabilité et incapable de me défendre.

– Tu n'aurais pas pu te défendre de toute façon, répliqua Madox, alors autant en profiter pour que tu récupères de façon convenable.

Le jeune homme eut droit à un regard encore plus noir que celui reçu par Zevin un instant plus tôt. Il ne s'en formalisa pas outre mesure, souriant même devant la mine renfrognée de son ami.

– Je constate que tu es toujours aussi reconnaissant envers ceux qui tiennent à toi au point d'essayer de te maintenir en vie.

– Vous savez tous les deux que je ne peux pas mourir de la main de mon frère, alors inutile d'essayer de me faire croire que vous avez craint pour ma vie... Où en est-on avec la Fille de Lune ?

Ce fut au tour de Madox de lui jeter un regard noir, auquel Alix riposta par un sourire insolent.

– Tu ne pourrais pas l'appeler Naïla au lieu de « la Fille de Lune » ? Il me semble que...

– Désolé, le coupa Alix, mais même si je comprends fort bien ton bonheur de savoir cette jeune femme de retour sur la Terre des Anciens, je ne peux pas dire que je partage ton enthousiasme. Au cas où tu l'aurais oublié, je ne suis pas tout à fait dans la même situation que toi. Pour ma part, sa venue est davantage un fardeau qu'un cadeau. Je n'aurais aucune objection à ce qu'Uleric te transfère la responsabilité de sa protection, si tu en as envie. Vous pourriez ainsi faire plus ample connaissance, comme tu le souhaites si ardemment, et je serais enfin débarrassé de mon rôle ingrat. Je te rappelle que je n'ai pas demandé à être Cyldias ; c'est un état qu'on m'a imposé.

Alix ferma les yeux et se massa les tempes en jurant à voix basse ; ses paumes cloquées le faisaient toujours autant souffrir.

– Désolé..., fit Madox dans un geste qui signifiait clairement qu'il n'y pouvait pas grand-chose. Je sais que j'ai tendance à ne pas analyser la situation avec le détachement qui s'impose, mais c'est plus fort que moi. Tu sais ce que Naïla représente à mes yeux, alors essaie de comprendre.

Alix soupira. Certes, il comprenait, mais cela ne faisait que compliquer les choses.

– D'accord, mais essaie, de ton côté, d'imaginer comment on peut se sentir quand on se rend compte que sa vie est désormais liée à quelqu'un comme elle. Elle ne sait rien de ce qu'elle est, que des bribes, et elle est totalement incapable de la moindre magie, sauf celle qu'elle fait inconsciemment. As-tu conscience du chemin qu'il lui faudra parcourir, si d'abord elle survit et si elle accepte de racheter les fautes de ses aïeules ?

Le jeune homme dû s'arrêter quelques instants avant de poursuivre, une grimace de douleur déformant ses traits.

– Tu imagines le temps qu'il faudra pour qu'elle développe son plein potentiel ? Tu crois que j'ai envie de passer les vingt ou trente prochaines années de ma vie enchaîné à cette femme ? Je n'ai pas voulu ce rôle de Cyldias désigné. Jamais personne n'a cru qu'il était encore possible d'en être un. Nul n'est aujourd'hui capable de me dire jusqu'où un engagement comme celui-là peut aller, pas même Wandéline ou Uleric, ni quelles seront les conséquences si je refuse de l'assumer. Je veux retourner à ma vie d'avant, acheva Alix dans un souffle.

Madox avait écouté son ami jusqu'à la fin, saisissant fort bien qu'il n'ait pas envie d'être assujetti de cette façon. Alix était un homme indépendant qui avait toujours vécu dangereusement et qui ne rendait de compte à personne. Il ne s'attachait jamais aux femmes qui croisaient sa route et ne s'était marié que pour servir ses desseins, non pas par amour. Croire qu'il pouvait être enthousiasmé par ce qui lui arrivait aujourd'hui relevait de la démence.

– Pour répondre à ta question, Naïla est en route pour Précian. Elle y arrivera vers la fin de la journée, comme prévu. Et il faudra que tu y sois aussi, que ça te plaise ou non, déclara Madox.

– Je sais très bien qu'il me faut y aller puisque je dois la conduire à Uleric. Je...

– Je ne pense pas qu'il soit sage de la mener à ce vieux fou. Nous en avons d'ailleurs parlé, il y a quelques jours. Elle doit d'abord éliminer la vie qui grandit en elle et se rendre à la Montagne aux Sacrifices, question de se donner les moyens de se défendre. Ensuite, nous pourrons...

Mais Alix ne l'entendait pas ainsi. Il voulait se débarrasser d'elle au plus vite. Si Madox désirait ensuite servir de guide à la jeune femme, libre à lui.

– Je n'ai pas l'intention de la conduire ailleurs que chez Uleric. Vous ne pouvez pas vous y opposer puisque c'est moi qui suis responsable d'elle. Mon mandat terminé, vous ferez ce que vous voudrez, je ne serai plus là pour constater les ravages causés par son incapacité.

Madox commençait à en avoir drôlement marre du comportement borné de son compagnon. Il ne se gêna pas pour le lui dire.

– Si tu cessais de penser à ta petite personne cinq minutes, tu te rendrais compte que tu es en train de laisser passer une chance extraordinaire d'atteindre le but que tu t'es fixé il y a dix ans ! Toi qui cherches toujours le danger, tu refuses aujourd'hui la mission la plus risquée qui t'ait jamais été donnée. Où est le problème ? Et ne me raconte pas que c'est le fait que tu es un Cyldias ! Il y a quelque chose que tu te gardes bien de nous dire. J'en mettrais ma main à couper !

Soupçonneux, Madox se tourna vers Zevin. Mais Alix fut plus rapide, craignant que son compagnon ne dénature les faits...

– Vous oubliez de prendre en considération que cette Fille de Lune ne voudra probablement pas plus de moi que moi d'elle. Elle vient de passer deux mois d'enfer avec un homme qui me ressemble trait pour trait. Vous ne croyez pas qu'elle revivra ce calvaire chaque fois qu'elle posera les yeux sur moi ?

– Nidolas semblait plutôt croire, de par ce qu'il entendait au château, que vous étiez en bons termes quand tu as quitté la cellule où l'on avait envoyé Naïla par erreur.

Madox haussa un sourcil interrogateur, tandis qu'Alix eut le bon goût de rougir légèrement, malgré la douleur qui le tenaillait.

– Je peux savoir ce que ça signifie ? demanda Madox.

– Rien de rien ! Elle était épuisée et avait besoin de réconfort. C'est un réflexe de survie..., se défendit Alix. Tu cherches des explications compliquées à des événements qui sont extrêmement simples. Je ne vais quand même pas...

– Tu n'es pas un être comme les autres, Alix, l'interrompit Zevin. Par ailleurs, quand tu te comportes effectivement comme un homme normal, tu ne t'en caches pas et tu ne tentes surtout pas de nous faire croire le contraire. Tu t'assumes, tout simplement ! Ce que tu ne fais pas en ce moment ; ce qui tend à prouver que j'ai raison en pensant que la cause est plus complexe que le simple fait d'être Cyldias.

– Je peux savoir de quoi vous parlez ? demanda Madox, les bras croisés sur la poitrine.

Alix soupira d'exaspération, ce qui lui arracha un gémissement. Il passa une main dans ses cheveux en bataille, amenant une nouvelle vague de douleur, dans ses paumes cette fois. Il jura.

– On s'est embrassés, Naïla et moi, grogna-t-il, à contrecœur. Je ne vois pas...

Alix laissa sa phrase en suspens quand il vit se dessiner deux sourires narquois. Ses amis se gardèrent bien de lui faire remarquer qu'il avait appelé la jeune femme par son prénom pour la première fois. Le Cyldias leva les yeux au ciel, mais n'ajouta rien. De toute façon, ces deux idiots refuseraient de comprendre le bon sens. Il essaya de se lever de sa paillasse, mais il fut arrêté dans son mouvement par la vision de sa femme, debout dans l'embrasure de la porte. Achevé par la douleur de ses multiples blessures, il s'écroula. Zevin et Madox suivirent son regard et jurèrent à voix basse, tout en se portant au secours d'Alix. Depuis quand était-elle là ? Et qu'avait-elle entendu ?

– Je savais qu'il ne fallait pas accorder foi à tes histoires de Fille de Lune ! siffla Marianne. J'étais certaine que c'était encore une de ces traînées rencontrées lors de tes trop nombreux voyages. Je me doutais bien que tu finirais par en ramener une à la maison.

Tout en parlant, la jeune femme détaillait son mari des pieds à la tête, remarquant au passage les nombreuses blessures et le bandage au côté. Elle poursuivit, sans la moindre trace de sympathie :

– Je suppose que tu as tenté de jouer les héros en voulant tirer cette garce des griffes de ton frère et que tu as échoué. Tant mieux ! En ce qui me concerne, ce fut un jeu d'enfant de l'envoyer dans la gueule du loup...

Un sourire sadique aux lèvres, elle poursuivit :

– Ça t'apprendra à me sous-estimer et à croire que je ne suis qu'une pauvre femme à ton service qui attendra toute sa vie que tu veuilles bien revenir à la maison de temps à autre. Considérant les habitudes de ton frère en terme de relations charnelles, je doute que la demoiselle soit encore en état de plaire à qui que ce soit...

Elle avait un tel air de suffisance et de triomphe qu'Alix dut se faire violence pour ne pas lui tordre le cou. C'était donc elle qui avait livré la Fille de Lune aux hommes de Simon, même s'il s'en doutait déjà. Comme ceux-ci croyaient également avoir affaire à une femme de mœurs légères, du moins à ce moment-là, ils n'avaient pas détrompé Marianne sur sa véritable valeur.

Alix fit une nouvelle tentative pour se mettre debout, mais il en fut incapable. Les muscles de ses jambes, trop souvent étirés par le supplice de Favre que Mélijna avait utilisé à maintes reprises, étaient encore récalcitrants. Il s'était déplacé magiquement pendant les deux dernières semaines justement pour leur permettre de récupérer, mais l'absence de marche et de chevauchée n'avait pas suffi pour améliorer sensiblement la situation. Le Cyldias se laissa retomber sur le lit de paille.

– Quand tu seras enfin guéri, et ne compte pas sur moi pour te soigner, tu y penseras à deux fois avant de me servir une autre histoire comme celle-là ! lança la jeune femme avant de tourner les talons.

Aucun des trois hommes ne fit le moindre geste pour la retenir, trop heureux de la voir s'en retourner si vite. Oubliant la question du rapprochement entre Alix et Naïla pour le moment, Zevin et Madox tentèrent plutôt de trouver une façon de redonner la santé à leur ami. Quinze minutes plus tard, au grand dam d'Alix, ils savaient ce qu'ils allaient faire...

- 2 -

Vers la liberté

Même si j'étais enfin libre, je ne pouvais guère prétendre me la couler douce. Nous traversâmes la nuit sans nous arrêter, nos chevaux constamment au galop. Kosta voulait ainsi mettre le plus de distance possible entre nous et le château de mon geôlier. Je ne pouvais qu'en être heureuse, au souvenir du calvaire que j'y avais enduré pendant près de deux mois. Les assauts répétés du sire de Canac avaient laissé des traces indélébiles dans ma mémoire. Aujourd'hui, je rêvais de vengeance comme jamais auparavant...

Nous chevauchâmes longtemps après le lever du soleil, n'empruntant que des routes à travers bois, entrecoupées de courts passages dans les champs. Nous évitions les chemins déjà tracés et les minuscules hameaux habités. Je suivais mon compagnon tant bien que mal, ayant beaucoup moins l'habitude que lui des longues chevauchées. Il ne dit mot de tout le trajet, regardant en arrière de temps à autre pour s'assurer de ma présence, sans plus. Devant son manque apparent d'enthousiasme, je me demandais parfois s'il avait accepté cette mission de plein gré ou si on l'y avait contraint.

Nous nous arrêtâmes enfin, après que le soleil eut atteint son zénith. Je ne fus pas fâchée de pouvoir descendre de ma monture. Je ne sentais plus mon fessier et mon corps tout entier regimbait à l'idée de faire ne serait-ce que quelques pas. J'avais des courbatures à force de lutter contre le sommeil qui menaçait de me faire tomber de cheval. Je n'avais qu'une idée en tête : dormir. Je fis cependant un effort manifeste pour conduire ma monture au bord de l'eau afin qu'elle puisse se désaltérer. Kosta y était déjà, tenant la bride d'une main et un rouleau de parchemin de l'autre. Je constatai que nous devions avoir sensiblement le même âge. Il était à peu près de la même taille que Nidolas, mais la similitude s'arrêtait là ; il avait les cheveux courts et bruns, les yeux verts et un long nez droit qui lui donnait un air beaucoup trop sérieux. Sa lecture lui fit froncer les sourcils, puis se frotter le menton d'un air perplexe. Je n'osais le déranger. Lorsqu'il m'adressa finalement la parole, je m'y attendais si peu que je sursautai, ce qui le fit enfin sourire.

– Eh oui ! Je ne suis pas muet.

Il me regardait avec des yeux rieurs tout en roulant son parchemin. Puis il s'avança finalement vers moi.

– Je ne suis pas très bavard de nature et le risque que représentait votre fuite demandait une attention particulière. Je me voyais très mal rendre compte de votre capture, ou de votre mort, à messire Alexis.

Je ne le laissai pas terminer.

– Vous voulez dire que ma fuite résulte d'une manigance d'Alexis ?

– Vous ne le saviez pas ?

Il avait l'air franchement surpris. Ainsi donc, tout le monde savait probablement que mon Cyldias était l'instigateur de ce projet, sauf moi. Pourquoi m'avait-on tenue dans l'ignorance ? Et tous ces complices, que savaient-ils exactement de ma relation ambiguë avec le deuxième sire de Canac ?

– Je croyais que vous étiez au courant depuis le début. Alexis n'a pas beaucoup apprécié le récit des traitements qu'on vous a infligés bien qu'il se doutait déjà de ce que son frère vous réservait. Intervenir restait cependant difficile. Vous avez certainement remarqué que les relations entre eux ne sont pas des plus fraternelles. Cet état de choses remonte à une douzaine d'années déjà, alors qu'ils n'étaient pas encore des hommes.

Je tendis l'oreille, intriguée, mais il ne poursuivit pas son récit, préférant, dit-il, laisser Alexis me relater cet épisode. Kosta revint plutôt à mon évasion.

Nous devions donc trouver un moyen de vous arracher à l'*hospitalité* d'Alejandre – le mot le fit tiquer – avant qu'il ne parvienne à vous épouser. S'il avait réussi, jamais nous n'aurions pu vous tirer de ses griffes par la suite ; vous lui auriez appartenu à part entière.

Il secoua le parchemin qu'il tenait à la main.

– Je ne devais l'ouvrir qu'une fois la portion la plus dangereuse du trajet effectuée. Le village de Précian est juste derrière cette colline que vous voyez au loin. Ce sera alors la fin du voyage pour moi ; un autre guide vous y attend pour la poursuite de votre périple. Nous y serons en fin d'après-midi, si nous remontons en selle bientôt. Nous prendrons juste le temps d'avaler quelque chose pour nous permettre de tenir jusque-là.

J'acquiesçai, ne sachant trop quoi dire. Je me dirigeai vers les sacoches suspendues à ma selle, comptant y trouver de quoi me rassasier, mais il m'arrêta.

– J'ai tout ce qu'il faut. Mieux vaut ne pas entamer vos réserves. Je ne sais pas s'il vous sera possible de vous ravitailler à Précian. Je préfère partager mes provisions avec vous, étant, pour ma part, assuré de retrouver mon foyer au plus tard demain matin.

L'espace d'un instant, je fus tout de même tentée de jeter un œil dans mes bagages ; je n'avais aucune idée de ce que je transportais. Ce serait pour plus tard...

Mon estomac criait famine depuis quelques heures déjà et c'est avec appétit que je mangeai ce que Kosta m'offrit. Nous reprîmes ensuite la route. Je dus lutter avec acharnement contre le sommeil qui me harcelait de plus belle. Il y avait plus de vingt-quatre heures que je n'avais pas fermé l'œil et la peur de ne pas tenir jusqu'au village me tenaillait. Mon compagnon proposa bientôt de me prendre en selle devant lui et de remorquer mon cheval. Reconnaissante, je m'installai le plus confortablement possible. Je ne tardai pas à m'enfoncer dans un sommeil chaotique, mais tout de même régénérateur. Sans peine, la poigne de fer de mon cavalier me maintint en selle le reste du trajet. Je repris contact avec la réalité alors que le soleil descendait doucement sur l'horizon. Je présumai que j'avais dormi environ quatre heures, lesquelles me furent bénéfiques.

– Je vois que vous êtes réveillée. Voulez-vous reprendre place sur votre monture ?

Je le fis aussitôt, lui permettant d'être plus à l'aise.

– Nous serons bientôt arrivés. Vous pouvez déjà voir les cheminées fumer là-bas. Nous nous arrêterons en périphérie du village, chez des amis. Cette halte nous permettra de faire l'échange de guide sans attirer l'attention de même que de prendre un repas digne de ce nom. Ce ne sont pas des gens riches, mais la grandeur de leur cœur compense pour leur manque de ressources.

Peu avant l'entrée du village, nous obliquâmes vers la droite, empruntant un chemin plus étroit que celui dans lequel nous nous trouvions précédemment. Nous avions dû laisser la sécurité des bois, la forêt se faisant plus rare dans les environs. Une quinzaine de minutes plus tard, nous étions en vue d'une petite maison de pierre au toit de chaume. De jeunes enfants jouaient devant la chaumière et un âne broutait paisiblement un peu plus loin. Cette vision fut mon premier vrai contact avec la vie de paysans.

Ayant perçu notre approche, les gamins arrêtèrent soudain leurs jeux et se précipitèrent à l'intérieur pour annoncer notre venue. Peu après, une femme sortit de la demeure à leur suite. Elle nous fit de grands signes de la main et les enfants se ruèrent à notre rencontre. Ils étaient quatre, deux garçons et deux filles. L'aîné avait environ une dizaine d'années alors que la plus jeune ne devait pas en compter plus de quatre. Je ne pus m'empêcher d'avoir une pensée pour ma fille perdue, qui ne grandirait jamais, et je sentis ma gorge se nouer. J'avais refusé de me laisser emporter par son souvenir depuis mon arrivée, pour ne pas sombrer davantage, mais la vue de cette famille me ramena un moment en arrière ; le temps de me rappeler qu'elle était beaucoup mieux là où elle était aujourd'hui, loin de la souffrance...

Kosta descendit de sa monture et m'invita à l'imiter. Les enfants ne purent cacher leur curiosité devant la dame à la longue cape noire. Mon guide m'avait demandé de la porter, juste avant de bifurquer vers ces terres, et de rabattre le capuchon sur ma tête. Celui-ci jetait une ombre sur mes yeux et rendait difficile la vue de leurs couleurs divergentes. Kosta ne voulait surtout pas créer d'émoi, ne sachant pas ce que les enfants pouvaient avoir entendu concernant les femmes au regard comme le mien. J'avais obtempéré, ne pouvant guère faire autrement dans les circonstances, même si je me sentais davantage comme une évadée en cavale de cette façon.

On me présenta chacun des enfants : le plus vieux, Laniel, ensuite Jamille, puis Thanis et la plus jeune, Mabel. Kosta s'accroupit à leur hauteur et leur expliqua que la dame qui l'accompagnait supportait difficilement la lumière du jour. Mes yeux ne pourraient supposément pas s'y habituer avant d'avoir vu un guérisseur.

– Maman en a justement un comme invité, se dépêcha d'annoncer Laniel, d'un air triomphant. La dame n'a qu'à lui demander son aide. Je vais le prévenir !

Sur ces mots, le gamin disparut à l'intérieur ne laissant pas à Kosta l'opportunité d'intervenir. Je croyais que mon compagnon serait consterné par cette annonce, mais je me trompais. La nouvelle ne semblait pas le déranger outre mesure, le faisant même sourire. Il entra à la suite des trois autres enfants et je n'eus d'autre choix que de les suivre.

Dans la petite maison, la femme, répondant au nom de Béline, me salua avant de retourner à son chaudron, l'air timide. Puis un homme de petite taille vint vers nous. Kosta me présenta Hélion. Avant que je ne puisse ajouter quoi que ce soit, un jeune homme nous rejoignit, remorqué par un Laniel très fier de lui. Je remarquai avec surprise que le présumé guérisseur n'était autre que Zevin, celui qui avait favorisé, avec Alexis, ma fuite du groupe de Simon. Il me semblait que cela avait eu lieu depuis une éternité déjà.

Mis au fait de mon supposé problème par les bons soins du jeune garçon, Zevin lui promit, avec le plus grand sérieux, de faire de son mieux pour y remédier tout en m'entraînant dans une petite pièce servant de réserve, à l'arrière de la maison. Assurée que nous serions à l'abri des oreilles indiscrètes, je m'empressai de lui demander la raison de sa présence.

– Je crois que votre agréable compagnie me manquait, me dit-il avec un clin d'œil.

Ayant retrouvé son aplomb, il m'expliqua que sa présence aux côtés d'Alexis remontait à leur enfance et que son savoir – il était vraiment guérisseur – lui avait été transmis par un vieil oncle. Il me raconta rapidement qu'il venait d'une famille aux racines très anciennes et aux multiples dons bienfaiteurs. Même si la puissance de leurs pouvoirs avait diminué à travers les lignées de descendants, les capacités de ses derniers membres étaient encore largement suffisantes pour les besoins des communautés qu'ils côtoyaient.

– Vous savez, Naïla, les blessures magiques sont devenues beaucoup plus rares depuis la fin des hostilités, mais elles sont encore présentes. Toutefois, les cas que je rencontre aujourd'hui sont souvent dus à l'inexpérience d'apprentis sorciers qui se découvrent soudain des dons bien étranges.

Devant mon air étonné, il m'expliqua qu'il y avait encore des Êtres d'Exception qui naissaient de parents ignorants de leur passé et du sang métissé qui coulait dans leurs veines depuis plusieurs générations. Très vite, ces parents se rendaient compte que leur progéniture était différente de celle des autres. Ils consultaient alors des guérisseurs qui les envoyaient finalement à des mages-guérisseurs. Eux seuls pouvaient réparer les dégâts causés par ces enfants.

– Leurs parents ne devraient-ils pas être eux-mêmes un peu sorciers ?

– Pas nécessairement. Quand le métissage devient moins présent dans le sang, il arrive souvent que les dons s'effacent pendant plusieurs générations avant de s'affirmer à nouveau.

– Et qu'advient-il de ces enfants ?

– Bien avant que je ne sois moi-même guérisseur, mes aïeuls tentaient d'expliquer aux parents l'origine de ces dons, espérant que leur enfant puisse un jour reprendre la place qui lui était due et aider notre monde à se remettre de son passé. Mais mes ancêtres ont dû se rendre à l'évidence : sans un enseignement sérieux par des gens compétents, des Sages en l'occurrence, il était impossible que ces jeunes puissent faire autre chose que s'attirer des ennuis. De plus, certains parents, convaincus pas la Quintius...

Il me jeta un œil interrogateur.

– Oui, Meagan m'en a parlé. Continuez...

– Alors ces parents, convaincus par la Quintius que leur fils ou leur fille était possédé par quelque esprit malfaisant de leur invention, le confiait aux dirigeants de l'organisation pour qu'ils l'exorcisent. Le même dénouement se répétait chaque fois : l'enfant ne survivait pas à la cérémonie. Ce qui est le plus troublant dans cette histoire, c'est que les parents ne pouvaient jamais récupérer le corps de leur petit. Comme on soupçonnait les grands prêtres de s'approprier ces enfants dans le but de les instruire pour ensuite les exploiter, il fut décidé de les isoler dans un orphelinat spécialement conçu pour eux, près de la frontière des Terres Intérieures, loin des regards indiscrets. Il en est toujours ainsi depuis, mais il est de plus en plus rare qu'on doive y conduire un enfant. Pour ma part, je n'en ai amené qu'un là-bas. Les dons de ceux que j'ai croisés, au hasard de mes rencontres, ne valaient même plus la peine qu'on s'en préoccupe tellement ils avaient diminué. Bientôt, nous n'aurons plus à nous en inquiéter. Malheureusement, si les Êtres d'Exception disparaissent, l'avenir de notre monde s'en ressentira...

Il ajouta, se parlant davantage à lui-même :

– Il reste tout de même quelques rares exceptions qu'on ne s'explique pas et qui demeureront, je l'espère, des cas isolés.

Il me jeta un regard en coin que je ne parvins pas à interpréter, avant de revenir à la raison de ma présence dans cette pièce.

– Il est grand temps que vous contrôliez...

Je l'interrompis, me rendant bêtement compte que tout le monde me vouvoyait et que cela n'avait guère de sens à mes yeux.

– Je pense qu'on devrait se tutoyer...

Zevin acquiesça d'un signe de tête avant de reprendre simplement où il en était.

– Que tu contrôles davantage les dons dont tu as hérité de par ta naissance et que tu sembles incapable d'utiliser à bon escient, compte tenu de ton manque d'expérience.

Il eut un demi-sourire.

– Je n'imaginais pas que nous pourrions retrouver une descendante de la lignée maudite. Même si l'on m'avait dit que je devrais un jour aider une Fille de Lune à maîtriser ses immenses pouvoirs, je ne l'aurais jamais cru. Quelle idée aussi de vouloir vous cacher dans un autre monde afin de vous sauver la vie, si l'on ne vous apprend pas comment vous défendre une fois jetés dans la gueule du loup !

Je le laissai discourir tout en l'observant. Il farfouillait dans son sac en bandoulière. Il s'arrêta finalement et sa main reparut, tenant une étrange petite amulette en bois. Je m'approchai, curieuse. Il leva les yeux vers moi et je crus voir une ombre traverser son regard. L'impression fut si brève que je doutai d'avoir bien vu. Il saisit ma main droite et y déposa l'objet. Je fus surprise de le sentir glacé dans ma paume. En l'examinant de plus près, je constatai que ce que je croyais être du bois n'avait finalement rien de commun avec ce matériau. Après avoir fait rouler le talisman entre mon pouce et mon index une bonne dizaine de fois, je n'avais toujours aucune idée de la matière qui le constituait. Sa forme singulière m'intriguait ; ce que j'avais d'abord pris pour un ovale maladroitement taillé se révéla plutôt être la représentation d'un œil.

La sculpture, qui avait dû être beaucoup plus nette lors de sa création, ne laissait maintenant deviner que la forme de l'iris et de la pupille. La surface, patinée par les ans, était lisse et douce au toucher. Je rapprochai l'objet de mon visage, tentant de mieux distinguer les contours de ce qu'il avait été. Une question allait jaillir sur mes lèvres, mais je poussai plutôt un cri de douleur. Je lâchai l'amulette, que j'entendis heurter le sol, plaquant une main sur mes yeux dans un geste instinctif. Le temps que je réalise ce qui venait de se produire, la douleur avait disparu. Je me gardai cependant de bouger, de peur de la raviver. Je sentis alors la main de Zevin se poser doucement sur mon épaule, au moment où la voix de Béline se faisait entendre de l'autre côté de la porte.

– Est-ce que ça va ? demanda-t-elle, incertaine.

– Oui, oui, ce n'est rien, lui répondit Zevin. Un simple malaise passager. Ne vous inquiétez pas. Nous serons de retour dans une minute. Ça va ? me demanda-t-il ensuite.

– Oui. Enfin, je crois. Je n'ose pas ouvrir les yeux...

– Tu peux le faire sans crainte ; il ne t'arrivera plus rien. Je suis désolé de n'avoir pas eu le temps de te prévenir de ce qui allait se passer ; tu m'as devancé en plaçant le pendentif devant tes yeux. Mais c'est probablement mieux ainsi. Tu n'as pas eu à vaincre l'appréhension de la passation du pouvoir, puisque tu ne savais pas à quoi t'attendre.

Pendant que je rouvrais doucement les yeux, il m'expliqua que ce petit talisman permettait de transmettre le pouvoir nécessaire à la modification de la couleur de mes iris sans que j'aie à en faire l'apprentissage. Mes yeux ne prendraient désormais leurs couleurs d'origine qu'en présence de ceux qui connaîtraient ma véritable identité, jamais plus devant des étrangers. Et tout cela sans aucun effort de ma part. Une vraie bénédiction ! Il refusa toutefois de m'en dire davantage et se referma comme une huître, son regard à nouveau traversé par une ombre douloureuse, quand je lui demandai comment un objet de cette valeur avait pu aboutir entre ses mains.

– Est-ce que toutes les Filles de Lune ont ce pouvoir ?

– Oui, mais, comme toi, elles ne savent pas toutes s'en servir.

– Est-ce que Mélijna...

Il m'arrêta, sachant manifestement où je voulais en venir.

– Entre Filles de Lune, vous ne pouvez vous dissimuler cette particularité puisque vous appartenez à une seule et même famille, et servez donc les mêmes intérêts.

Il fit une pause, avant d'ajouter :

– En théorie, du moins...

- 3 -

Guérison

Dans la cache à hors-la-loi, juste sous le plancher de la réserve, Madox avait attendu avec impatience l'arrivée de la Fille de Lune. Il était en compagnie d'Alix, à qui Zevin avait administré un puissant sédatif, encore une fois contre son gré, il va sans dire. Ses deux compagnons d'armes l'avaient conduit magiquement à cet endroit après l'avoir endormi par la ruse, las d'argumenter inutilement.

Pendant de longues minutes, Madox avait dû faire montre d'une incroyable maîtrise de soi pour ne pas céder à la tentation de sortir de sa cachette pour enfin rencontrer celle dont il avait tant entendu parler dans sa jeunesse. Il était resté immobile, écoutant la jeune femme parler avec Zevin, des larmes d'émotion roulant sur ses joues.

Pourtant, il avait rapidement dû reprendre contact avec la réalité, souhaitant réussir à guérir son compagnon. Il avait eu besoin de toute son attention pour créer une cellule temporelle non seulement autour d'eux, mais englobant également la maison. Ce tour de force avait exigé énormément de concentration ; à un certain moment, il avait même craint de ne pas pouvoir maintenir la magie opérante aussi longtemps que nécessaire. Heureusement, il était parvenu à stabiliser le sortilège pour qu'il perdure indéfiniment. Avec un soupir de soulagement, il s'était alors tourné vers Alix, commençant sa longue veille. Il n'avait aucune idée du temps qu'il faudrait pour que les nombreuses blessures, contusions et ecchymoses disparaissent du corps de son ami, lui redonnant vie.

Trois heures après la création de la cellule, les larges meurtrissures avaient fait place à des marques de plus en plus claires, certaines étant même sur le point de disparaître. Les brûlures au dos avaient cessé de suinter, s'asséchant lentement, et ne laisseraient finalement, vingt-quatre heures plus tard, que de fines cicatrices qui viendraient s'ajouter à celles qui abondaient déjà sur le corps du guerrier. Les cloques des paumes avaient toutes crevé avant de s'effacer à leur tour. Madox ne pouvait pas vérifier si les courbatures et les muscles étirés avaient aussi pris du mieux, mais il le croyait. Alix allait devoir l'admettre : il était vraiment un Cyldias désigné, avec tous les inconvénients que cela impliquait. Restait à savoir si le jeune homme accepterait son destin ou continuerait de le contester.

Rassuré, Madox s'allongea sur un banc de fortune, aux côtés de son ami. L'endroit était petit et avait été aménagé pour accueillir tout au plus trois personnes pour une courte période. Il y avait déjà séjourné, plusieurs années auparavant, alors qu'il cherchait à fuir les hommes du sire de Gringoix.

Alix grogna dans son sommeil, gémissant faiblement, avant de retrouver un visage paisible. Madox jeta un œil à la plaie causée par l'épée d'Alejandre : les bords restaient rougis et un mince filet de sang s'en échappait toujours. Le jeune homme soupira, se résignant à passer encore beaucoup de temps dans ce trou humide, éclairé par seulement trois chandelles moribondes.

Fixant le plafond qui obstruait l'entrée de la cachette, il laissa vagabonder ses pensées. Il se demandait comment il se serait sorti de la présente situation s'il n'avait pas été en mesure de créer une cellule temporelle suffisamment grande pour les besoins de la cause. Chaque fois qu'il employait ce sortilège, il ne pouvait s'empêcher d'apprécier cette forme de magie extrêmement pratique. Dommage que tous ne l'utilisent pas à bon escient...

Il se souvenait très bien du jour où il avait appris à arrêter le temps. Âgé d'à peine seize ans, il s'était retiré à l'extrême limite ouest du continent, à Nelphas, vastes étendues marécageuses que tous fuyaient parce qu'elles étaient supposément hantées. En dépit de son jeune âge, Madox connaissait déjà leur secret, révélé par sa mère quelque cinq ans plus tôt. Avant de disparaître, elle lui avait souvent répété une maxime qu'elle jugeait extrêmement importante : « Ne crains jamais quelqu'un ou quelque chose simplement parce que les autres le font. Apprends plutôt à connaître ce que, toi-même, tu crains. » Depuis, il avait toujours suivi cet enseignement.

Les cellules temporelles permettaient de suspendre le passage du temps aussi longtemps que les pouvoirs de la personne commandant le sortilège le permettaient. Plus un mage s'exerçait, plus il pouvait jouer avec le temps, voire l'avancer ou le faire reculer ; tout n'était qu'une question de capacités et de concentration. Il fallait bien avouer, par contre, que certains mages ou sorciers possédaient un véritable don, comme si une alliance les liait aux forces temporelles ; celles-ci semblaient d'ailleurs incapables de résister aux changements que ces êtres leur imposaient.

Madox glissa bientôt dans un sommeil tourmenté, entrecoupé de nombreux réveils en sursaut. Il demeurait inquiet pour la santé de son ami. Il s'éveilla pour de bon quatre heures plus tard, courbaturé et impatient de quitter cet espace confiné. Toujours plongé dans une torpeur artificielle, Alix porta inconsciemment une main à sa blessure magique et grimaça. Madox remarqua que la plaie ne suintait plus, mais qu'elle avait pris une vilaine teinte violette, comme lorsque

Zevin avait stoppé la propagation du poison. La blessure avait franchi une étape décisive dans le processus de guérison. Excellente nouvelle !

Il s'écoula une douzaine d'heures supplémentaires avant que la plaie fasse finalement place à une large cicatrice blanche, en tous points semblable à celle qui était apparue dix ans plus tôt, lors de la première trahison d'Alejandre. Madox se retint de crier victoire trop vite, la blessure d'autrefois s'étant ravivée à quelques reprises, malgré sa guérison apparente.

Soudain, Alix battit des paupières et fronça les sourcils en tentant d'identifier l'endroit où il se trouvait. Regardant autour de lui, il découvrit un Madox on ne peut plus souriant et soulagé. Cela eut le don de l'énerver...

– La peur que j'inspire à mes ennemis n'a malheureusement aucun effet sur mes intimes puisque vous n'hésitez pas à faire exactement le contraire de tout ce que je dis...

Le sourire de Madox s'élargit encore, si tant est que la chose fût possible, alors qu'Alix ajoutait en maugréant :

– Et il semble que vous le fassiez avec un plaisir évident...

– Tu veux bien cesser de geindre cinq minutes ! Ça te permettrait de te rendre compte que la grande majorité de tes blessures, brûlures et ecchymoses ne sont plus que de pâles souvenirs sur ton corps de guerrier.

Pour toute réponse, le Cyldias examina ses paumes avec une certaine incrédulité. Il réalisait soudainement que les douleurs et les courbatures qui le faisaient souffrir au moment où il avait perdu le fil du temps grâce à la médecine de Zevin s'étaient dissipées. Il remua lentement chacun de ses membres, glissa une main jusqu'à son flanc en grimaçant et reporta finalement son attention sur Madox.

– Depuis combien de temps suis-je ici ?

– Une trentaine d'heures... Pour ton bien...

Le jeune homme soupira. Il n'avait d'autre choix que d'admettre les bienfaits de cette retraite forcée.

– C'est sa présence qui a fait la différence, je suppose ?

Madox se contenta de hocher la tête. Il avait beau ne pas toujours être d'accord avec son compagnon d'armes ni éprouver le même détachement pour la Fille de Lune nouvellement arrivée, il comprenait le calvaire que pouvait représenter le fait d'être un véritable Cyldias. Force lui était d'avouer qu'il préférait sa place à celle de son ami, même si cela l'obligeait à se tenir à distance de Naïla, plus de deux mois après sa venue.

Alix se passa la main dans les cheveux, geste machinal chez lui, avant de fermer les yeux. Contrairement à ce qu'anticipait Madox, il n'émit aucun commentaire.

« C'est mauvais signe, supputa ce dernier. Quand Alix n'explose pas, mais accepte simplement une situation particulière, les problèmes risquent de s'aggraver. »

– Ta cellule temporelle peut tenir combien de temps encore ?

La question prit Madox au dépourvu ; il croyait qu'Alix voudrait la quitter sitôt éveillé. Il haussa les épaules.

– Aussi longtemps que nécessaire, je suppose... Pourquoi ?

– Parce que j'ai besoin de réfléchir et que je ne me sens pas encore la force d'en créer une moi-même. Tu veux bien conserver la tienne encore un peu ?

– Sans problème, acquiesça Madox.

Il en profiterait pour parfaire certains sortilèges qui demandaient davantage de pratique que de concentration, lui permettant ainsi de maintenir la cellule temporelle sans effort. Après avoir fouillé dans les sacs de provisions pour se sustenter, les deux hommes s'absorbèrent chacun dans leur tâche. Madox ne fit disparaître la cellule qu'après une douzaine d'heures, quand Alix fut prêt à faire son apparition chez Hélion, au vu et au su de tous, mais surtout en meilleure forme physique et mentale pour revoir la Fille de Lune.

- 4 -

Désaccord

Au cours du repas frugal qui suivit ma « guérison », les conversations tournèrent autour de la vie quotidienne des habitants de Précian. Zevin et Kosta, qui avaient l'air de bien connaître ce coin de pays, s'informaient de certaines personnes en particulier. J'en profitai pour observer les gens qui m'entouraient.

Béline ne semblait pas beaucoup plus âgée que moi, mais le dur labeur auquel elle devait s'astreindre chaque jour se lisait sur chacun de ses traits prématurément vieillis. Elle avait transmis ses longs cheveux blonds à ses filles, ainsi que ses yeux bleu pâle. Quant aux deux garçons, ils ressemblaient davantage à leur père avec leur épaisse tignasse brune et leurs yeux d'un vert mousse profond. Je ressentais une pointe de tristesse à l'idée que ces enfants ne pourraient probablement pas espérer une vie plus facile que celle de leurs parents.

Je fus tirée de ma rêverie par Jamille. Elle devait avoir environ huit ans et les taches de rousseur qui constellaient son visage lui donnaient un air espiègle et légèrement effronté.

– Je n'ai jamais vu d'aussi belle dame que vous avant. D'où venez-vous ?

La question me prenant au dépourvu, je restai bêtement sans voix. Ses parents, de même que Zevin et Kosta, me regardèrent du coin de l'œil, attendant poliment ma réaction. Si l'un d'eux répondait à ma place, la gamine risquait de poser encore plus de questions, ajoutant ainsi au problème.

– C'est une bonne amie à moi. Elle vient de très loin pour voir comment vivent les petites filles de la campagne dans ton genre. Cette gente dame ne connaît que les châteaux et les grands seigneurs...

Je me retournai vers la source de cette voix enjouée, que j'aurais reconnue entre mille, pour découvrir son détenteur, debout dans l'embrasure de la porte, adressant un clin d'œil à la gamine ravie. Cette dernière se leva d'un bond et s'élança vers Alexis, qui s'accroupit pour l'accueillir dans ses bras. Je le vis réprimer une grimace de douleur, avant de retrouver son sourire. Sûrement des séquelles des blessures subies au château...

Pendant un bref instant, l'envie d'imiter l'élan de Jamille me traversa l'esprit, mais je me ravisai. Ce n'était pas le moment de commettre une bévue de ce genre. Je doutais que le principal intéressé démontre autant d'enthousiasme à mon approche qu'il en avait eu pour la fillette. Aux dernières nouvelles, j'étais toujours une nuisance dans sa vie même si, pour ma part, sa présence me rassurait.

Je restai donc sagement assise à ma place, sans toutefois parvenir à détacher mon regard de sa personne. Béline et Hélion se levèrent à leur tour pour lui souhaiter la bienvenue, tandis que Zevin et Kosta le saluaient d'un signe de tête.

– Nous ne t'attendions pas avant tard cette nuit, lui dit Hélion.

– Je sais, répondit Alexis. Il se trouve que je n'ai pas eu besoin de prendre certaines précautions ; la route était plus déserte qu'à l'habitude. Pour une rare fois, il semble que ma présence n'ait pas été ébruitée. Je n'ai donc pas eu à me débarrasser des gêneurs.

Le jeune homme poussa un soupir de lassitude, jetant un œil vers Zevin. Je remarquai que ce dernier sourirait malicieusement et je me demandai pourquoi. J'eus l'impression qu'il savait qu'Alexis n'était pas tout à fait franc avec nous, mais qu'il était vraisemblablement d'accord avec sa façon de faire.

– Asseyez-vous, messire, dit Béline. Vous connaissant, vous ne devez pas avoir pris le temps d'avaler quoi que ce soit depuis votre départ.

– Ne t'ai-je pas déjà demandé de ne pas m'appeler messire et de cesser de me vouvoyer ? C'est mon frère qui règne sur le domaine, pas moi.

L'amertume perçait clairement sous ses propos. Je m'étais d'ailleurs questionnée sur le fait que c'était son frère, plutôt que lui, qui ait hérité de la résidence familiale.

Pendant que Béline le servait, il s'installa en face de moi. Je fixais obstinément les vestiges de mon repas, ne sachant si je devais me taire ou le remercier devant tout le monde. La jeune mère envoya ensuite ses enfants jouer à l'extérieur pour que les adultes puissent discuter tranquillement.

– J'espère que le voyage n'a pas été trop pénible, s'enquit Alexis.

– Le bonheur de fuir ce château maléfique valait amplement ses inconvénients. Je vous remercie de m'avoir aidée à retrouver ma liberté...

J'avais levé les yeux vers lui avec appréhension, indécise quant à l'attitude à adopter. Nous avions une relation trouble et ce n'était ni le moment ni l'endroit pour tenter de l'éclaircir. Il balaya mes remerciements du revers de la main.

– Vous vous doutez bien que mon coup de main n'était pas désintéressé. Il semble que j'ai autant besoin de vous que mon frère...

Je devais avoir l'air choquée et estomaquée puisque la surprise se lut instantanément sur son visage avant de laisser poindre l'embarras.

– Oh ! Rassurez-vous, pas pour les mêmes raisons. Voyez-vous, nos projets diffèrent quelque peu. Ma situation de Cyldias est fort inconfortable et...

Je me détournai un instant. Des images avaient refait surface à la mention de son frère. Il se tut, voyant que je ne l'écoutais plus. Nous nous regardâmes en silence quelques secondes, puis je baissai les yeux, mal à l'aise. Je murmurai simplement :

– Vous souhaitez probablement discuter avec vos compagnons, je vais donc me retirer. Je serai davantage utile à laver la vaisselle...

Je me préparais à quitter la table au moment où Béline revint avec une cruche et de grands verres. Probablement une boisson réservée aux hommes, puisqu'elle ne m'en offrit pas. Elle se contenta de me regarder, en m'annonçant :

– Pas question qu'une femme de votre rang récure mes chaudrons. De toute façon, je pense que mess... pardon, qu'Alexis voudra vous entretenir de la poursuite de votre voyage.

Elle claqua sèchement la langue et tourna les talons, me plantant là, indécise. Alexis ne dit rien jusqu'à ce qu'elle ait disparu.

– Votre présence l'intimide, l'excusa-t-il. Elle redoute de se retrouver seule avec vous. Et elle n'a certainement pas compris que vous désiriez seulement me fausser compagnie.

Dans un haussement d'épaules, il poursuivit :

– Croyez-moi, je ne suis pas très enthousiaste à l'idée que vous restiez si près de moi, mais je vais malheureusement devoir m'en accommoder. Au contraire de Béline, je ne peux pas choisir de vous écarter délibérément.

Ma brève envie d'être réconfortée dans ses bras, à son arrivée, avait totalement disparu devant son habituelle tiédeur à mon endroit. Son manque toujours aussi flagrant de volonté à assurer ma protection me laissait sans voix et le cœur palpitant de rage.

– Nous devrions avoir une bonne conversation tous les deux à propos d'Alejandre et de ses motivations, mais le moment est mal choisi. Je suppose que nous n'avons d'autre choix que de reporter à plus tard cette discussion.

Ce deuxième rappel de mon séjour au château, en l'espace de quelques minutes, m'était aussi nécessaire qu'une épine au pied. Une saine colère se mit à bouillonner en moi.

– De toute façon, je ne suis pas d'attaque pour me lancer dans une joute verbale avec vous ! Mais peut-être pourriez-vous me dire si vous avez l'intention de me conduire jusqu'à la ville de Gléphyre tel que je le souhaite ou si, comme votre frère, vous projetez de me dicter comment occuper mon temps ?

Le sarcasme perceptible dans ma voix fut plus cinglant que je ne l'aurais voulu, mais c'était plus fort que moi. Je n'avais pas beaucoup dormi au cours des quarante-huit dernières heures et je ne savais toujours pas ce qu'on comptait faire de moi. J'étais enceinte et je pouvais affirmer, sans l'ombre d'un doute, que je ne tarderais pas à être malade chaque matin, traînant ensuite des nausées persistantes durant le reste de la journée. J'avais peur de devenir encore plus irritable et insupportable – si tant est que la chose fût possible. Ma dernière grossesse avait été un calvaire et mes conditions de vie étaient mille fois mieux que ce qui m'attendait ici. C'est à ce moment qu'un détail vint sournoisement s'ajouter à la longue liste de mes griefs, faisant passer mon humeur de belliqueuse à massacrante. S'il fallait en croire le sire de Canac, l'homme assis face à moi était mon demi-frère...

Je fermai les yeux et pressai mes doigts sur mes tempes, tentant de soulager mon crâne douloureux. L'envie d'éclater en sanglots se fit sentir durant quelques instants, mais je me ressaisis rapidement, refusant d'avoir l'air, devant lui, de la pauvre femme qu'il me croyait être. Je pris une grande inspiration, attendant simplement qu'il me réponde.

– Si ça peut vous rassurer, je n'ai pas l'intention de suivre les traces de mon très cher frère. Nos valeurs diffèrent sensiblement...

Il avait prononcé la dernière phrase sur un ton dur, m'indiquant clairement que ce n'était pas le genre de comparaison à faire si je ne voulais pas envenimer la situation déjà fort tendue entre nous. Je restai muette comme une carpe.

– Nous devrons nous mettre en route demain matin, aux aurores. Il faut que nous gagnions rapidement les montagnes, à la limite des territoires habités. Le Sage qui m'a demandé de veiller sur vous doit nous y attendre avec impatience et je...

J'expirai bruyamment avant de l'interrompre, m'opposant à ce qu'on décide une fois de plus de l'endroit où je devais me rendre.

– Il est hors de question que j'aille là-bas avant de passer par le village de Gléphyre. Si ce Sage espère la venue d'une Élue depuis si longtemps, il est bien capable d'attendre quelques semaines de plus.

Alexis leva des yeux exaspérés au plafond. Manifestement, il n'avait pas prévu mon objection, ayant véritablement peu appris de nos précédentes rencontres. Sous l'impulsion de la colère qui s'éveillait en lui, il délaissa le « vous » poli pour un « tu » beaucoup plus familier, surtout provenant de sa bouche.

– Il semble que tu n'aies pas saisi ce que je viens de dire. Ce n'était pas une proposition, Naïla, mais bien des instructions. C'est pour ta propre sécurité que je dois te conduire là-bas. Je n'ai pas le choix. Uleric ne me pardonnerait pas si je venais à te perdre encore une fois. De toute façon, je n'ai pas l'intention d'endosser mon rôle de Cyldias, qu'il soit désigné ou pas...

C'en était trop. Je me mis à hurler :

– Est-ce que quelqu'un pourrait, de temps en temps, me demander mon avis ? Je ne suis pas un objet qu'on s'arrache selon le bon vouloir de chacun. Je devrais pouvoir décider de ce qu'il adviendra de moi dans un avenir rapproché.

Plus caustique que jamais, j'ajoutai :

– Pour quelqu'un qui n'avait pas l'intention de suivre les traces de son frère, je vous trouve drôlement bien engagé dans cette voie !

Je ne me souciais plus du tout que Zevin, Kosta ou Hélion me regarde d'un air abasourdi. Je me fichais pas mal de ce que messires Alexis, Alejandre ou bien Uleric pouvaient bien vouloir faire de moi. J'avais la ferme intention de tenir les promesses faites à Meagan et à Gaudéline. Je n'avais nulle envie de me retrouver coincée quelque part de nouveau, sans pouvoir mettre un terme à la vie qui grandissait en moi. Et surtout, je ne voulais pas qu'Alexis sache que je portais l'enfant de son frère, enfin pas tout de suite. Force me fut cependant d'admettre qu'il était sûrement déjà au fait de ce nouveau problème.

Il tenta encore et encore de me faire entendre raison. Chaque fois que je lui demandais pourquoi je devrais me rendre à ses arguments ou que je faisais allusion à ce que ce Sage pouvait bien me vouloir, il me répondait que c'était une simple question de bon sens, qu'il ne lui appartenait pas de m'expliquer mon rôle dans ce monde ni ce qu'Uleric attendait de moi. À mes yeux, toutes ces raisons n'étaient que prétextes. En fait, mon soi-disant protecteur voulait surtout se débarrasser de mon encombrante personne. Nous étions aussi butés l'un que l'autre ; cette discussion ne conduisait nulle part. Alexis finit par s'emporter et me signifia que, avec ou sans mon accord, nous partirions le lendemain matin.

– Tu n'as d'autre choix que de me suivre...

– C'est ce que nous allons voir, lançai-je avec colère avant de sortir, espérant que l'air frais me calmerait.

Je gagnai l'arrière de la maison et m'accoudai à la barrière de l'enclos des chevaux. Je retenais mes larmes avec peine, mais celles-ci n'avaient rien à voir avec le chagrin ; c'était davantage la rage qui m'habitait. Je désespérais de ne jamais voir ma situation s'améliorer.

– Tu permets que je te tienne compagnie ?

Je reconnus la voix de Zevin, mais ne répondis pas, espérant qu'il me laisse tranquille. Au lieu de cela, il vint s'installer à mes côtés. Je l'ignorai, préférant observer une jument et son poulain sous les pâles rayons lunaires. Je n'avais pas envie de l'entendre m'expliquer le comportement d'Alexis ou tenter de l'excuser. J'aurais simplement voulu être ailleurs...

– Il ne faut pas lui en vouloir. Il n'a guère plus de marge de manœuvre que toi dans cette histoire. Lui aussi doit parfois se contenter d'obéir.

En soupirant, il ajouta :

– Le fait qu'il soit un véritable Cyldias ajoute énormément au problème.

– Tiens donc ! explosai-je. Et c'est ma faute s'il est un véritable Cyldias ? Je ne sais même pas ce que cette responsabilité signifie réellement... Et je te signale que je n'ai pas souhaité plus que lui cette situation, mais que c'est sur moi qu'il passe sa colère, comme si je le pourchassais depuis des années, l'obligeant à accepter ce fardeau.

Zevin esquissa un sourire, reconnaissant la justesse de mes propos. Sous l'impulsion de la colère, je continuai d'un ton acerbe :

– Et je présume que tu vas me dire qu'il est, lui aussi, recherché par je ne sais combien de fous dangereux ?

– Probablement plus, si l'on tient compte du fait que ta présence est encore peu connue, alors que la sienne est légendaire. Malgré tout le respect que je te dois, permets-moi de te dire que tu ne tarderas sûrement pas à le rejoindre au sommet de la liste des gens les plus recherchés si tu persistes à ne pas vouloir qu'on te protège.

Sa voix était calme et douce, mais je sentais l'avertissement sous ses propos. Je ne pus m'empêcher de lui demander comment Alexis pouvait être un homme aussi recherché, ma voix ayant repris une tonalité plus neutre. La surprise découlant de l'affirmation de Zevin l'emportait momentanément sur ma colère.

– Alix n'aime pas beaucoup les gens qui cherchent à tirer injustement parti de la faiblesse des autres ou de leur ignorance. Il s'est de plus juré de sauver la Terre des Anciens, au péril de sa vie...

Je fis la moue. Zevin eut un sourire indulgent.

– Je sais que ça semble mélodramatique vu de cette façon. Pourtant, c'est la vérité. Quand on a une idée de ce qui se passe en réalité, on n'a qu'une envie : abandonner et retourner à une vie plus simple !

Il me jeta un coup d'œil.

– En ce qui concerne sa mission de protecteur, un autre élément nourrit sa réticence à être responsable d'une Fille de Lune incapable d'utiliser ses pouvoirs. Toutefois, ce n'est pas à moi qu'il revient de l'éclaircir. Il le fera lui-même lorsqu'il sera prêt.

– Il est marié, dis-je en guise de réponse à sa dernière phrase, soupçonnant, sans trop savoir pourquoi, que notre étrange attirance charnelle était pour quelque chose dans la difficulté évoquée.

Cette fois, Zevin sourit malicieusement.

– Je comprends de mieux en mieux pourquoi il se méfie de sa nouvelle obligation. Tu es loin d'être aussi démunie que tes précédentes consœurs sous certains aspects...

Il fit planer un bref silence avant de finalement laisser tomber :

– Pour ce qui est d'être marié, il se trouve que la situation est plus complexe qu'il n'y paraît.

J'émis un rire sans joie, mais n'ajoutai rien. Nous étions vraisemblablement dans un cul-de-sac ; quoi que je dise, il prendrait le parti de son ami d'enfance et non le mien.

– Je ne voudrais pas que tu penses que je suis de son côté plus que du tien, mais...

– C'est exactement ce que je pense ! le coupai-je d'un ton rogue.

– Je sais, et je ne peux malheureusement pas te donner les informations qui seraient en mesure de te faire changer d'avis. D'ici là, pourrais-tu essayer de nous simplifier la vie ? Tu ne tarderas pas à comprendre pourquoi nous agissons ainsi et...

Je tournai les talons et le plantai là sans plus de manières. Tant qu'à perdre mon temps en vaines discussions, autant aller dormir !

* *
*

Je me réveillai en sursaut à l'aube. Mon sommeil avait été peuplé de nymphes au sang vert, bleu ou jaune qui se faisaient massacrer, de créatures étranges et dangereuses, de même que d'êtres, mi-hommes, mi-bêtes, qui me pourchassaient sans cesse. J'avais ouvert les yeux au moment où l'un d'eux me rattrapait, les traits figés dans un hurlement. Des pas précipités se firent entendre. La porte s'ouvrit sur Kosta, l'épée à la main, le souffle court. Il comprit sur-le-champ ce qui s'était passé lorsqu'il me vit en sueur, une main sur la poitrine et l'autre sur le front, tentant de recouvrer mes esprits.

– Est-ce que ça va ? demanda-t-il.

– Oui, je crois. Je suis désolée. Je présume que mes cris ne se sont pas limités à mon sommeil agité ? Je...

Son sourire confirma mes craintes, de même que Béline, Hélion et Zevin qui s'agglutinaient dans l'embrasure de la porte, tous en chemise de nuit, cherchant d'où provenait ce vacarme. Après s'être assurés que je me portais bien, ils s'en retournèrent tous, l'un après l'autre. Une fois seule, je me demandai bêtement où était Alexis. La partie rationnelle de mon cerveau observa assez justement qu'après ma crise de la veille, mon protecteur devait brûler d'envie de se préoccuper de mes lamentations autant que de mes chaussettes, bonnes à repriser...

Je sortis finalement du lit et me rendis à la fenêtre. Même si j'avais voulu prendre encore un peu de repos, je savais que je ne retrouverais pas le sommeil. Une idée avait pris forme dans mon esprit au cours de la nuit, alors que je cherchais désespérément à m'endormir. Je m'habillai, me demandant si j'allais trouver le courage de mettre mon plan à exécution. Je haussai les épaules ; je le saurais bien assez tôt. Je me rafraîchis le visage, puis sortis tout bonnement par la fenêtre.

La veille, les maîtres de céans avaient insisté pour que j'occupe l'une des deux chambres de la petite chaumière, arguant qu'une femme de mon rang ne pouvait dormir à même le sol dans la pièce principale. Sourds à mes protestations, ils m'avaient poussée vers la pièce en question et avaient fermé la porte sans plus de cérémonie. Lasse, j'avais vite renoncé à répliquer. En ce moment même, je ne pouvais que leur en être reconnaissante, puisque cet état de choses me permettait de filer en douce vers la minuscule étable.

Une fois sur place, je cherchai mes sacs de voyage, que je récupérai finalement près de la jument que je chevauchais la veille. J'y glissai ma cape, puis je me trouvai de quoi grignoter. Enfin, je sortis la carte de Meagan d'une des poches de ma jupe. Nous étions tout près du village de Précian ; il me suffisait de le traverser et de poursuivre ma route vers le nord, jusqu'à Gléphyre. Une fois sur les lieux, je devrais me mettre en quête du repaire de Wandéline, avant de rejoindre Morgana, la grand-mère de Meagan.

– Vous ne pensez pas vous aventurer sans escorte dans ces contrées perdues, Naïla ?

Il avait retrouvé le « vous » respectueux et le ton était moins catégorique que la veille. Je repliai précipitamment la carte, la glissant dans mon sac d'un air coupable. Je jurai intérieurement ; cet homme avait le don de me faire sentir comme une gamine écervelée.

– Ce n'est pas que vous soyez incapable de vous défendre – en fait, il semblait plutôt penser le contraire de ce qu'il affirmait –, mais je persiste à croire que notre présence vous serait des plus utiles. Force m'est aussi d'admettre que je suis incapable de vivre loin de vous sans perdre une partie de mes pouvoirs à cause de cette damnée histoire de Cyldias. Vous m'obligeriez en acceptant de rencontrer Uleric pour lever ce sortilège qui m'empoisonne l'existence.

Un instant, je fus tentée d'accéder à sa demande, ne serait-ce que pour être débarrassée de ses sempiternels reproches, mais je me dis qu'il n'avait qu'à me suivre durant quelques jours, le temps d'accomplir ce que je projetais. Je me plierais ensuite à ses désirs.

– Alors ? Vous vous décidez ? s'impatienta-t-il.

– Désolée, mais il est vraiment préférable que je suive mon propre plan, m'entendis-je répondre.

Il leva les yeux au ciel en serrant les dents.

– Libre à vous de m'accompagner, *si votre vie en dépend*, le narguai-je.

Alexis me dévisageait maintenant d'un air arrogant qui me porta immédiatement sur les nerfs. J'ajoutai :

– Je ne me rappelle pas vous avoir demandé quoi que ce soit, *messire*. C'est vous qui avez besoin de moi, pas l'inverse. De toute façon, je doute qu'il soit sain que nous continuions à nous fréquenter, étant donné les circonstances actuelles. Il me semble plus qu'improbable que nous parvenions à nous entendre à court terme, voire même à très long terme. Vous raconterez ce que vous voudrez à Uldric...

– Uleric...

– Uleric, Uldric, peu importe puisque je n'irai pas ! J'en ai plus qu'assez qu'on me dicte ma conduite... Il y a quand même des limites !

Pour une rare fois en sa présence, je ravalai mes larmes au lieu de leur laisser libre cours. Je sellai ma jument, pressée de partir avant qu'il ne dise quoi que ce soit pour me retenir, avant que je ne flanche, avant qu'on ne doive s'expliquer. Contrairement à ce que j'appréhendais, il ne fit pas un geste. Il me regardait, tout simplement, comme si la situation le dépassait...

Je sanglai mes sacs de voyage et grimpai en selle. Il se tenait immobile, à quelques mètres de moi. Lorsque je passai devant lui pour sortir, je l'entendis murmurer : « Pourquoi,

Alana, pourquoi ? » en hochant la tête en signe de dénégation. J'immobilisai ma monture, me retournai et lui dis simplement, comme si la question m'était posée :

– Parce que je suis enceinte du sire de Canac, que j'en ai plus que marre qu'on me tienne responsable de sortilèges jetés il y a des siècles...

Il ouvrit la bouche pour répliquer, mais je ne lui en laissai pas le temps.

– ... et qu'il semble que vous soyez mon frère.

Sur ce, je talonnai ma jument et m'éloignai dans un nuage de poussière.

- 5 -

Relais de pouvoir

À peine Naïla avait-elle quitté la ferme qu'Alix disparaissait lui aussi. Il prit seulement le temps de prévenir Zevin de sa destination. Il reparut, quelques instants plus tard, tout près du mont Grévar, la retraite de Madox depuis de très nombreuses années.

Le jeune homme s'était réfugié à cet endroit après la disparition de sa mère, une dizaine d'années plus tôt. Même s'il n'avait que douze ans à l'époque, il avait su, grâce à ses pouvoirs et au savoir acquis de sa célèbre mère, se débrouiller seul et prendre soin de sa jeune sœur, Laédia. Son père n'avait, quant à lui, pu assurer leur quotidien. Cet Être d'Exception avait perdu la vie peu avant la disparition de son épouse, au cours d'une lutte de pouvoir. L'identité du sorcier qui avait abruptement mis fin à ses jours restait inconnue ; c'était un secret que la mère de Madox avait emporté avec elle, de même que la raison pour laquelle les deux hommes s'étaient battus en duel. Alix avait longtemps cherché les détails de cet affrontement et de ses fondements, mais n'avait jamais trouvé quoi que ce soit. Il n'en était guère étonné ; sa mère avait été reconnue pour son incroyable capacité à savoir garder des secrets.

– Te voilà bien matinal !

La voix joyeuse provenait du seuil d'une petite maison rudimentaire, nichée sous un grand cerisier. Appuyé contre le chambranle de la porte, Madox souriait à pleines dents, selon son habitude. Rien, pas même les problèmes que la Fille de Lune leur occasionnait sans arrêt ou les dangers associés à la vie qu'il avait choisi de mener, ne réussissait à lui faire perdre son éternel optimisme. Alix se demandait sans cesse comment il parvenait à un tel résultat sans devenir fou.

– Pas plus que toi..., ronchonna le Cyldias.

– Je parie que tu as encore des problèmes avec Naïla !

Le sourire de son ami se fit plus franc. Alix soupira bruyamment.

– Tu peux bien rire. Ce n'est pas toi qui dois composer avec ses frasques, je...

Mais Alix s'interrompit quand il vit le regard de son compagnon d'armes s'assombrir.

– Je suis désolé, Madox. J'oublie trop souvent à quel point tu as hâte de faire sa connaissance, tandis que je ne vois que la corvée que sa présence m'impose.

– Oh ! ça va. Je conçois aisément quel calvaire ce doit être que de veiller sur une aussi jolie femme...

Madox pris un air goguenard, tout en lançant un regard évocateur à son visiteur.

– Je me demande parfois si tu ne râles pas pour éviter que nous ne remarquions ton intérêt pour elle...

– Je constate que tu as perdu beaucoup de temps en vaines conversations avec Zevin, railla Alix. Il n'est pas surprenant que notre quête pour cette terre soit si longue puisque vous consacrez votre temps de mission à discuter de moi plutôt que de l'utiliser de façon constructive.

– Ne change pas de sujet, Alix !

– Je..., commença le Cyldias.

– Pourquoi refuses-tu de regarder la réalité en face ? s'enquit Madox, soudainement devenu sérieux. Depuis le temps qu'on se connaît tous les deux, il est inutile que tu joues à l'autruche devant moi. Ce n'est pas parce que Naïla...

– La question n'est pas là, et tu le sais très bien, protesta Alix. Regarde seulement Zevin ! Cet exemple ne te suffit donc pas ? Tu crois que j'ai envie de me retrouver un jour dans la même situation : à pleurer une femme que j'aurai à peine eu le temps de connaître ? Il n'y a pas de place dans notre monde, et encore moins dans ma vie, pour ce genre d'idylle condamnée à l'échec, alors inutile de songer à l'encourager. Je suis un fichu Cyldias désigné, ne l'oublie pas. Nous ne pouvons plus...

– Justement ! Puisque tu n'as d'autre choix que de lui coller aux fesses pour le restant de tes jours, autant joindre l'utile à l'agréable, gouailla Madox, une lueur malicieuse au fond de ses yeux bleus.

– Et si cette relation, que vous semblez bien décidés à me voir concrétiser, se transforme en cauchemar, que devrais-je faire ? Vous y avez pensé, Zevin et toi, dans vos élans romanesques ? Vous êtes-vous demandé ce qui arriverait si nous en venions à ne plus pouvoir nous regarder sans avoir envie de nous tordre mutuellement le cou ? Belle perspective, n'est-ce pas, que de devoir passer le reste de ses jours avec quelqu'un qu'on voudrait zigouiller ? Et tu oublies que je suis marié ; j'en ai déjà plein les bras avec Marianne...

Les bras croisés sur la poitrine, Alix défiait son ami. Il avait bien assez de sa propre conscience qui le forçait sans cesse à se remettre en question, il n'avait pas besoin que ses compagnons en rajoutent. « Peut-être que ton comportement en présence de Naïla, de même que ta façon d'en parler, te trahit davantage que tu ne le crois. » Il aurait voulu faire taire à jamais cette petite voix à son oreille, mais elle avait trop souvent raison. Madox le tira de sa réflexion.

– Eh bien, s'il fallait que vous en veniez à cette *terrible* extrémité, ce ne serait qu'un retour à la case départ puisque c'est exactement comme ça que vous vous comportez en ce moment, riposta le jeune homme, sarcastique.

Alix fronça d'abord les sourcils, prêt à répliquer, avant de faire une moue dubitative.

– Écoute, lui dit Madox, changeant de sujet, j'ai trouvé une solution temporaire à ton problème.

Méfiant, Alix riposta :

– Si tu as demandé l'aide d'Uleric pour annuler le sortilège qui me lie à la Fille de Lune, tu perds ton temps. Mon dernier espoir résidait dans le fait que j'espérais la lui amener, mais, une fois de plus, elle a décidé de faire des siennes.

– Tu voulais réellement la conduire à lui ? demanda son interlocuteur avec une pointe d'inquiétude.

– Quel autre choix avais-je ? Pour me délivrer de ma mission de Cyldias, il exigeait que je me soumette au sortilège de Vérildé.

Ce fut au tour de Madox de froncer les sourcils, avant d'émettre un grognement.

– Tu veux dire que ce vieux fou souhaitait fouiller librement dans ta mémoire sans que tu ne fasses rien pour lui interdire l'accès à certains souvenirs ? On dirait bien qu'il a oublié à qui il avait affaire.

– Ce qui signifie aussi qu'il est incapable, ainsi que je le soupçonne depuis longtemps, de me soumettre contre mon gré à ce sortilège de vérité pourtant fort bien maîtrisé par les anciens Sages. Ce qui revient à dire...

– Qu'il n'a de Sage que le nom, compléta Madox avec un sourire entendu. Il reste tout de même à découvrir ce qu'il est exactement.

Alix se passa une main dans les cheveux.

– Je finirai bien par trouver la réponse à cette question que certains se posent depuis son apparition. Souhaitons pour lui qu'elle soit assez satisfaisante pour contrebalancer ses agissements de plus en plus discutables. Je suis à peu près certain que...

Cambrant brusquement les reins, Alix porta une main à son flanc droit, laissant sa phrase en suspens. Lorsqu'il retira sa main, de minces filets de sang coulaient le long de ses doigts. Il lâcha un juron bien senti :

– Maudit soit Darius ! Je ne suis plus aux basques de cette Fille de Lune depuis une heure à peine et voilà que ma blessure fait déjà des siennes ! Je vais donc être obligé d'accompagner cette damnée Élue chez Wandéline. Charmante perspective ! Cette sorcière me mettra en pièces avant même que j'atteigne Gléphyre si elle réalise que je me rends chez elle. Je commence à en avoir vraiment...

Madox coupa court au monologue du Cyldias.

– C'est justement de ton rôle dont je voulais te parler avant que le sujet ne dérape vers Uleric. J'ai rendu visite à Morgana la nuit dernière, pendant que tu veillais sur Naïla.

Les yeux étoilés d'Alix s'arrondirent sous le coup de la surprise.

– Je savais que tu ne penserais pas à elle pour te donner un coup de main. Tu persistes à ne pas vouloir lui rendre visite sous prétexte qu'elle est une Fille de Lune et que ces dernières ne t'apportent que des ennuis depuis toujours. Tu serais pourtant surpris de l'étendue de ses connaissances et de ses pouvoirs. Qui sait ? Elle pourrait peut-être te renseigner sur ton passé alors que tu continues de chercher des réponses de plus en plus loin vers l'intérieur des terres.

Une nouvelle vague de douleur déferla sur Alix. Il ferma les yeux, se raidissant en attendant que les spasmes se calment. Madox vit la tache de sang sur la chemise du jeune homme s'agrandir lentement. Il n'y avait plus de temps à perdre, le Cyldias devait retourner auprès de sa protégée.

– Ce que tu dois savoir, c'est que, selon Morgana, ma présence auprès de Naïla mettrait en veilleuse ton obligation de la protéger, compte tenu du lien qui m'unit à elle. C'était autrefois la seule façon de permettre à un Cyldias désigné de relâcher sa surveillance quelque temps, quelle que soit la raison qui l'amenait à avoir besoin de cette période bénie.

– Tu veux dire que...

Madox lui coupa la parole. La tache rouge clair, qui prenait toujours de l'ampleur sur la chemise d'Alix, présentait maintenant des stries violettes, peu nombreuses mais inquiétantes. Le déplacement de son ami risquait de devenir impossible d'une minute à l'autre.

– Peu importe comment cette magie opère, l'important est que tu puisses t'éloigner le temps de mettre de l'ordre dans tes sentiments et tes responsabilités. Suis-la jusqu'à demain matin, sans qu'elle le sache, bien entendu. Il ne faudrait surtout pas que vous ayez le loisir de vous entretuer avant que j'arrive.

Devant l'air boudeur d'Alix, les lèvres de Madox se retroussèrent sur un sourire moqueur.

– J'ai juste besoin d'un peu de temps pour récupérer de mes récentes nuits blanches et prévenir Uleric que j'accepte, ainsi qu'il me l'a demandé, de prendre ta place pour quelque temps. Il est préférable qu'il croie que je le fais pour lui plutôt que par intérêt personnel. Je viendrai alors prendre le relais ; tu n'auras qu'à me faire savoir où vous êtes à ce moment-là. Tu crois être en mesure de la supporter encore un moment ?

Alix n'avait guère envie de relever l'ironie, trop occupé à regarder les cloques reparaître sur ses paumes meurtries et menacer à nouveau de le rendre inapte au combat.

– Que j'en aie envie ou non, il est évident que je n'ai pas le choix de la rejoindre, dit-il, exaspéré.

Sur un dernier regard à son compagnon, le jeune Cyldias disparut. Madox contempla l'horizon, songeur. Les effets de la séparation d'avec la Fille de Lune se faisaient sentir de plus en plus rapidement chez son protecteur, signe qui ne trompait pas. Morgana l'avait d'ailleurs prévenu la veille, lui rappelant la prédiction d'Alana concernant les deux êtres exceptionnels. Par ailleurs, ce qu'il venait de voir dans les yeux étoilés d'Alix lui rappela douloureusement certains enseignements de sa mère, auxquels il refusait de croire parce qu'ils étaient trop effrayants...

* *
*

Alix n'eut aucune peine à repérer Naïla sur la route de Gléphyre. Il la surveilla de loin, tout au long de la journée, rageant en silence de voir la rapidité avec laquelle ses pouvoirs se concentraient lorsque la jeune femme se trouvait dans les parages. Il arrivait sans peine à se rendre invisible, de même que sa monture ; ses plaies se refermaient sans douleur, ne laissant que de fines cicatrices, qu'il espérait enfin permanentes. Il se sentait envahi d'une énergie nouvelle, inépuisable. Sensation potentiellement dangereuse pour un être comme lui...

Pour la première fois, il prit réellement conscience de la puissance que lui procurerait la jeune femme si elle demeurait à ses côtés. Considérant que cet état de choses devait être réciproque, il dut se résoudre à admettre qu'à eux deux, ils réussiraient certainement là où plusieurs avaient échoué...

- 6 -

Uleric

Tôt le lendemain, Madox se rendit au repaire d'Uleric. Debout près de la paroi rocheuse, les bras croisés et les traits durcis, le Sage l'attendait.

– Tu es en retard...

Pour toute réponse, Madox offrit un sourire narquois à son vis-à-vis, lequel grinça des dents.

– J'espère pour toi que tu as décidé d'acquiescer à ma demande..., éructa-t-il, exaspéré par l'attitude défiante du jeune homme.

La menace sous-jacente ne fit même pas sourciller ce dernier, qui répliqua simplement :

– Je suis effectivement venu vous informer que j'irai à la rencontre de la Fille de Lune dès que je quitterai cette montagne. Je ne peux cependant vous garantir une date de retour...

Outré, Uleric fit mine de protester, mais Madox ne le laissa pas prendre la parole.

– Vous savez comme moi que cette jeune femme n'a pas plus de pouvoirs que celles qui l'ont précédée : nous devrons donc venir jusqu'ici par les bonnes vieilles méthodes. Je n'ai pas les capacités nécessaires pour la transporter magiquement...

Alors que le Sage fronçait les sourcils, doutant vraisemblablement de cette affirmation, Madox prit son air le plus innocent, n'éprouvant aucun remords à travestir la vérité.

– Vous ne vous imaginez quand même pas que je suis habilité à réussir pareil exploit ?

Incapable de sonder le jeune homme pour vérifier qu'il ne mentait pas, le Sage n'eut d'autre choix que de se contenter de sa seule parole. Il n'en émit pas moins un dernier avertissement :

– Comme je te l'ai déjà expliqué maintes fois, je dois d'abord m'assurer qu'elle ne représente aucun danger, compte tenu du sang qui coule dans ses veines, pour les défenseurs de la Terre des Anciens. J'espère que tu ne me décevras pas en la conduisant ailleurs qu'ici...

L'attitude qu'affichait Madox lorsqu'il disparut affirmait clairement le contraire...

* *
*

Peu après, à l'entrée de la grotte qui lui servait de refuge, Uleric tentait de se relever, tremblant de tous ses membres. Le sortilège reçu quelques instants plus tôt l'avait envoyé rouler sur les pierres, lui écorchant bras et jambes au passage. Insensible à la détresse de sa victime, un être dont on ne voyait que la silhouette l'invectivait, pointant un index menaçant :

– Pourquoi la Fille de Lune maudite n'est-elle pas encore ici ? Tu m'avais pourtant juré que tu avais sous tes ordres des hommes capables de te l'amener rapidement et sans éveiller le moindre soupçon...

– Ce n'est pas ma faute, tenta de se disculper Uleric d'une voix geignarde. Les pouvoirs que vous m'avez conférés ne sont pas assez puissants pour contraindre les plus récalcitrants. J'aurais besoin de...

– Il suffit ! tonna le sorcier encapuchonné. J'en ai plus qu'assez de tes défaites et de tes éternelles excuses. Ma patience est limitée, Uleric, tu ferais bien de t'en souvenir.

Toujours à genoux, le Sage n'osait relever la tête. Allait-il bénéficier d'un nouveau sursis ? Il l'espérait. Il joua sa dernière carte.

– J'ai envoyé un autre jeune homme à sa rencontre. Je suis certain que celui-ci réussira à amadouer la Fille de Lune et qu'elle le suivra. Je vous jure que la jeune femme sera ici dans une semaine au plus tard...

Devenu songeur, le sorcier se frotta le menton. Il avait bien envie de tuer cet imbécile maintenant, mais il craignait de le regretter. Même si Uleric ne comptait aucun exploit digne de ce nom à son actif, il était tout de même très utile pour la récolte de renseignements. Saül avait appris des dizaines de petits détails fort intéressants grâce aux contacts que le Sage entretenait avec des hommes comme Alexis. Ce serait vraiment dommage de perdre un informateur de ce genre avant d'en avoir déniché un autre.

– Je te laisse une dernière chance, Uleric. Si la jeune femme n'est pas sous mon emprise dans dix jours, tu devras faire tes adieux à ce monde...

- 7 -

Madox

Je chevauchai toute la journée. Nerveuse, je vérifiais sans cesse si je n'étais pas suivie. J'avais l'étrange impression que je n'étais jamais tout à fait seule, mais je n'aurais su dire pourquoi. Depuis ma visite dans le bureau d'Alexis – où j'avais découvert la carte de la Terre des Anciens –, il m'arrivait de croire qu'il devait être possible pour certaines personnes de se rendre invisibles. Il était effectivement peu probable qu'on me laisse me balader sans aucune protection. Trop d'individus paieraient cher pour me mettre le grappin dessus.

À la tombée de la nuit, je demandai asile dans une ferme. Selon la carte de Meagan, et d'après la distance approximative que j'estimai avoir parcourue en compagnie de Kosta, il ne me restait que deux jours de chevauchée avant de pénétrer dans la forêt de Wandéline. Le lendemain, je repris la route dès le lever du soleil ; il atteignait son zénith lorsque je fis halte sur les berges d'un cours d'eau, le temps de remplir ma gourde et de permettre à ma jument de se désaltérer. Je m'apprêtais à repartir lorsqu'un bruit de galop me fit tourner la tête vers l'est. Un cavalier fondait droit sur moi. Il s'arrêta bientôt à ma hauteur et mit pied à terre en me souriant.

Curieusement, je n'avais nullement envie de fuir. Une étrange sensation s'empara de moi, comme si je retrouvais inopinément une connaissance longtemps perdue de vue. Le cavalier était un jeune homme dans la vingtaine, aux longs cheveux blonds et aux yeux légèrement bridés, d'un bleu profond. Une large cicatrice traversait sa joue gauche, descendant jusque dans son cou et, lui donnant un certain charme.

– Vous ne devriez pas voyager seule. Cette région est dangereuse pour les femmes comme vous.

Son petit air insolent me fit sourire malgré moi. Je ne passai pas par quatre chemins pour le questionner :

– Qui donc vous envoie ?

Ma question ne le prit nullement au dépourvu. Son sourire s'élargit. J'avais donc visé juste ! Ne pouvait-on pas s'empêcher de me suivre continuellement à la trace ?

– Comme vous avez refusé la protection que vous offrait messire Alexis, avec qui vous semblez cultiver plus de différends que partager de terrains d'entente, me voici près de vous.

Je levai les yeux au ciel.

– Et ce, malgré le peu d'enthousiasme que vous risquez de démontrer à mon égard...

Il m'avait débité ses explications sur un ton tellement nonchalant que c'en était comique. Contrairement à Alexis, sa présence à mes côtés semblait le satisfaire et non pas contrecarrer ses plans et compliquer sa vie.

– Si vous acceptez de me suivre jusqu'où je désire aller, sans tenter de m'imposer une autre direction, je veux bien faire des efforts pour vous supporter, dis-je, pince-sans-rire.

Pour toute réponse, il éclata de rire.

– Maintenant, si vous n'y voyez pas d'inconvénient, j'aimerais bien reprendre la route avant la fin de la journée ! fis-je d'un ton légèrement sarcastique. Tous ces bavardages me retardent...

Je ne pouvais m'empêcher d'être un tantinet exaspérée en dépit de sa bonne volonté évidente. Je remontai à cheval sans plus me préoccuper de lui. Nous chevauchâmes en silence un certain temps, puis je me décidai à lui adresser la parole, n'ayant rien à gagner à l'ignorer indéfiniment. Il valait mieux faire contre mauvaise fortune bon cœur. La route était longue jusqu'à Gléphyre...

– Est-ce qu'on vous a dit où j'allais et pourquoi ?

– Peut-être, mais j'aimerais mieux que vous me l'expliquiez vous-même, me répondit-il, le sourire toujours aussi éclatant.

– Vous ne cessez jamais de sourire ? critiquai-je, légèrement excédée.

– Non ! Aussi ne perdez pas votre temps à tenter de me rendre de mauvaise humeur. Utilisez-le plutôt pour me mettre au fait de vos projets. Nous y gagnerons tous les deux.

Je tournai la tête dans la direction opposée et me concentrai sur la route en ravalant un sourire. Décidément, ce jeune homme me plaisait. Quelque chose chez lui, cette espèce d'optimisme perpétuel que rien ne semblait jamais pouvoir ébranler, me rappelait mon existence d'avant. J'avais déjà été comme ça... Mais à force de m'éprouver, la vie avait fini par avoir raison de mon inébranlable confiance en elle.

Je sortis de ma rêverie au son de sa voix. Je voulus lui demander de répéter ce qu'il m'avait dit, mais me rendis alors compte que je ne savais même pas son nom. Je remédiai aussitôt à cette lacune.

– Comment vous appelez-vous ?

– Madox... pour vous servir.

Il mima une révérence pour se moquer de moi. Je ne risquais pas de m'ennuyer en sa compagnie... Il n'ajouta rien. Moi non plus. Le silence s'installa pour le reste de l'après-midi et c'était très bien ainsi. Même si une foule de questions me brûlaient les lèvres, j'avais l'impression qu'il me fallait attendre avant de les poser. Il me semblait que ce silence était nécessaire. De plus, la seule présence du jeune homme était rassurante.

Nous dormîmes à la belle étoile cette nuit-là, puisqu'aucun village ne se trouvait dans les environs, et nous repartîmes à l'aube. Au cours du trajet, il me parla un peu de lui, de son enfance, de sa vie.

Il avait vingt-trois ans et pas d'attache sentimentale. Ses parents étaient tous les deux décédés ; il ne lui restait qu'une sœur, plus jeune. Il refusa de me dire ce qu'il faisait pour assurer sa subsistance, se contentant de me sourire mystérieusement. C'est ce moment qu'il choisit pour me rappeler que je ne lui avais toujours pas dit où je me rendais. Comme il s'était gentiment contenté de suivre mes instructions jusqu'à maintenant, contrairement à mon précédent compagnon de voyage, je lui résumai ce que je comptais faire. J'omis tout de même plusieurs éléments ; s'il tenait à garder ses secrets, il en allait de même pour moi.

Si je me fiais à la carte de Meagan, nous devions atteindre le village de Gléphyre avant la tombée de la nuit. Sur la route, nous ne croisâmes rien ni personne. Je présumai que les gens ne devaient pas beaucoup se promener dans ces contrées perdues, le travail de la terre et les obligations de subsistance occupant tout leur temps.

Alors que le soleil descendait sur l'horizon, je me tournai vers mon compagnon de voyage, l'air interrogateur.

– Ne devrions-nous pas être en vue du village ? demandai-je, légèrement inquiète.

– Pas encore. Gléphyre est situé en plein cœur d'une dénivellation. Nous l'apercevrons juste derrière cette colline.

De fait, une trentaine de minutes plus tard, je pus observer le petit hameau, du haut de mon promontoire. Je m'étais arrêtée un instant pour contempler le paysage et je m'apprêtais à repartir lorsque Madox retint mon cheval.

– Il serait plus prudent de rester à l'écart du village. Les gens qui y vivent ont tendance à se montrer suspicieux, car peu d'étrangers passent par ce coin perdu. La rumeur de votre présence se répandrait rapidement. Nous contournerons plutôt l'agglomération pour poursuivre notre chemin vers le nord-est. La femme que vous cherchez habite plus loin, au pied de la montagne. Nous coucherons donc...

– ... à la belle étoile, conclus-je pour lui d'une voix où perçait la déception.

D'emblée, il me répondit :

– J'ai des amis qui demeurent dans les environs ; ils se feront un plaisir de nous accueillir, je n'en doute pas. Venez, il vaut mieux continuer si nous voulons profiter d'une vraie nuit de sommeil.

Nous empruntâmes un sentier, à l'écart de la route de terre battue que nous suivions depuis un moment déjà. Nous fûmes bientôt en vue d'une petite maison. Madox descendit de cheval pour se rendre à l'intérieur et revint presque aussitôt, avec son éternel sourire aux lèvres.

– Janelle et Ludovic sont très heureux de nous offrir l'hospitalité pour la nuit.

Il baissa légèrement la voix pour ajouter, espiègle :

– Ils croient que j'ai enfin trouvé quelqu'un pour partager mon étrange existence, aussi je vous demande de ne pas les détromper...

Devant mon air surpris et mon froncement de sourcils, il s'empressa de préciser :

– Rassurez-vous, je ne vous demanderai rien d'offensant pour votre chaste personne. Ils me croient sur parole...

Je ne pouvais m'empêcher d'être soulagée. D'un commun accord, nous décidâmes de proscrire le vouvoiement, pour plus de crédibilité. Il en serait toujours ainsi dans l'avenir.

Le jeune couple s'avéra charmant et nous passâmes une agréable soirée. Je me mêlai peu à la conversation, préférant écouter. Je laissai Madox répondre aux questions plus embarrassantes, histoire d'éviter les quiproquos. Heureusement, l'heure avancée à laquelle nous avions fait notre apparition nous dispensa de nous éterniser. Nous nous couchâmes bientôt et repartîmes tôt le lendemain matin, après avoir chaleureusement remercié nos hôtes et fait quelques provisions.

* *
*

Tandis qu'ils reprenaient la route, Madox ne put s'empêcher de se sentir coupable face au comportement légèrement mensonger qu'il s'apprêtait à adopter au cours des prochaines heures. Il marchait dorénavant sur des œufs et la situation l'indisposait davantage qu'il ne l'avait prévu. Il devait sans cesse peser ses mots et prendre garde de ne pas révéler trop vite qui il était réellement et ce qu'il savait de la jeune femme et de son passé, alors qu'il aurait préféré tout lui déballer en vrac. À sa décharge, il craignait que Naïla ne se rebiffe en entendant la vérité et décide de repartir. Il fallait à tout prix éviter cela avant qu'elle ne soit en mesure de se défendre magiquement. Il allait donc devoir feindre l'ignorance pour la conduire chez Wandéline alors qu'il savait parfaitement où la vieille demeurait.

* *
*

Au sortir du village, je consultai la carte avant de la tendre à Madox pour qu'il puisse repérer le mont dont il était question. D'où nous nous trouvions, nous distinguions plus d'une montagne qui pouvait correspondre à celle qu'on nommait Rudel. Après quelques instants passés à analyser le parchemin, Madox me regarda avec une lueur de triomphe. Sans hésiter, il confirma que celle qui nous intéressait se trouvait près du centre, pointant la troisième élévation à partir de la droite. Je lui lançai un coup d'œil surpris, mais il ne dit mot. Je renonçai à poser des questions, le principal étant que nous parvenions à destination. La journée était déjà fort avancée lorsque nous atteignîmes la forêt où, selon Gaudéline, se cachait Wandéline.

– Je propose que nous fassions une première tournée des environs avant de nous enfoncer dans ces feuillus dont nous ne savons rien. Si ce que la cuisinière t'a dit est exact, et crois-moi, j'ai vu suffisamment d'étrangetés au cours de ma courte vie pour ne pas en douter, il vaut mieux ne pas prendre de risque. La réputation de Wandéline n'est plus à faire...

J'acquiesçai en m'interrogeant. Il n'avait pas encore commenté le fait que je désirais rencontrer la vieille femme. J'avais d'abord cru qu'il ne la connaissait pas, mais je n'en étais plus certaine. Une boule s'était formée dans mon estomac, preuve indéniable que j'appréhendais cette rencontre. Je n'étais pas superstitieuse – je ne l'avais jamais été –, mais cet endroit me donnait la chair de poule et je n'avais même pas encore mis les pieds dans la forêt. Je suivis Madox, qui longeait l'orée du bois à la recherche d'un sentier qui nous aurait permis de repérer une quelconque habitation. Nous constatâmes rapidement que ce ne serait pas aussi facile...

– On ne pourrait pas simplement l'appeler ? demandai-je tout en me sentant un peu sotte.

Si cette sorcière désirait passer inaperçue, elle ne se précipiterait sûrement pas parce qu'une femme criait son nom près de chez elle. Avant qu'il ne puisse réagir à ma question, je me repris :

– Oublie ce que je viens de dire, ça n'a aucun sens.

– On ne t'a pas expliqué de quelle façon communiquer avec elle ? Si elle ne répond qu'à ceux qui ont réellement besoin de son aide, il doit bien y avoir une méthode pour qu'elle les identifie. Je ne peux pas croire que tout un chacun se présente, cogne à sa porte et attende qu'elle prenne une décision.

Je fis non de la tête, avant de hausser les épaules en signe d'impuissance.

– Je ne connais rien aux sorcières ! Comment veux-tu que j'entre en communication avec celle-là ?

– J'aurais peut-être dû en parler avec Janelle. Je suis presque certain qu'elle aurait su comment trouver cette femme. Elle est au courant de...

Mais je n'entendais plus ce qu'il me disait, dérangée par le son d'une autre voix, claire et aiguë. Je scrutai la forêt, puis regardai derrière moi. Je ne voyais personne. Pourtant, j'entendais distinctement quelqu'un m'interroger sur ce que je voulais. Remarquant que je ne l'écoutais plus, Madox haussa d'abord les sourcils avant de me demander ce que je faisais exactement.

– Je cherche d'où vient cette voix, lui répondis-je, exaspérée. Tu pourrais peut-être m'aider ?

– Quelle voix ? s'enquit-il, surpris.

Il me regardait fixement, attendant manifestement une explication. Je le dévisageais sans comprendre. Je n'étais pourtant pas folle ; j'entendais distinctement une voix de femme me poser inlassablement la même question, à savoir qui j'étais. D'un autre côté, je devais bien me rendre à l'évidence, je ne voyais pas âme qui vive à part nous deux. J'étais sur le point de dire quelque chose lorsque la question me fut posée pour une cinquième fois, sur un ton qui passait de l'insistance à l'impatience. C'est alors que je réalisai, avec horreur, que la voix résonnait dans ma tête. Je me sentis plus idiote que jamais. J'avais pourtant déjà brièvement expérimenté cette sensation lors de mon séjour au domaine d'Alexis. Je soupçonnais d'ailleurs ce dernier d'être l'instigateur de cette rapide incursion dans mon esprit, à ce moment-là.

J'ignorais comment répondre et je n'avais guère le temps d'y réfléchir si je ne voulais pas que mon interlocutrice perde patience. M'apprêtant à le faire de vive voix, une seconde voix s'ajouta à la première.

– *Réponds-lui simplement en pensée, comme si tu avais une conversation imaginaire. Ne la fais pas attendre davantage ou tu en subiras les conséquences.*

N'ayant pas la possibilité de me questionner sur la provenance de la deuxième voix, je donnai seulement mon prénom à la première, puis attendis.

– *Que me veux-tu ?* demanda-t-elle d'un ton bourru, teinté de méfiance.

– *Que vous mettiez fin à une grossesse non désirée*, affirmai-je.

– *Va voir une guérisseuse. Il y en a une au village voisin et dans tous ceux des environs. On t'a mal renseignée. Je n'ai pas de temps à perdre avec ce genre de chose. Je...*

Je l'interrompis avant qu'elle ne mette un terme à la conversation.

– *Vous ne comprenez pas ! C'est Gaudéline qui m'envoie parce qu'elle ne peut rien pour moi. Elle...*

Elle me coupa à son tour la parole :

– *Gaudéline ? C'est le genre de médecine qu'elle pratique depuis toujours. Pourquoi ne peut-elle pas s'en charger ?*

La méfiance teintait toujours le timbre de sa voix, me rappelant qu'il valait mieux pour moi que ce que j'aie à dire soit digne d'intérêt.

– *Parce que je suis une Fille de Lune et que le père de l'enfant est le sire de Canac.*

Un long silence accueillit ma réponse. J'attendis, n'osant rien ajouter, craignant qu'elle ne décide de retourner à sa clandestinité. Au bout d'un moment, je me rendis compte que quelqu'un m'appelait doucement dans le monde réel. J'ouvris les yeux, ne me souvenant même pas les avoir fermés, et vis Madox qui me regardait avec curiosité. Je lui fis signe de patienter un instant, mais comme plus rien ne se produisait, je poussai un profond soupir avant de m'asseoir par terre en lui enjoignant de faire de même. Je lui expliquai ce qui s'était passé durant les précédentes minutes. Il émit un long sifflement avant de commenter :

– J'aurais dû penser qu'elle se servirait de la télépathie, c'était pourtant évident. Et tu dis que le contact est rompu ?

– Oui. Je n'ai aucune idée de la façon de faire pour le rétablir. Et même si je savais comment, je ne suis pas certaine que je me risquerais à déranger cette femme encore une fois. Gaudéline m'a dit qu'elle possédait de bien étranges pouvoirs et je n'ai pas envie qu'elle les essaie sur moi.

– Il ne vaut mieux pas, en effet. Les conséquences pourraient être fâcheuses. Quoique, connaissant ton statut, elle n'oserait peut-être pas...

Avant que je ne lui demande ce qu'il voulait dire exactement, il me posa lui-même une question :

– Que comptes-tu faire si elle te refuse son aide ?

J'inspirai profondément et haussai les épaules.

– Je n'en sais rien. Selon Gaudéline, elle ne pouvait refuser, ayant trop à perdre si je menais cette grossesse à son terme. Je n'ai donc jamais envisagé une autre solution. Il me faudra bien m'y résoudre maintenant...

Je faillis lui avouer que j'allais rentrer chez moi pour me servir de la médicine moderne, mais je me repris à temps. Pratiquement personne ne savait exactement d'où je venais et je n'avais nulle envie de m'étendre sur le sujet.

– Je vais poursuivre ma route pour retrouver Morgana. Après... je verrai.

Je sortis à nouveau la carte de ma poche, mais je la fixai d'un regard vide. Je ne parvenais pas à me concentrer. Comment allais-je faire pour retourner à la pierre sans Alexis ? Je ne savais même pas où elle était par rapport à ma position actuelle. Je me voyais difficilement revenir sur mes pas pour demander de l'aide à quelqu'un que j'avais envoyé promener deux jours plus tôt. J'avais encore réussi à me mettre dans une situation dont j'aurais toutes les misères du monde à me dépêtrer. Me restait à souhaiter que mon protecteur soit obligé, de par son rôle de Cyldias, de revenir vers moi. La voix de Madox me tira de ma réflexion. Il regardait la carte par-dessus mon épaule.

– Pour aller chez Morgana, nous devrons légèrement rebrousser chemin, contourner la chaîne de montagnes devant nous, traverser la vallée qui vient ensuite pour atteindre la deuxième chaîne de montagnes. Cela représente au moins dix jours de voyage, si ce n'est davantage. Je ne crois pas qu'il soit prudent pour toi de rester à découvert aussi longtemps. Probablement que le sire de Canac n'a pas lésiné sur les moyens qu'il possède pour parvenir à te retrouver. Nous ne pourrons pas passer inaperçus indéfiniment. Je connais très peu cette région ; je travaille habituellement plus à l'est. Par ailleurs, je voyage rarement de la bonne vieille façon. Tu es certaine qu'aucune autre solution ne s'offre à toi ? Peut-être devrais-tu te rendre d'abord à la Montagne aux Sacrifices ?

J'allais donner mon opinion sur cette surprenante proposition lorsque la voix de Wandéline se fit de nouveau entendre, provenant cette fois du boisé derrière nous. Elle me demandait de la suivre. D'un même mouvement, Madox et moi nous tournâmes et cherchâmes un moment, avant que je ne l'aperçoive, à l'orée de la forêt, immobile sous un grand chêne. Je jetai un œil à Madox, quêtant une approbation silencieuse. Il acquiesça d'un signe de tête, puis nous nous mîmes en marche, après avoir attaché nos chevaux en bordure des arbres, loin des regards.

- 8 -

Conséquences temporelles

Pendant que Madox et Naïla rejoignaient Wandéline, Alix avait regagné son propre repaire. À l'image de son ami, il avait une retraite fermée dont peu de gens connaissaient l'emplacement. Il s'y réfugiait pour méditer et réfléchir quand il savait que, partout ailleurs, sa présence serait ébruitée et qu'il ne trouverait pas la paix.

C'était une cabane de rondins, d'une douzaine de mètres carrés, sise à la limite des Terres Intérieures, en pleine forêt. Pour tout mobilier, il y avait un lit de fortune recouvert d'une couverture de laine grignotée par les souris, une vieille table et deux chaises. La porte d'entrée constituait la seule ouverture. Il n'y avait pas de fenêtres. Pas de voisins non plus. Les mancius habitaient l'autre versant de la montagne qui surplombait l'endroit. Il était à peu près impossible que quelqu'un lui tombe dessus par hasard. Il s'agissait à coup sûr d'une cachette parfaite.

Le jeune homme y passa les premières heures dans l'appréhension. Il craignait que l'une ou l'autre de ses maudites blessures ne se réveille encore une fois, l'obligeant à retourner auprès de la Fille de Lune qu'il voulait fuir à tout prix. Il ne se sentait vraiment pas d'attaque pour la côtoyer aussi rapidement. Le temps passé près d'elle dans l'anonymat, la veille et la nuit précédente, avait éveillé en lui des sentiments contradictoires de même que des pulsions qui le dérangeaient. Il devait absolument prendre du recul et voir s'il ne pouvait pas trouver des informations susceptibles de l'aider dans ce rôle de Cyldias qui avait peu de choses en commun avec ce qu'on lui avait enseigné. Le jeune homme soupira. D'abord et avant tout, il devait se reposer ; il n'avait pas dormi depuis plus de quarante heures.

Défiant une fois de plus les lois qui régissaient la Terre des Anciens, Alix créa une cellule temporelle qui le protégerait de l'écoulement du temps, aussi longtemps que durerait son sommeil. Il se réveillerait au moment même où il s'était assoupi, ne perdant donc pas de ce temps qui lui faisait si souvent défaut. Il savait mieux que quiconque qu'il n'avait pas le droit d'agir de cette façon puisqu'il prolongeait indûment sa vie au détriment de celle de quelqu'un d'autre, mais il n'avait pas le choix. Enfin, c'est ce qu'il se disait toujours pour se donner bonne conscience. S'il avait dû s'attarder aux conséquences de ses actes chaque fois qu'il transgressait une loi de cette terre qu'il rêvait de sauver, il y a belle lurette que les remords et les regrets auraient eu raison de sa santé mentale. Il avait dû s'endurcir, même si, à certaines occasions, il eût préféré être quelqu'un d'autre. Il lui arrivait parfois d'avoir honte de ce que la vie l'obligeait à faire.

Près d'un millénaire plus tôt, le grand Sage Darius avait décidé que les êtres dotés de pouvoirs magiques hors du commun – peu importait le peuple, les dons possédés ou le rang occupé dans l'un ou l'autre monde – ne pourraient pas « jouer » avec le temps sans que leurs actions portent automatiquement à conséquence. Il y aurait un prix à payer pour chaque offense, proportionnel à sa gravité. Il leur avait cependant permis de créer des cellules du temps pour apprendre et parfaire des sortilèges ou des dons, du moment que le but était louable. C'était, par exemple, de cette manière qu'Alix avait appris la tempymancie, une merveille qui lui permettait de toujours savoir où et à quel moment du jour, du mois ou de l'année il se trouvait, à la minute près. La seule autre exception permettant la constitution d'espace-temps était la guérison des blessures, comme Madox l'avait fait pour lui précédemment, risquant toutefois un châtiment pour lui-même puisque la cellule avait été demandée pour Alix et non pour son créateur. Quand le Cyldias avait voulu discuter du danger encouru avec Madox, ce dernier avait fait montre d'indifférence, comme lui-même le faisait trop souvent, l'air de dire : « Que voulais-tu que je fasse ? Il le fallait, un point c'est tout ! Je vivrai avec les conséquences une fois de plus... »

Alix soupira en pensant aux innombrables façons d'utiliser le temps à son avantage qui n'auraient pas reçu l'aval du vieux Sage disparu. Comme maintenant. Le fait qu'il arrête la course du temps pour reprendre du sommeil ne pouvait l'excuser ; c'était un geste purement égoïste, ayant seulement un impact sur sa propre vie. Lorsqu'on défiait ainsi le temps, comme Alix s'apprêtait à le faire, quelqu'un de sa famille perdait l'équivalent de ce vol en espérance de vie. Ce n'était jamais le contrevenant qui recevait la punition pour la faute commise, mais plutôt une personne qui lui était liée par le sang.

Même s'il pouvait paraître insignifiant de retrancher quelques heures à la vie de quelqu'un pour des motifs jugés nobles, les années qui passaient, augmentant sans cesse le risque d'abus, faisaient en sorte que les dommages devenaient considérables. Contrairement à d'autres, Alix ne connaissait pas ses origines ni sa famille ; il savait peu de choses sur lui-même. Il n'était probablement même pas né sur la Terre des Anciens, s'y étant sans doute retrouvé par erreur vingt-sept ans auparavant. Il aurait donc été utopique de croire qu'il regretterait d'abréger la vie d'une personne qu'il ne connaissait ni d'Ève ni d'Adam. Sans plus se soucier de savoir si quelqu'un, quelque part, payait pour sa dérogation, il se créa un espace temporel où il reprit ses longues heures de sommeil perdues.

* *
*

Pendant ce temps, sur la terre de Bronan, un monde dont personne ne savait plus rien, dans un vaste domaine, une jeune fille s'évanouit. Inquiète, comme toujours, sa mère adoptive se précipita vers elle. Résignée, elle demanda à son ouvrier de porter Delphie à l'intérieur. Pour l'avoir souvent expérimenté par le passé, la mère savait qu'il pourrait s'écouler de longues heures avant que l'adolescente n'émerge de cet état comateux dont on ne pouvait jamais prévoir la durée. De tous les guérisseurs qu'elle avait consultés, personne n'avait jamais réussi à cerner la cause des cycles de sommeil profonds et instantanés dont Delphie était victime à intervalles plus ou moins réguliers. Quand la jeune fille reprenait contact avec le monde des vivants, il y avait toujours deux scénarios possibles : soit elle était très reposée et prête à reprendre sa vie où elle s'était brusquement interrompue, soit elle entrait dans un état de crise.

Cette dernière option était tout simplement effrayante et la mère priait toujours ardemment les dieux de son monde étrange pour que le réveil se révèle paisible. Sinon, elle affrontait avec sa fille la peur et la terreur que trahissaient ses grands yeux étoilés. Elle écoutait avec compassion le récit de ses cauchemars, la description des monstres et des êtres qui les hantaient de même que les récits de combats sanglants qui s'y déroulaient en continu, bien qu'elle n'y comprenne rien. C'était ainsi depuis le jour où elle avait trouvé ce poupon, abandonné sur le pas de sa porte dix-sept ans plus tôt...

* *
*

Alix se réveilla dix-huit heures plus tard, en nage et en rage. Il venait d'assister, impuissant, au massacre d'un petit groupe de mancius. Le chef d'une bande rivale avait décidé, dans un élan de stupidité propre à sa race, que ceux qui n'étaient pas d'accord avec le marché conclu récemment avec Mélijna ne méritaient tout simplement pas de vivre. Sournoisement, le clan avait lancé une attaque sauvage, se servant allègrement, et sans aucun remords apparent, du feu de Phédé. Ce cadeau empoisonné de la sorcière des Canac servait donc déjà, comme l'avait sombrement prédit Alix, à faire des dommages considérables parmi ceux à qui il avait été offert plutôt que de les aider à s'en sortir. Exaspéré par la bêtise des êtres qui peuplaient la Terre des Anciens, Alix sortit à l'extérieur.

Même après toutes ces années, il avait encore de la difficulté à accepter la terrible réalité de certains des songes qu'il faisait. Il détestait cette faculté qu'il avait de voir ce qui se passait ailleurs sur la Terre des Anciens, comme s'il y était. Il avait découvert ce don très jeune, par un étrange concours de circonstances. Il savait maintenant que, peu importe ce qui se déroulait au cours de son sommeil, la scène s'avérait véridique si une jeune fille, toujours la même, y assistait avec lui.

Alix respira un bon coup avant de jeter un coup d'œil à ses plaies, craignant, encore et toujours, que l'absence de la Fille de Lune à ses côtés ne lui cause des ennuis plus graves que ceux qu'il connaissait déjà. Mais les blessures récemment refermées ou cicatrisées ne montraient aucun signe inquiétant. Cela voulait donc dire que Morgana avait raison et que la présence de Madox dans le sillage de Naïla suffisait, pour le moment du moins, à mettre en veilleuse son rôle de Cyldias désigné. Tant mieux...

Les derniers mois avaient été éprouvants pour lui. Ses occupations habituelles avaient grandement souffert de son manque d'attention prolongée. L'arrivée impromptue de Naïla avait entraîné l'interruption de ses recherches sur la Terre des Anciens et avait bouleversé le cours de toutes les activités qu'il menait de façon clandestine. Il négligeait de faire le suivi des rapports des hommes qui lui étaient dévoués. Paradoxalement, le nombre de comptes rendus avait littéralement explosé : de nouveaux passages avaient été découverts, des phénomènes étranges se produisaient de plus en plus souvent aux limites des Terres Intérieures, sept nouveaux enfants avaient été conduits à l'Orphelinat des Sages, la Quintius avait un nouveau dirigeant, etc. La liste ne cessait de s'allonger et il n'avait pas la moindre minute à y consacrer. Le sieur de Gringoix avait déjà quitté la péninsule avec son armée et la plupart des autres seigneurs des environs avaient profité de son attention déficiente pour redoubler d'ardeur dans le recrutement des hommes, dont l'ultime but consistait à repartir à la recherche des trônes perdus pour satisfaire leur rêve de gloire et de domination. Les annonces ne promettaient rien de moins que la fortune et la puissance à ceux qui s'enrôleraient dans l'une ou l'autre des petites armées de nobles en manque de sensations fortes. Elles tapissaient les murs des tavernes et des tripots mal famés de la ville de Nasaq, ainsi que de la plupart des auberges sur les chemins y conduisant. Le manque de jeunes hommes se faisait toujours sentir. Les vieux se remettaient immanquablement à ressasser d'anciennes histoires d'horreur chaque fois qu'une nouvelle vague de recrutement déferlait sur eux. Ils espéraient ainsi décourager les plus jeunes de risquer leur vie au nom d'une quête qui ne leur rapporterait rien d'autre que blessures et désillusions, sinon la mort.

En soupirant encore une fois, Alix réfléchit au meilleur moyen de découvrir rapidement comment se débrouillaient justement les seigneurs pour tenter de connaître le moment où ils décideraient de partir en expédition. Il fallait aussi redoubler d'attention sur les activités du château. Maintenant que son très cher frère était parvenu à une entente avec les mancius, il ne tarderait sûrement pas à lancer sa première opération de recherche des trônes de Darius et d'Ulphydius. Grâce à sa nouvelle alliance, il possédait une longueur d'avance sur les autres familles seigneuriales des environs. Cette pensée lui rappela qu'il n'avait pas eu de nouvelles du château à la suite de la désertion de sa pensionnaire obligée. Nul doute que la bande de Simon serait appelée en renfort pour tenter de retrouver la précieuse jeune femme, surtout que cette dernière portait supposément en son sein le fruit tant attendu de la prophétie. Tout en méditant sur ce qu'il convenait de faire en premier lieu, Alix tenta de chasser de ses pensées la grossesse problématique. Tant et aussi longtemps que Naïla n'aurait pas de réponse de la part de Wandéline, il était permis d'espérer que cette sorcière pourrait régler la situation...

- 9 -

Wandéline

Une très vieille femme nous attendait, Madox et moi, un bâton de bois noueux à la main. Elle portait une tunique, cintrée à la taille par une corde tressée, et se déplaçait pieds nus. De longs cheveux argentés lui descendaient dans le dos et sa peau parcheminée semblait translucide. Elle n'était pas bien grande. Son nez légèrement crochu me rappela les sorcières des livres de contes de mon enfance. Ses oreilles se terminaient discrètement en pointe et je me demandai un instant si elle ne faisait pas partie de ces hybrides dont j'avais entendu parler. Il m'était impossible de dire quel âge elle pouvait bien avoir, mais j'étais certaine que la centaine était déjà derrière elle. Je devais toutefois avouer que ce furent ses yeux qui me figèrent d'abord sur place ; deux iris dissemblables rencontrèrent les miens pour la seconde fois depuis mon arrivée sur ces terres hostiles. Je réprimai mon envie de fuir, au souvenir de Mélijna, et je m'arrêtai à quelques pas de Wandéline. Quant à Madox, il avait choisi d'attendre en retrait, derrière moi. J'avais baissé les yeux au sol, regrettant d'avoir dévisagé cette femme avec autant de fascination durant un moment. Je patientai, sentant son regard posé sur moi. Elle parla enfin.

– Suivez-moi !

Intimidée, je lui emboîtai le pas, de même que Madox. Nous cheminâmes un long moment à travers bois, en silence, avant d'arriver en vue d'une petite chaumière de bois rond. Un mince filet de fumée s'échappait de la cheminée malgré le temps chaud. Wandéline poussa la porte et nous la suivîmes. Il faisait sombre à l'intérieur et la chaleur qui y régnait était presque suffocante. Nous restâmes sur le seuil pendant que notre hôtesse remettait quelques bûches dans l'âtre. Je remarquai alors un tout petit chaudron, suspendu plus haut dans la cheminée ; on ne voyait que le fond dépasser du manteau. Je m'abstins cependant de l'interroger sur le genre de mixture pouvant revêtir une si grande importance qu'on accepte de vivre dans un sauna le temps de sa préparation.

– Approche, ma belle, que je sache à quoi m'en tenir.

Je me rendis jusqu'à la table, de laquelle elle s'était approchée. Avant qu'elle ne reporte son attention sur moi, elle s'adressa à Madox :

– Tu peux entrer, jeune homme. Je ne suis pas bien méchante même si ce qu'on raconte à mon sujet est souvent en deçà de la réalité.

Il y avait quelque chose de sinistre dans sa voix, qui me donna froid dans le dos. Je ne doutai pas un instant que sa réputation soit pleinement justifiée. Madox fit quelques pas avant de s'appuyer contre le mur, la main sur la garde de son épée, arrachant ainsi un sourire édenté à Wandéline.

– Autant te prévenir tout de suite : cette arme ne te sera d'aucune utilité contre moi, quand bien même tu serais le meilleur chevalier de ces contrées. Il y a des façons beaucoup plus efficaces de se débarrasser d'un adversaire.

Elle lui sourit étrangement, avant d'ajouter, énigmatique :

– De toute façon, je doute qu'un Déüs ait réellement à craindre de moi...

Madox me jeta un regard en coin avant de répondre :

– Je préfère tout de même rester à l'écart. On n'est jamais trop prudent avec les Filles d'Alana...

Son sourire était aussi mystérieux que celui de Wandéline. Tous deux semblaient sur leurs gardes, malgré l'apparence anodine de leur conversation. Une chose était certaine : j'étais délibérément exclue de cet échange. Je ne pus m'empêcher de penser que, s'ils ne s'étaient probablement jamais rencontrés, chacun avait tout de même déjà entendu parler des particularités de l'autre. Si j'avais une vague idée des capacités de Wandéline, je me demandai une fois de plus qui était réellement le jeune homme qui m'accompagnait. Pour qu'il ait vraisemblablement peu à craindre de cette sorcière, il n'était certes pas un simple chevalier servant, mais plutôt un garde du corps aux facultés sortant de l'ordinaire. Alexis avait-il réussi à déléguer sa pénible tâche à quelqu'un d'autre ? Je souhaitai vivement qu'on quitte cet endroit sinistre et surchauffé pour que je puisse éclaircir la situation.

Madox marqua une hésitation avant de retirer sa main de la garde de son épée, croisant finalement les bras sur sa poitrine. La sorcière se préoccupa ensuite de moi. Elle posa une main sur mon ventre, à l'image de Mélijna, et la retira aussitôt, comme si elle s'était brûlée.

– Que Maxandre nous vienne en aide !

Elle leva vers moi des yeux où brillait une étrange lueur, puis elle fit non de la tête.

– Vous voulez dire que vous ne pouvez rien faire pour moi ? soufflai-je, atterrée.

Un sentiment de fatalité m'envahit.

– J'ai bien peur que le problème dépasse mes pouvoirs.

Je m'apprêtais à renchérir, mais elle m'arrêta, reprenant d'une voix adoucie :

– Aussi puissante que puisse être ma magie, il y a des sortilèges que je ne peux inverser. Même mes vastes connaissances en magie noire ne sont pas suffisantes dans un cas comme celui-ci. Et les dieux me sont témoins que ce n'est pas peu dire. Je ne connais qu'une magicienne qui aurait pu te venir en aide : Maxandre. Mais personne ne l'a revue depuis plus de trente ans. Je me suis rendue chez elle, autrefois, craignant qu'elle soit en difficulté. Son refuge était scellé et je fus incapable de l'ouvrir, ce qui me porte à croire qu'elle savait qu'elle ne reviendrait pas. Je suis désolée...

Sa sincérité ajouta à mon anxiété. Je m'assis sur un banc, au bout de la table, la tête dans les mains. J'entendis Madox demander :

– Comment savez-vous que vous ne pouvez rien pour elle avant même d'avoir essayé ?

Il y avait du défi dans sa voix et comme un sous-entendu que je ne compris pas. Voyant que Wandéline tournait vers lui un visage plutôt menaçant, il ajouta, nullement intimidé :

– Après tout, vous ne saviez même pas que c'était une Fille de Lune jusqu'à ce qu'elle vous le dise. Vous êtes pourtant censées vous reconnaître entre vous, non ? Après cette piètre démonstration de votre *vaste savoir*, ironisa-t-il, je suis en droit de m'interroger sur vos capacités dans d'autres domaines...

Je priai pour que la protection de Madox face aux pouvoirs de cette sorcière soit aussi puissante qu'il le croyait. Je soupçonnais Wandéline d'être sur le point d'exploser devant l'arrogance de mon compagnon. « Madox et Alexis s'entendraient à merveille, pensai-je. Ils semblent avoir la même propension à hérisser les gens avec lesquels ils ne sont pas d'accord. »

La sorcière fit manifestement de considérables efforts pour conserver la maîtrise d'elle-même avant de lui rétorquer :

– Quoi que vous puissiez croire, sachez que j'avais d'excellentes raisons d'agir de la sorte. Je n'avais encore jamais croisé une Fille de Lune aussi ignorante de ses pouvoirs et de son importance que celle qui se tient ici aujourd'hui. À leur arrivée dans ce lieu, je ne sonde profondément que les personnes que je soupçonne de nourrir des desseins malveillants. J'ai constaté que cette jeune femme dégageait une aura particulière, mais j'ai cru que j'interprétais mal ce que je ressentais. Ça arrive parfois... À ma décharge, jamais je n'aurais imaginé qu'une femme de cette trempe puisse en connaître aussi peu sur elle-même et sur ses capacités. J'ai voulu l'éprouver, mais lorsque je l'ai sentie aussi désemparée devant la télépathie, que ses semblables utilisent pourtant depuis leur début, j'ai été convaincue que je me trompais en la croyant issue de nos rangs. Je ne suis pas infaillible, bien que certains le croient et me mettent dangereusement à l'épreuve...

Sa voix s'était durcie. Je perçus également un raidissement dans l'attitude de Madox. Tous deux échangèrent un regard, mais rien ne fut ajouté avant une minute qui me sembla durer une éternité. Je me souvins que Gaudéline m'avait recommandé de ne pas mentionner Alexis devant Wandéline et je me demandai si ce n'était pas ce qui avait failli se produire à l'instant. Mon camarade rompit enfin le pesant silence.

– Bon, je veux bien admettre que vous ne puissiez pas l'aider, mais comment pouvez-vous être certaine que personne d'autre n'en est capable ?

– Parce que je le sais ! Cette simple affirmation de ma part devrait t'être amplement suffisante.

Madox eut une moue sceptique qui signifiait clairement que la simple parole de cette femme n'avait pour lui rien d'exceptionnel. Décidément, il aimait jouer avec le feu et celui que je voyais poindre dans le regard de Wandéline ne me disait rien de bon. Elle soupira avec exaspération.

– Je suis plus apte que toi à juger de la gravité de la situation et de ses issues possibles, jeune homme. Ton statut de Déüs explique peut-être ta méfiance de même que ta suffisance à mon égard, mais il ne justifie nullement tes doutes envers ce que je suis capable ou non d'accomplir. Remettre en question mon savoir et mes pouvoirs devant elle...

Elle me désigna d'un geste de la main.

– ... ne fera qu'ajouter à son inquiétude et ne l'aidera pas à affronter ce qui l'attend. J'ai une expérience de la vie beaucoup plus longue que la tienne, je sais de quoi je parle. J'avais déjà vécu plusieurs vies bien avant que tu ne voies le jour.

Elle fit une courte pause, le dévisageant avec intensité.

– Peut-être as-tu oublié, jeune arrogant, que les sorcières qui s'allient aux grandes puissances de la Terre des Anciens, bonnes ou mauvaises, et qui les servent sans jamais faillir ont droit à une vie proportionnelle à leur fidélité ? Nous nous réincarnons aussi longtemps que se perpétue le règne de notre protecteur et de ses descendants. Que ce dernier soit reconnu ou non ne change rien...

Madox fronça les sourcils. Toutefois, ce fut moi qui intervins.

– Je croyais que vous aviez changé de camp...

Elle pivota vers moi, le visage soudain grave.

– Je vois que tu es bien renseignée. Il est vrai que j'ai modifié mes allégeances plusieurs fois, au cours des ans, mais ma servitude fondamentale demeure inchangée depuis toujours. Sachez seulement que je n'ai jamais rien perdu de mes privilèges au fil du temps. Au contraire...

Le ton sur lequel elle termina sa phrase ressemblait drôlement à un avertissement. Je compris qu'il valait mieux ne pas poser de questions supplémentaires. Elle revint à notre préoccupation première.

– Je n'ai nul besoin d'essayer quoi que ce soit pour savoir que toute tentative sera vouée à l'échec. Les enfants que porte la jeune...

Elle s'interrompit, se rendant manifestement compte qu'elle ignorait toujours mon prénom. J'y remédiai, impatiente qu'elle me dise pourquoi elle ne pouvait me tirer d'affaire.

– ... Naïla ne sont pas des enfants comme les autres. Ce sont des Filles de Lune, comme leur mère. Elles sont protégées par une très ancienne magie, difficile à maîtriser et quasi irréversible...

Elle s'interrompit à nouveau, me regardant étrangement.

– Est-ce que c'est l'évocation de la magie qui te rend si pâle, Naïla ?

Avant que je n'aie pu la détromper, elle enchaîna :

– Je n'en serais pas surprise. En sondant ta mémoire et ton âme alors que tu me suivais jusqu'ici, j'ai compris que tu n'appartenais à notre monde que par ton ascendance et que tu n'avais appris notre existence que très récemment. Dans le monde de Brume, la pratique de la magie et de la sorcellerie s'est perdue depuis fort longtemps déjà. L'ignorance et la stupidité des hommes qui se croyaient l'élite de cette société ont contribué à la disparition des membres de notre communauté qui vivaient parmi eux pour les faire bénéficier de leur savoir. De tout temps, le peuple des humains est celui qui a causé le plus de torts à la Terre des Anciens, plus que les habitants des cinq autres mondes réunis. Je me demande encore pourquoi nous avons fait tant d'efforts pour les sauver, il y a des millénaires, alors qu'ils s'ingénient, encore aujourd'hui, à s'autodétruire.

Je me tins coite ; il y avait trop de vérités dans ce qu'elle venait d'énoncer.

– Je comprends, cependant, que ta mère ait voulu t'y cacher puisque...

Wandéline s'arrêta soudainement, observant Madox avec curiosité. Elle murmura ensuite :

– Mais bien sûr ! Comment ai-je pu être aussi aveugle ? C'est pourtant évident...

– Vous ne vous y attendiez simplement pas, à l'image de tout le reste, d'ailleurs...

Cette fois, il n'y avait pas de trace d'arrogance dans la voix de Madox, et son éternel sourire était revenu.

– Je ne crois pas que cette information doive être connue pour le moment..., ajouta-t-il.

Un courant passa alors entre eux et ils parurent se comprendre parfaitement. De mon côté, j'étais trop absorbée par le fait que Madox n'avait pas démontré la moindre surprise à l'évocation de certaines particularités de mon passé pour accorder beaucoup d'attention à leur échange. Je dus me rendre à l'évidence que le jeune homme ne devait rien ignorer de mon histoire et qu'il ne servait à rien d'essayer de lui cacher quoi que ce soit désormais. Je me forçai à reporter mon attention sur Wandéline et la détrompai enfin quant à son interprétation de ma soudaine pâleur.

– Ce n'est pas l'évocation de la magie qui m'a fait blêmir, bien qu'il soit vrai que ces pratiques ne me sont pas familières. Mon malaise vient plutôt du fait que Gaudéline m'avait affirmé que je portais l'enfant de la prophétie et j'ai présumé, je ne sais trop pourquoi, que ce serait un garçon. Pas une fille... Encore moins deux...

Je n'avais pas envie de relater la courte vie de ma fille, ni les circonstances entourant son décès, devant des gens que je connaissais à peine. C'est la peur que le souvenir d'Alicia m'empêche de mettre un terme à cette grossesse inopportune qui m'avait fait pâlir. Cela eut été plus facile si la naissance à venir avait été celle d'un garçon... Allez savoir pourquoi ! Je m'efforçai d'écouter Wandéline, tout en me demandant si elle avait eu accès à cette partie de ma vie lorsqu'elle m'avait sondée.

– Je peux t'affirmer, sans aucun doute possible, que tu portes deux filles, des jumelles en tous points identiques. Je te rappelle que rien dans la prophétie ne précise que l'Être d'Exception est un garçon plutôt qu'une fille, même s'il est vrai qu'au cours des derniers siècles, il y a eu beaucoup plus d'élus masculins que féminins. J'ajouterai que, même si Alejandre est convaincu d'être un descendant direct de Mévérick, je ne suis pas certaine que l'une des jumelles sera l'enfant que notre monde doit craindre. Je n'ai qu'une vague idée de la forme d'énergie qu'il devrait dégager. De plus, le fait qu'elles soient deux m'empêche de les distinguer chacune dans son essence propre. Même la magie a parfois des limites..., conclut-elle tout bas, se parlant à elle-même.

– Je comprends, m'entendis-je murmurer d'une voix incertaine.

En fait, tout ce que je comprenais, c'est que je n'étais guère plus avancée. Je savais maintenant que j'attendais des jumelles, mais le contexte demeurait pratiquement inchangé : à part le fantôme de ma fille Alicia, rien ne pourrait me donner envie de poursuivre cette grossesse. Quelques souvenirs des visites de Mélijna me revinrent alors en mémoire ; elle aussi avait probablement appris que je portais deux nouvelles Filles de Lune. La question était de savoir pourquoi elle ne l'avait pas dit tout de suite à Alejandre. L'avait-elle fait par la suite ? Curieusement, je n'étais pas convaincue que ce fût le cas et je ne pouvais m'empêcher de lui en être étrangement reconnaissante.

– Si vous n'êtes pas certaine qu'il s'agisse de l'enfant de la prophétie, pourquoi ne pouvez-vous pas interrompre cette grossesse ?

– La nature même de ces enfants me l'interdit. Les Filles de Lune sont protégées par une très ancienne forme de magie que plus personne ne pratique ni ne connaît de nos jours. Nul ne peut mettre un terme à ces vies parce que l'avenir de la Terre des Anciens dépend, encore aujourd'hui, de la protection que les rares Filles de Lune lui accordent. Chaque fois qu'une lignée s'éteint, par la faute de ceux qui vous traquent, notre monde devient plus vulnérable aux invasions puisque vous êtes les seules gardiennes autorisées des passages. Plus vos rangs s'amenuisent, ici ou dans les autres mondes, moins les voies sont surveillées. J'ai bien peur qu'un jour, quelqu'un, quelque part, trouve le moyen de voyager sans votre collaboration forcée et sans dommages. Nous pouvons nous estimer heureux que la pratique de la magie ait perdu de sa vigueur avec les années, et non le contraire. Si elle avait continué de croître, les fortes têtes auraient déjà mainmise sur les portes du temps et de l'espace.

Elle reprit son souffle avant de poursuivre.

– Pour l'heure, nul ne peut encore prendre votre place puisque vous êtes ce que vous êtes de par votre naissance. Sache qu'aucune Fille de Lune ne naissait infertile et que toutes devaient obligatoirement enfanter au moins une fille avant de se voir remettre la garde d'un passage. Il était du devoir de l'aînée de chaque lignée de veiller à ce que celles qui la suivaient remplissent cette partie de leur mission avant d'avoir atteint l'âge de trente ans, qu'elles soient consentantes ou non. Ceux qui veillaient à la survie de notre monde ne s'embarrassaient généralement pas de ce genre de considération. Je...

Ayant l'impression qu'on s'éloignait du problème, je mis fin à son récit.

– Et qu'arriverait-il si vous essayiez malgré tout ?

– Avant que le Conseil des Sages ne disparaisse, toute personne qui attentait à la vie d'une future héritière de la Lune mourait foudroyée, avant même d'avoir pu faire quoi que ce soit ; la seule intention suffisait. J'en fus malheureusement plus d'une fois témoin dans une vie passée. Aujourd'hui... Je ne sais pas...

Elle avait haussé les épaules, le regard perdu dans un lointain passé.

– Nul ne sait ce qu'il est réellement advenu des Sages, ces hommes qui veillaient sur les six mondes particuliers de même que sur notre terre. Personne ne sait s'il n'en reste pas quelques-uns dans les mondes parallèles ou dans les Terres Intérieures, prisonniers du temps et de l'espace, incapables de faire savoir qu'ils ont survécu. Eux seuls peuvent repérer les autres membres de la confrérie. Il est vrai qu'aucune manifestation claire de leurs pouvoirs n'a trahi leur présence depuis plusieurs siècles, depuis la présumée défaite de Mévérick, en fait. Il y a bien quelques événements isolés, mais il est toujours difficile de savoir si ce qu'on entend est le reflet fidèle de ce qui s'est passé ou le produit d'une imagination particulièrement fertile, inspirée des légendes de cette terre.

Elle émergea soudain de ses souvenirs pour s'adresser directement à moi.

– Je ne désire pas me porter volontaire pour tenter de déterminer si le sortilège te protège toujours. Ma présence ici-bas est encore nécessaire ; je ne peux mettre ma vie en péril, même s'il est vrai que la cause en vaudrait la peine. J'ai bien peur que tu ne doives t'accommoder de la situation.

Avant que je ne puisse lui dire ce que je pensais des sortilèges jetés il y a plusieurs centaines d'années, Madox hasarda :

– Vous semblez oublier Uleric. Ne peut-il pas lui venir en aide ?

– Je ne veux plus jamais entendre parler de cet imposteur sous mon toit ! explosa-t-elle, le teint virant à l'écarlate. Personne ne sait d'où vient Uleric ni comment il peut prétendre au titre de Sage alors qu'aucun n'a été formé depuis plus de quatre siècles. Le Conseil est depuis longtemps devenu légende et peu de gens connaissent l'existence de cet homme qui se croit élu. J'ignore ce qu'il espère du haut de sa montagne, mais ce n'est certainement pas moi qui l'aiderai à l'obtenir. Tant que je ne saurai pas ce qu'il est advenu des Anciens, je refuse de servir celui qui se prétend être leur dernier descendant. Quand je pense qu'il a poussé l'audace jusqu'à croire que je me rallierais à lui, cette espèce de... de...

Elle se rendit soudain compte qu'elle se donnait en spectacle et se calma aussi vite qu'elle s'était enflammée. Madox n'osait pas la regarder, fixant un point sur le mur opposé de la petite cabane, probablement gêné d'avoir déclenché cette imprévisible crise de fureur. Quant à moi, je contemplais obstinément mes bottes.

– Ah, et puis n'en parlons plus ! C'est une histoire trop longue à raconter. Je ne te donnerai qu'un seul conseil, Naïla : tiens-toi loin de lui si tu veux conserver ta liberté.

« Facile à dire », me dis-je *in petto*. Alexis avait déjà voulu me conduire à lui, sous prétexte que je serais en sécurité en sa compagnie. Et voilà que quelqu'un me disait de m'en méfier. Je me rappelai soudain que ma mère m'avait, elle aussi, recommandé de ne pas lui faire confiance dans sa lettre adressée à Tatie.

Je me préparais à prendre congé de Wandéline lorsqu'une sorte de sifflement se fit entendre. J'en cherchais la provenance quand la vieille se précipita pour enlever le petit chaudron d'au-dessus du feu. Elle le déposa avec délicatesse sur le sol, le fixant avec attention. Je ne pus réprimer ma curiosité et m'approchai lentement. De fines volutes de fumée d'un bleu azur s'élevaient de la mixture qui bouillonnait ; de petites bulles crevaient à sa surface à intervalles réguliers, malgré le fait qu'aucune source de chaleur ne l'alimentait plus. Une odeur légèrement sucrée, à peine perceptible, nous enveloppait doucement.

– Est-ce que tu as la moindre idée de ce que c'est ? demanda Wandéline.

Bien sûr, je ne connaissais rien aux potions et j'aurais été bien en peine d'identifier ce que je regardais avec autant de fascination. Je fis simplement non de la tête, en lui jetant un regard interrogateur. Contre toute attente, elle sourit en versant le liquide brûlant dans un petit flacon de verre, qu'elle scella avant de répéter l'opération quatre fois. Elle enveloppa ensuite deux des contenants dans d'épaisses bandes d'étoffe qu'elle me tendit avec délicatesse. Je les saisis machinalement, espérant qu'elle m'expliquerait enfin quoi en faire. Elle se contenta de poser la paume de sa main droite sur mon front, en marmonnant des incantations étranges auxquelles je ne compris absolument rien. Elle parlait beaucoup trop vite ! Elle s'arrêta aussi brusquement qu'elle avait commencé et retira sa main : mon front était brûlant. Elle me fixa droit dans les yeux.

– Tu peux poursuivre ton voyage maintenant. Prends bien garde de ne pas briser les flacons. Sois sans crainte, je te ferai savoir comment les utiliser le moment venu. Si...

À cet instant, un grand oiseau gris-bleu à tête de loup s'engouffra par la porte restée ouverte et se posa sur un perchoir, près de la cheminée. L'animal ailé se mit à croasser avec vigueur, ses cris se répercutant étrangement dans l'espace restreint. J'entendis cependant Madox murmurer :

– Par Darius, un ravel ! Je croyais qu'il n'en existait plus...

Wandéline, pour sa part, semblait écouter l'oiseau avec attention, comme si elle comprenait ce qu'il racontait. Je ne tardai pas à constater que c'était effectivement le cas : elle lui répondait ! Les sons qui franchissaient ses lèvres sonnaient plus aigu, mais c'étaient indubitablement le même langage. Je la regardai, incrédule, mais elle passait déjà la porte, nous obligeant à la suivre dehors. Je lui emboîtai donc le pas, Madox sur mes talons. Fasciné, il ne quittait pas des yeux le spécimen volant qui sortit également. J'avais hâte de lui demander pourquoi.

Je remarquai que le crépuscule ne tarderait pas. Je doutais que Wandéline ait l'intention de nous offrir le gîte pour la nuit. Elle tendit les bras devant elle et prononça deux mots dans une langue inconnue qui, contrairement aux dernières semaines, ne se traduisit pas instantanément dans ma tête ; la sorcière y était sûrement pour quelque chose.

Immédiatement, un sentier balisé par de petites sphères dorées se dessina juste devant nous. C'était le chemin que nous avions suivi pour venir en ces lieux. Je souhaitais ardemment lui proposer d'accepter de me transmettre une part de son savoir lorsque je serais parvenue à interrompre ma grossesse, mais Wandéline avait une toute autre idée en tête.

– Ils savent que tu es venue jusqu'à moi et se rapprochent dangereusement. Nous n'avons guère de temps pour les questions. Sache, par contre, que tu n'auras nul besoin de moi, comme tu le penses en ce moment, si tu parviens à retrouver le talisman de Maxandre. Je suis convaincue qu'il existe...

Elle ajouta, plus bas :

– Le contraire serait tout simplement trop effrayant...

Sans me fournir plus d'information, elle s'adressa à Madox d'une façon très familière.

– Veille bien sur elle, petit-fils de Mathéo. Ta présence à ses côtés est sa plus grande force tant qu'elle ne maîtrisera pas ses immenses pouvoirs. Aide-la dans sa quête du talisman et protège sa destinée, même si je doute du choix d'Alana pour unir sa vie. Je sais que ta loyauté sera sans faille et éternelle, mais prends bien garde que ton secret ne soit mis au jour par les mauvaises personnes.

Les sourcils froncés, Madox dardait sur elle un regard chargé de méfiance. Il avait perdu son éternel sourire.

– Comment avez-vous su... pour Alana ? Personne ne devait..., commença-t-il.

Elle affirma alors d'une voix grave.

– L'ampleur de mon savoir te rendrait probablement fou, jeune homme. Maintenant, partez... Vous devez absolument gagner la Passe des Gnomes avant la nuit. Je sais que tu connais le chemin, Madox... Fénon vous attendra et vous soustraira aux recherches, je me charge de le prévenir.

Puis elle me confia :

– Il ne te manque que la confiance en toi et l'acceptation pleine et entière de ce que tu es pour que ta destinée unique s'accomplisse, redonnant à cette terre sa splendeur d'antan.

J'esquissai une moue dubitative. Je doutais fortement que ce fût aussi simple. Elle me sourit pourtant avec chaleur avant d'ajouter, d'une voix étrangement douce :

– Une dernière chose... Prends bien garde à l'amour, jeune Naïla. Il peut être aussi destructeur que bienfaisant. Et je sais de quoi je parle ! Veille à ce qu'il ne t'obsède pas au point de te nuire...

Un bruissement d'ailes se fit alors entendre et le ravel revint se poser sur une branche de sapin, à quelques mètres de nous, croassant avec vigueur. Le visage de Wandéline vira soudain au rouge, la colère déformant ses traits.

– Si c'est comme ça...

Elle disparut soudain dans un éclair orangé, nous laissant stupéfaits.

– Nous ferions mieux de suivre ses directives, fit Madox, avant de s'enfoncer dans les bois, empruntant la voie tracée par les sphères qui luisaient toujours paisiblement, comme les lumières de nuit des jardins de ville.

Le fait que Wandéline se soit volatilisée sous nos yeux ne semblait pas le surprendre outre mesure.

Nous marchâmes en silence, regardant où nous posions les pieds. Les sources lumineuses s'éteignaient au fur et à mesure que nous avancions, nous interdisant ainsi de retourner à la chaumière. Nous débouchâmes finalement à la lisière de la forêt, juste à temps pour voir l'impressionnant ravel passer au-dessus de nous, filant vers le nord-est. Le nez en l'air pour suivre le vol de l'oiseau malgré la pénombre grandissante, Madox me dit :

– Notre arrivée imminente ne tardera pas à être annoncée. Nous devons nous dépêcher.

Il semblait bien que je n'aurais pas plus de détails sur notre destination. Nous montâmes sur nos chevaux et entreprîmes notre course dans la même direction que l'oiseau, qui avait disparu dans la nuit naissante. J'avais l'impression que Madox avançait par intuition. Jetant de fréquents regards en arrière de peur d'être poursuivie, je me demandais combien de temps nous étions supposés continuer ainsi.

J'avais perdu la notion du temps et des environs quand mon compagnon immobilisa brusquement sa monture. Je m'arrêtai à sa hauteur. Il me fit signe de ne pas parler. Il resta sans bouger quelques minutes, à l'affût de bruits suspects indiquant que des cavaliers étaient à nos trousses. Il ne dut rien distinguer puisqu'il poussa clairement un soupir de soulagement.

– Fort heureusement, nous avons encore un peu de temps devant nous. Nous allons devoir gravir un sentier abrupt et difficile d'accès, même en plein jour. Il semble que nous n'ayons pas d'autre option. La bonne nouvelle, c'est que nous ne devrions pas avoir à parcourir plus du tiers de la distance avant de rencontrer Fénon.

Il ajouta, davantage pour lui-même :

– Si cette sorcière a dit vrai, bien entendu.

– Qui est Fénon ? rétorquai-je.

Sous la lumière de la lune, je vis qu'il me regardait avec surprise. Mon ignorance risquait sans cesse de me causer plus d'ennuis.

– C'est le représentant des gnomes auprès des émissaires que les dirigeants de notre terre envoyaient autrefois pour négocier ou simplement porter des messages. Inutile que je t'en dise davantage avant que nous nous trouvions là-bas.

- 10 -

Sur les terres de glace

Après s'être assurée que Madox et la Fille de Lune avaient bien suivi ses instructions, Wandéline put se consacrer entièrement à la deuxième partie du message livré par son ravel. Elle esquissa un bref sourire en se rappelant la surprise du petit-fils de Mathéo à la vue de son fidèle compagnon. Il est vrai que les ravels étaient devenus extrêmement rares après la fin des affrontements, à l'époque de Mévérick. À sa connaissance, seules Mélijna et elle en possédaient encore un. Contrairement à la croyance populaire, elle était convaincue qu'il existait, quelque part dans les Terres Intérieures, un endroit où quelqu'un continuait de veiller à la reproduction de l'espèce, dans l'attente que des maîtres dignes de ce nom se présentent pour profiter de l'incroyable potentiel de ces créatures.

Les ravels appartenaient au passé de la Terre des Anciens, au même titre que les Sages, les sorcières ou les Filles de Lune ; il était dorénavant peu probable d'en croiser un par hasard. Mévor, le ravel qui avait fasciné Madox, possédait, à l'instar de l'oiseau de Mélijna, des dons et des pouvoirs encore plus grands que ses prédécesseurs, du fait de la fantastique longévité de sa propriétaire. Les capacités que détenaient ces animaux ailés croissaient avec le passage des années. Ils ne mouraient pas, tant et aussi longtemps que leur maître vivait.

Wandéline ne pouvait que se réjouir de ce fait : Mévor avait hérité de nombreux talents. Il avait la faculté d'apparaître et de disparaître à volonté, ce qui lui permettait de passer inaperçu lorsque la vieille femme lui faisait porter des messages de la plus haute importance. Il était aussi capable de retrouver une personne ou une créature, quelle qu'elle soit et où qu'elle se trouve, pourvu que Wandéline lui fournisse, en pensée, une reproduction visuelle. Sa vitesse de vol était un atout précieux en toutes circonstances. L'oiseau restait parfois absent des mois durant avant de redonner signe de vie quand elle le chargeait de retrouver un être quelconque. Jusqu'à ce jour, il n'avait jamais échoué.

Wandéline lui confia donc une nouvelle mission. Elle voulait que son dévoué compagnon découvre si Foch était encore en vie. Lui saurait peut-être ce qu'il convenait de faire concernant la grossesse de la Fille de Lune et les conséquences qui risquaient d'en découler. Mais pour cela, il fallait qu'il soit toujours vivant !

D'après les rumeurs qui circulaient depuis de très nombreuses années, cet homme puissant avait été tué au cours d'un terrible affrontement dans les Terres Intérieures, alors que les mancius s'étaient révoltés pour une énième fois. Son corps n'avait jamais été retrouvé. Wandéline savait que l'être, mi-homme, mi-bête, avait déjà exprimé à plusieurs reprises le souhait de disparaître afin de se consacrer aux étranges recherches entreprises dans sa jeunesse, bien avant de se retrouver mêlé malgré lui à la protection des mutants. L'espace d'un instant, la sorcière avait même envisagé de s'adresser à Alexis plutôt que de se priver de la précieuse présence de son ravel, mais son orgueil mit un frein à cette idée. Elle n'était pas encore prête à tendre la main au jeune homme, bien qu'elle sache qu'il lui faudrait s'y résigner tôt ou tard. Depuis la bêtise qui les avait à jamais rendus ennemis, de nombreuses années s'étaient succédées. La sorcière en avait beaucoup appris, grâce à la Recluse, sur cet être exceptionnel. Elle savait que le jour viendrait où elle devrait s'en faire à nouveau un ami si elle ne voulait pas que sa vie prenne fin prématurément...

La vieille femme donna ses instructions à Mévor, qui revenait tout juste d'effectuer une reconnaissance chez les gnomes. En quelques croassements, elle lui expliqua qu'elle souhaitait qu'il retrouve un vieil homme. Elle lui montra, à l'aide de son esprit, à quoi il ressemblait, puis elle regarda le ravel prendre son envol. La sorcière disparut ensuite dans son habituel nuage orangé, pour reparaître beaucoup plus loin, à la limite d'un petit territoire que les Sages disparus nommaient autrefois Philizor. Située tout au nord du continent, cette île de glace ne présentait aucun attrait pour le commun des mortels. Wandéline savait toutefois qu'elle servait de refuge au peuple des Insoumises : des femmes trop différentes de ce qu'on leur demandait d'être et qui refusaient obstinément de se soumettre à une tyrannie masculine. Tous ignoraient comment elles parvenaient à se retrouver sur cette parcelle de terre après leur condamnation, malgré l'immensité de la Terre des Anciens. Wandéline savait, par contre, que c'était probablement auprès d'elles qu'elle trouverait la réponse à l'une des nombreuses questions qu'elle se posait depuis l'apparition d'une nouvelle Fille de Lune de la lignée maudite. Elle ne se trompait pas.

À peine avait-elle posé les pieds sur l'île qu'une femme fit son apparition. Entièrement vêtue de fourrures d'un gris argenté, une lance à la main, elle ne laissait paraître que son visage. Deux yeux bleus, clairs comme le cristal des glaciers environnants, se rivèrent à ceux de la sorcière, sans sympathie aucune. Le flocon de neige tatoué sur son front témoignait de son appartenance aux Insoumises.

– Que viens-tu faire dans ces contrées perdues, Wandéline ? Ne sais-tu pas que ta présence n'est souhaitée par aucune d'entre nous ? Par tes alliances passées avec la

Quintius et ses dirigeants, qui souhaitent la soumission et l'esclavage de celles qui nous ressemblent, tu as contribué à faire des femmes exceptionnelles qui hantent cette terre de glace des êtres condamnés à apprendre par eux-mêmes ce qui leur a été refusé.

– Je ne crois pas que...

La femme poursuivit son discours.

– Tu as grandement contribué à la création de la Quintius. Aujourd'hui, cette organisation n'accepte que les hommes dans ses rangs. Elle considère les femmes comme des esclaves dévouées, tout juste bonnes à les servir et à assouvir leurs pulsions. Ses dirigeants répriment l'usage de la magie qui nous est chère et ne jurent que par l'adoration d'un seul dieu dont nous ne savons que peu de choses. Nous ne sommes pas dupes : nous savons ce que cachent ces hommes qui disent agir pour le bien des habitants de moins en moins nombreux de la Terre des Anciens... Tu peux retourner d'où tu viens, sorcière ! Et ne te gêne pas pour leur répéter ce que je viens de dire. Nous ne craignons pas leurs réprimandes ni leurs menaces, car nous sommes des femmes libres. Et encore plus puissantes qu'ils ne le croient...

Sur ce, la femme tourna le dos à Wandéline et disparut. La sorcière resta interdite devant la rapidité avec laquelle tout avait supposément été réglé. Elle n'avait pas eu le temps de dire quoi que ce soit, n'ayant surtout pas pu démontrer qu'elle n'avait plus de lien avec la Quintius depuis plusieurs années déjà. La vieille jeta un regard autour d'elle. Il n'y avait plus personne, mais elle ne douta pas un instant qu'elle était surveillée. Elle utilisa donc ses sens pour repérer celles qui devaient nécessairement l'épier. Elle perçut rapidement la présence de deux femmes, plus loin devant elle. Sans hésitation, elle se mit en marche, ne prenant que le temps de faire apparaître de quoi se couvrir suffisamment pour supporter la température glaciale. Mais la Fille de Lune déchue n'eut pas le temps de se rendre bien loin dans ce paysage de neige et de glace. Celle qui lui était précédemment apparue revint.

– Pourquoi ne retournes-tu pas d'où tu viens, Wandéline ? Nous n'avons pas besoin d'une soudaine pitié ou d'un quelconque repentir. Je...

La sorcière coupa court aux paroles de l'Insoumise, bien déterminée à se faire entendre, cette fois.

– Je ne suis venue que pour poser une question. Si tu acceptes de me répondre, je jure de m'en aller sans rien demander d'autre. Je n'ai nulle envie de débattre aujourd'hui de ce que ton peuple pense de moi et de mes actes passés.

Passablement étonnée, la femme la considéra. Elle ne s'attendait visiblement pas à une requête de ce genre de la part de Wandéline. Au bout de quelques secondes de réflexion, elle déclara :

– Pose ta question. Je verrai ensuite si je suis autorisée à te donner la réponse que tu es venue chercher. Tu dois cependant me promettre de partir ensuite, que ta curiosité soit satisfaite ou non.

L'autre acquiesça.

– Je veux simplement savoir si l'Insoumise Lunaire est toujours vivante.

– Comment connais-tu l'existence de cette exilée ? Personne ne devait pourtant savoir...

Wandéline haussa les épaules.

– Bien que je n'aie pas été témoin de sa condamnation, je sais de source sûre qu'elle a été prononcée. Je suis certaine que cette femme a profité de l'occasion pour disparaître aux yeux de ceux qui la traquaient. Ce sursis était pour elle une question de vie ou de mort...

– Pourquoi la recherches-tu aujourd'hui si tous la croient disparue ?

– Parce qu'une Fille de Lune a désespérément besoin de son aide. Elle est...

L'Insoumise renchérit froidement:

– Tu perds ton temps à chercher cette femme ici. Demande plutôt aux gnomes ce qu'ils ont fait d'elle à la suite de leur traîtrise.

L'Insoumise disparut à nouveau. Tel que convenu, Wandéline ne chercha pas à reprendre contact. Elle retourna plutôt chez elle afin de consulter l'un de ses nombreux grimoires. Si cette femme avait dit vrai, Oglore et Phénor lui devaient des explications...

- 11 -

Alix

Madox n'avait pas perdu de temps, après son départ de chez Wandéline, pour rendre compte de la situation à Alix. Par la pensée, le jeune homme avait transmis la réponse obtenue de la sorcière tout en l'informant que Naïla et lui étaient en route vers le domaine des gnomes, dans les entrailles de la Terre des Anciens. Résigné, Alix avait accepté la décision de sa rivale et demandé à Madox de le tenir au courant des prochains développements.

Assis sur le seuil de sa retraite, il se passa la main dans les cheveux pour la dixième fois en quelques minutes, traduisant avec justesse son degré d'énervement. Même s'il se doutait que la sorcière serait incapable de remédier au problème de la Fille de Lune en raison de la vieille magie qui la protégeait, il s'était permis d'espérer. Il sentait que la situation de la Terre des Anciens se compliquait singulièrement depuis l'arrivée de l'héritière. Comme si sa venue avait électrisé l'ensemble de la vie cachée de ce monde, redonnant tout à coup à chacun des envies de conquête et de pouvoir. Il y avait quelque chose de terrifiant dans cette idée.

La nuit précédente, il s'était encore réveillé en sueur, certain d'avoir crié dans son sommeil. Il avait fait deux songes consécutifs : le premier était de la même nature que la plupart des cauchemars qui peuplaient ses nuits depuis qu'il avait accepté de défendre sa terre d'adoption au péril de sa vie. Il avait donc assisté, une fois de plus, à de sanglantes batailles se déroulant dans les Terres Intérieures et opposant des créatures dont l'origine, pour la plupart, lui échappait. Il croyait de plus en plus à la rumeur rapportée par Kosta : Mélijna aurait réussi à retrouver un passage différent de celui que les hommes d'Alix avaient récemment découvert. Ce n'était pas tant la mise au jour du passage qui dérangeait le jeune homme, malgré ce que cela impliquait, que sa destination, car il menait vraisemblablement sur Dual.

Ce monde, habité par les hybrides, n'était pas reconnu pour sa diplomatie envers le peuple de la Terre des Anciens, mais plutôt pour sa cruauté et son désir de vengeance qui n'avait eu de cesse de grandir au cours des siècles écoulés. Si la rumeur se confirmait, il ne faudrait surtout pas que la Fille de Lune retombe aux mains de la sorcière des Canac. Alix savait que Mélijna ne pourrait envoyer personne de l'autre côté sans l'aide de Naïla. Les créatures de Dual, mi-hommes, mi-bêtes, ne laisseraient certainement pas le temps à un quelconque messager d'expliquer sa venue dans leur monde avant de le tuer, mais ils ne pouvaient attenter à la vie d'une Gardienne des Passages. Par ailleurs, ces peuplades seraient heureuses d'apprendre où se trouvait un passage qui leur permettrait de revenir dans un monde d'où elles avaient été bannies. D'après ce que le Cyldias avait appris, quelques années plus tôt, les hybrides réussissaient toujours à traverser sans la moindre difficulté ; la mutation n'avait pas d'emprise sur eux puisqu'ils étaient déjà, de par leur origine, des mutants. Ils n'avaient donc pas besoin de talisman protecteur ou de la présence d'une Fille de Lune à leurs côtés. Darius avait trouvé le moyen de les confiner chez eux, au temps de son règne, mais Alix avait entendu dire que c'était l'une des rares magies du vieux Sage à avoir nettement perdu de son efficacité. Nul ne savait d'ailleurs pourquoi, sauf peut-être Foch.

Penser à Foch contraria un peu plus le jeune guerrier. Depuis plusieurs semaines, il se demandait s'il ne devrait pas entrer en contact avec le vieil homme. Il ne savait pas où il se terrait exactement, mais le mage lui avait un jour expliqué, avant de disparaître pour de bon, comment communiquer avec lui en cas de besoin. Son aide était toutefois conditionnelle à ce que le jeune homme n'agisse pas pour son propre intérêt et qu'il ne voie plus aucune issue au problème qui le tourmentait. Pour une raison inconnue, Foch semblait s'être pris d'affection pour l'adolescent farouche et déterminé qu'il avait rencontré par hasard alors même que le continent tout entier le croyait mort. Il lui avait appris comment se servir de quelques-uns de ses dons les plus précieux avant de lui dire qu'il l'estimait capable de tout, à condition d'y mettre les efforts nécessaires. C'était aussi Foch qui l'avait mis en contact avec l'être qui lui avait enseigné la tempymancie, cette merveille qui permettait de pouvoir se situer dans le temps et l'espace, même en l'absence de soleil et de repères. Le vieil homme avait toutefois refusé de lui dire qui était ce bienfaiteur. Neuf ans s'étaient écoulés depuis leur dernière rencontre. Alix secoua la tête. Il l'aurait certainement su si l'hybride était mort. D'instinct, il était convaincu que ce qui le liait à Foch, même s'il n'en connaissait pas la nature, impliquait qu'il sache s'il lui arrivait malheur.

Cette réflexion l'amena à une autre du même genre : les rêves d'un monde parallèle à la Terre des Anciens. Pour la deuxième fois depuis sa rencontre avec la Fille de Lune, Alix avait rêvé d'une terre envahie par le brouillard où il n'entendait rien d'autre que la voix d'une femme. Cette dernière ne lui parlait jamais longtemps, mais ce qu'elle disait lui donnait chaque fois la chair de poule. Il se rappelait trop bien ses paroles de la nuit dernière :

– *De grands bouleversements se préparent sur la terre de tes ancêtres, fils de ce monde dont tu ne sais rien à part le nom. Bientôt, il te faudra revenir pour apaiser la colère de ceux qui sont restés derrière et qui attendent ton retour depuis trop longtemps déjà. Il te faudra alors affronter les démons qui hantent ton passé et justifier le mal qui ronge ta sœur de sang par ta seule faute. Tu devras prendre de graves décisions et démontrer toute la force de caractère dont tu as hérité. Il te faudra aussi parfaire tes dons les plus étranges, dont certains te restent encore inconnus. Malheureusement, ces tâches représentent bien peu par rapport à ce que tu devras affronter pour que la Fille de Lune dont tu as la garde puisse reprendre la place qui lui revient au sein de l'élite de la Terre des Anciens. De nombreuses embûches vous attendent et la moindre n'est certainement pas celle qui demande que vous vous supportiez et que vous vous entendiez mutuellement.*

Il y avait eu comme un reproche dans la dernière phrase. Alix avait réalisé que la dame qui lui parlait ne mentait pas lorsqu'elle lui avait précédemment dit avoir assisté à chaque moment marquant de sa vie. Avant de quitter les rêves du jeune homme, l'inconnue avait eu une dernière demande, laissant le Cyldias perplexe.

– *Promets-moi que, dès que tu le pourras, tu reprendras ta place auprès de celle qui t'est déjà plus chère que tu ne le voudrais. Elle te conduira nécessairement jusqu'à moi. Je serai alors à même de te guider vers ton destin...*

Alix ne pouvait s'empêcher de ronchonner à la pensée que les renseignements qu'il désirait obtenir sur sa vie et son passé dépendaient de sa collaboration avec une femme qu'il voulait à tout prix éviter. Mais ce qui le tracassait le plus, pour le moment, c'était la mention d'une sœur de sang. S'il en était réellement responsable, le mal qui la rongeait ne pouvait provenir que de son utilisation parfois inconsidérée des cellules temporelles. Mais arriverait-il à cesser de s'en servir sous prétexte qu'elles rendaient peut-être malade quelqu'un qu'il ne connaissait pas et dont il n'avait aucune preuve de l'existence ?

Alix ne savait plus quoi penser. Pendant de longues minutes, il se perdit dans des souvenirs qu'il s'efforçait pourtant d'oublier. Depuis qu'il avait appris qu'il n'était pas le fils de Nathias de Canac, une dizaine d'années plus tôt, il s'était souvent interrogé sur ses origines, se demandant ce qu'aurait été sa vie s'il avait connu sa véritable famille. Pourquoi s'était-il retrouvé au château des Canac ? Avait-il des frères ou des sœurs ? Et quoi d'autre encore ! Ses innombrables questions attisaient chaque fois la colère qui grondait en lui de façon quasi permanente, cette colère sourde et tenace issue de son enfance malheureuse et de son inaltérable impression de solitude. Il ne pouvait s'empêcher de croire que sa vie aurait été meilleure s'il avait grandi auprès de ses véritables parents. De là venait son ambivalence face à la révélation de son rêve : difficile pour lui d'être touché par la détresse de quelqu'un de sa famille quand personne de cette même famille ne s'était jamais préoccupé de sa propre détresse...

Le jeune guerrier se leva. Il commencerait par voir ce qu'il pouvait faire dans le cas de Foch. Ensuite, il se concentrerait sur sa « supposée » sœur de sang et cette damnée Fille de Lune...

- 12 -

Foch

Dans la forêt de chênes centenaires qui lui servait de refuge, le dénommé Foch consulta, pour la centième fois au moins, l'un des innombrables ouvrages qui garnissaient les murs de ses souterrains. Il avait beau relire à l'infini les quelques pages qu'il avait trouvées concernant les édnés, il ne comprenait toujours pas pourquoi ces étranges créatures lui apparaissaient en pensée chaque fois qu'il avait tenté de reprendre contact avec Alix au cours des sept derniers jours. Quel pouvait bien être le rapport entre ce jeune guerrier déterminé à sauver la Terre des Anciens et ces êtres mystiques dont on ne parlait plus que dans les légendes ? Avec un soupir, le vieil homme, qui ne voyait que d'un œil de par son ascendance, relut à haute voix l'un des passages du texte. Il espérait que le fait d'entendre ce qu'il lisait lui permettrait de déceler enfin ce qui avait pu lui échapper.

> « *Les édnés sont des créatures tout droit sorties d'un cauchemar. Elles peuplaient autrefois le continent de Bronan avant que Darius ne les expédie dans le monde du même nom qu'il créa, bien que ces êtres aient été plus à leur place sur Dual, le monde des hybrides. Les édnés sont de la même famille que les dragons ; ils en représentent la branche pensante. Ces êtres quasi indomptables sont dotés d'une intelligence peu commune et n'hésitent pas à s'en*

servir pour semer la terreur autour d'eux lorsque cela s'avère nécessaire. Espèce nocturne par excellence, ils ne sortent que la nuit, ajoutant ainsi à la frayeur qu'ils causent. Imaginez un instant que vous rencontriez, au détour d'un chemin, une créature sur deux pattes, au corps longiligne couvert d'écailles argentées et luisantes sous les rayons de la lune, ses ailes longues et diaphanes déployées et ses bras terminés par des doigts aux longues griffes. Nichés dans un visage humain, deux yeux noirs vous regardent sans complaisance aucune...

Ce peuple farouchement indépendant ne s'est jamais associé à qui que ce soit dans les luttes de pouvoir qui minaient la Terre des Anciens, voulant vivre en paix, loin de toute civilisation. C'est pourquoi ils se targuent de terroriser quiconque approche de leur milieu de vie. "Oubliez-les et ils nous oublieront..., disaient les Sages, car ils ne se soumettront jamais, à moins de leur amener celui, issu du même monde qu'eux, qui les convaincra. Alors, et seulement à cette condition, leur aide deviendra précieuse, car ils détiennent un secret qui peut mener à la victoire." »

Il y eut alors un déclic dans l'esprit de Foch, mais il secoua la tête en signe de dénégation. Alix ne pouvait certainement pas être celui qui s'allierait les édnés. À l'époque où ils s'étaient rencontrés, le jeune homme venait tout juste de fuir la tyrannie d'un père et d'un frère vivant sur la Terre des Anciens. À ce moment-là, Alix était convaincu d'être né d'une Fille de Lune et d'un descendant de Mévérick, dans le château des Canac. Il ne pouvait donc pas être de Bronan. À moins que le passé de ce guerrier ne soit qu'illusion ? Se pouvait-il que les origines d'Alix diffèrent de ce qu'on lui avait laissé entendre ? S'il était réellement celui qui pourrait gagner la confiance des édnés, Foch devait absolument le retrouver. Le mage en connaissait beaucoup plus que la majorité sur la légende des deux trônes, ceux de Darius et d'Ulphydius, et sur les Sages emprisonnés. Il possédait plus de documents traitant de l'histoire de la Terre des Anciens et des autres mondes que tout ce qui pouvait rester ailleurs sur le continent. Il était peut-être temps de revenir à la vie...

- 13 -

Mélijna

Dans les profondeurs du château des Canac, la sorcière de la famille psalmodiait des incantations dans la langue des fées pour tenter de conjurer le mauvais sort qui semblait s'acharner sur elle depuis ses négociations avec les mancius. Elle savait que le cadeau qu'elle leur avait fait, le feu de Phédé, lui assurait leur collaboration durant une certaine période, mais elle ne s'illusionnait pas. Les mancius avaient un caractère changeant et la vilaine habitude de s'allier au plus offrant. Combien de temps parviendrait-elle à garder son avance sur les autres seigneurs avant que ceux-ci ne découvrent une nouvelle façon de s'approprier les faveurs du peuple mutant ? Même si elle était la seule sorcière vraiment douée sur la péninsule, rien ne lui garantissait qu'une minable sorcière en devenir ne découvrirait pas une formule ou un sortilège qui lui mettrait des bâtons dans les roues. Les recherches sur le passé et les légendes de la Terre des Anciens ne cessaient jamais ; elles se poursuivaient sans relâche, au fil du temps, dans l'ombre et le secret, bien qu'on n'en perçût que rarement les signes dans la vie quotidienne.

Avec un soupir, la vieille femme regarda ses mains flétries, ressentit la fatigue dans chacun de ses membres et constata une fois de plus que ses cheveux se détachaient de sa tête en longues mèches grisâtres. La disparition de Naïla pendant son absence avait accéléré le processus de vieillissement et diminué la longévité de la dernière existence qu'elle avait volée à une consœur, quelque cinquante-cinq ans auparavant. Si elle ne trouvait pas bientôt une nouvelle Fille de Lune sous-douée pour lui procurer un regain de vie ou encore une formule lui permettant de retrouver sa jeunesse pendant une certaine période, elle devrait tirer sa révérence beaucoup plus tôt qu'elle ne le souhaitait. Or, trop d'événements en faveur d'une possible victoire étaient survenus en très peu de temps pour qu'elle accepte de mourir.

Que ce soit la découverte d'un passage vers Dual, l'alliance avec les mancius, l'intérêt renouvelé des jeunes hommes pour l'enrôlement dans « l'armée » des Canac, la réapparition des nymphes, le retour d'une Fille de Lune de la lignée maudite ou l'émergence de nouveaux sorciers alliés, tout semblait conduire à un enchaînement vers la réussite d'une quête amorcée des siècles plus tôt. Il fallait donc absolument qu'elle retrouve la forme. Il était temps d'entrer en contact avec ses cinq Traqueurs, des êtres qu'elle avait créés de toutes pièces dans l'unique but de débusquer une Fille de Lune nouvellement arrivée ou – mais la sorcière n'y croyait guère – une Élue que personne n'aurait encore repérée sur la Terre des Anciens. Ces toutes petites créatures aux sens surdéveloppés pouvaient parcourir des centaines de kilomètres par jour, n'avaient besoin de se nourrir ou de s'abreuver qu'une fois par semaine et travaillaient sans relâche à la mission qui leur était confiée. Elles ne possédaient ni conscience ni intelligence et n'avaient pour seuls bagages que les caractéristiques qui leur permettaient de distinguer une Fille d'Alana du commun des mortels de même qu'une mémoire photographique phénoménale ; tout ce qu'elles voyaient y restait à jamais gravé. Mais avant que Mélijna n'ait pu tenter de les localiser, le sire de Canac fit son apparition sur le seuil de la porte. Il semblait d'une humeur massacrante.

– Comment se fait-il que les hommes que nous avons engagés n'aient pas encore réussi à ramener cette maudite Fille de Lune malgré les indications que vous leur avez fournies ? Si jamais...

La sorcière coupa court aux récriminations du jeune seigneur.

– Je ne peux rien faire d'autre qu'attendre. Il est hors de question que je quitte le château en ce moment et je ne peux permettre à ces hommes d'utiliser la magie pour se déplacer, risquant ainsi de les rendre trop exigeants dans un proche avenir. Il est d'ailleurs préférable de ne pas trop harceler l'équipe qui accompagne Simon. Les hommes sont devenus méfiants depuis la démonstration involontaire des pouvoirs de Naïla face à Rufus. Je soupçonne certains de ces individus de nourrir le dessein de capturer la jeune femme pour leur propre intérêt. Il faut donc les surveiller mieux, mais ne pas intervenir. Si mes estimations sont exactes, Simon devrait rejoindre la Fille de Lune peu après la tombée de la nuit. Il n'y a aucun endroit susceptible de cacher la fugitive dans les environs immédiats du repaire de Wandéline et...

Alejandre ouvrit de grands yeux exorbités à la mention de la sorcière et égrena un chapelet de jurons.

– Vous ne m'aviez pas mentionné que Naïla se rendait chez elle ! Si Wandéline parvient à mettre un terme à la grossesse de...

Exaspérée, Mélijna lui coupa à nouveau la parole.

– Il n'y a pas lieu de s'inquiéter. De par sa naissance privilégiée, Naïla est protégée contre toute tentative d'avortement. Il me semble te l'avoir déjà expliqué. Il est interdit d'attenter à la vie d'une héritière d'Alana, même sous la forme d'un embryon. Je doute fort que Wandéline ait envie de tenter quoi que ce soit pour s'opposer à cette forme de magie qui date de l'époque de Darius. Elle sait trop bien que la punition qui en résulte risquerait de lui coûter la vie, malgré l'immensité de ses pouvoirs. L'enfant est donc en sécurité tant que sa mère reste sur notre terre.

L'allusion n'échappa pas au sire.

– Vous croyez que la Fille de Lune tentera de regagner le monde de Brume ?

– J'en suis même certaine. Elle doit toutefois trouver une personne susceptible de la conduire jusqu'au passage par lequel elle est arrivée. Pour le moment, celui qui voyage avec elle a une aura que je ne reconnais pas, même si je suis certaine que c'est un Être d'Exception. Je me souviens d'avoir déjà perçu cette forme d'énergie, par le passé, dans l'environnement immédiat de ton frère, mais je n'ai jamais su à qui elle appartenait. Il semble que les hommes d'Alexis aient d'autres plans que de renvoyer la jeune femme chez elle ; les voyageurs cheminent actuellement dans la direction opposée au passage maudit. Demain matin, nous devrions être en mesure de rapatrier ta future épouse entre les murs du château.

Au moment même où Mélijna prononçait ces mots, un sifflement strident se fit entendre et résonna contre les parois de pierre des appartements de la sorcière. Puis il cessa brusquement. La vieille femme sembla alors se figer sur place, comme si ce son inhumain l'avait transformée en pierre.

– Non ! Non, ce n'est pas possible...

Elle laissa sa phrase en suspens quelques secondes, attendant vraisemblablement un signe quelconque. Alejandre vit ensuite ses épaules s'affaisser et ses yeux se fermer. Mélijna porta les mains à sa tête, appuyant sur ses tempes comme pour chasser un vilain mal de crâne. Sa tête oscillait de droite à gauche, en signe d'incrédulité et de négation. Le sire de Canac entendit alors avec stupeur les quelques mots que la sorcière articulait péniblement :

– Je viens de perdre sa trace...

- 14 -

Dans les entrailles de la terre

Madox avait dit vrai concernant le sentier que nous devions emprunter. La pente raide avait l'air de ne plus devoir finir et nous avancions au rythme des tortues. Les roches roulaient sous les sabots des chevaux, qui devaient redoubler d'efforts pour ne pas perdre pied. Depuis au moins une heure, nous cheminions entre une falaise escarpée et ce qui semblait être un précipice, mais j'avais l'impression que nous n'avions progressé que d'une cinquantaine de mètres. Les faibles rayons de lune étaient bien insuffisants pour nous permettre de voir où nous allions. Je me jurai, si nous nous en sortions vivants, de ne plus jamais suivre aveuglément toute personne chargée de me protéger.

– Est-ce que tu penses vraiment que quelqu'un, là-haut, a compris le message que Wandéline a envoyé par ravel ? demandai-je.

Ma nature peu ésotérique cherchait constamment à reprendre ses droits, peu encline à croire même si elle avait vu. J'étais pire que saint Thomas.

– Je n'ai aucun doute sur la capacité de cette femme à tenir ses promesses. Pour ce que j'en sais, plusieurs aimeraient bien qu'elle en oublie certaines.

– Et moi qui ai d'abord cru que tu ne la connaissais pas ! dis-je dans un souffle.

– Je n'ai jamais dit que je la connaissais.

Madox s'arrêta un instant pour m'expliquer.

– J'en ai beaucoup entendu parler, cependant, et pas toujours dans les termes les plus élogieux. Crois-moi, ce n'est pas des paysans ou des voyageurs qu'elle se cache au fond de sa forêt, mais plutôt des descendants de ceux qu'elle a trahis, à de multiples reprises, au cours des ans. Et sans l'ombre d'un remords ! Elle a ainsi causé la perte de plusieurs prétendants au trône d'Ulphydius, ce qui est une bonne chose pour notre monde, en fait, mais dangereux pour elle. Vois-tu, Wandéline est reconnue pour sa fâcheuse propension à changer de camp au fil des guerres, selon la puissance de l'un ou de l'autre. Les belligérants ont tendance à passer outre ses trahisons répétées, à chaque nouvel affrontement, parce que ses pouvoirs sont immenses et la compter parmi ses alliés est un atout incomparable. De toute façon, si d'aucuns s'avisaient de lui garder rancune, elle se tournerait nécessairement vers le camp adverse. Il vaut donc mieux lui pardonner, au cas où. Il semble toutefois, comme elle l'a elle-même mentionné, qu'elle se soit définitivement rangée...

– Mais les hommes devaient toujours craindre qu'elle ne change soudain de clan au beau milieu des affrontements.

– C'est vrai. Ils étaient néanmoins convaincus que le risque en valait la peine. Tu sais, le passé leur donne pratiquement toujours raison. Le problème consistait plutôt à savoir à quel moment elle risquait de déserter, afin de prévenir la défaite. Wandéline demandait une stratégie de guerre à elle seule, pour s'assurer de son allégeance.

Madox se remit en marche, mais je lui posai tout de même la question qui m'était venue aux lèvres.

– Je croyais qu'il n'y avait eu que deux grandes guerres : celle de Darius et d'Ulphydius, puis les rêves de gloire de Mévérick.

Avec un soupir, Madox arrêta à nouveau son cheval sous le pâle clair de lune.

– Il n'y en a eu que deux qui ont réellement marqué notre histoire, mais notre passé est parsemé de petits conflits, plus ou moins longs. Il y en a au moins un par nouvelle génération de descendants, parfois davantage. Certains hommes sont plus tenaces que d'autres dans la poursuite de leur rêve.

– Alors comment se fait-il que les populations aient oublié de larges pans de leur histoire de même que l'existence des autres mondes, s'il y a tant d'affrontements pour le leur rappeler ? lui demandai-je, insensible à son envie de reprendre la route. J'avoue qu'il m'est difficile de croire que les gens ont la mémoire si courte.

– Depuis quelques siècles, les combats se déroulent pratiquement toujours dans les Terres Intérieures. Comme tu dois maintenant le savoir, le peu de population qui reste n'occupe qu'une mince bande de terre en bordure des mers. Même si quelqu'un assistait à un affrontement, il ne survivrait pas suffisamment longtemps pour le raconter puisque la route est longue entre les champs de bataille et la civilisation. Quant aux instigateurs des combats, ils préfèrent se faire discrets lorsqu'ils sont sur les terres qu'ils possèdent dans les régions habitées.

– Pourquoi ?

Le cheval de mon compagnon piaffa, signifiant son impatience à rester ainsi immobile dans une noirceur quasi totale.

Je perçus le mouvement de Madox pour l'apaiser. Il me répondit par la suite.

– Parce que ce ne sont pas de grandes armées qui s'affrontent, mais de petits groupes d'une centaine d'individus à la fois, et que les guerriers sont difficiles à recruter. Les paysans ont beau ne pas se souvenir exactement pourquoi ils sont si peu nombreux, ils ne veulent surtout pas que leur nombre s'amenuise davantage en perdant leurs fils pour une quête de gloire et de richesse absurde à leurs yeux. Tous sont aujourd'hui persuadés que ces histoires de trônes, de Sages, de magie et de sorciers ne sont que légendes. Par contre, ils savent que les Terres Intérieures sont sauvages et dangereuses. Nul ne veut voir partir une relève qui ne reviendrait sans doute jamais. Comme les sorciers sont devenus plutôt rares au fil des siècles, les descendants de Mévérick n'ont plus guère d'alliés pour les aider à convaincre, par la force ou la magie, les populations récalcitrantes. Les règnes de terreur sont depuis longtemps choses du passé. Est-ce que tu me suis toujours ?

– Avec peine, mais je saisis l'essentiel.

Madox reprit son ascension pour la énième fois. Il continua de parler tout en avançant.

– Il te faudra du temps pour tout assimiler. En fait de règne, il ne reste plus que celui de la Quintius, qui dissimule fort bien ses véritables intentions. C'est une sorte de...

Je l'interrompis.

– Je sais ce qu'est la Quintius. Meagan m'en a parlé en me résumant la situation. Zevin m'en a aussi glissé un mot lorsqu'il s'est occupé de mes yeux.

Madox arrêta brusquement sa monture pour se tourner vers moi.

– Je croyais que c'était Alix qui t'avait dressé un portrait de la situation. C'est ce qu'il était chargé de faire compte tenu de ton ignorance concernant l'histoire de notre monde. Il...

– Notre rencontre ne s'est certainement pas déroulée comme il le prévoyait. Tu dois savoir que sa position de Cyldias vis-à-vis de moi est loin de le rendre heureux, mais je serais bien en peine de te dire pourquoi. Je ne comprends pas grand-chose à cette affaire et il s'est bien gardé de me donner des explications. En fait, il s'est contenté de me reprocher mon existence...

Je m'arrêtai, soudain mal à l'aise. Mes rapports avec Alexis étaient un aspect que je détestais aborder parce qu'il comportait trop d'éléments que je ne maîtrisais pas, de non-dits et de sous-entendus.

– Je vois..., me répondit Madox, un sourire dans la voix. Du moment que cette lacune a été comblée...

Il poursuivit l'ascension et je m'empressai de ramener la conversation vers un sujet moins délicat.

– Mais alors, qui compose les armées s'il n'y a pratiquement plus d'hommes en leur sein ?

Madox soupira bruyamment avant de tenter d'éclaircir ce point.

– C'est là que les Filles de Lune interviennent et l'une des raisons pour lesquelles elles sont si recherchées. Il n'y a pas que les humains qui rêvent de contrôler la Terre des Anciens. Dans chacun des mondes, il y a de fortes têtes qui, contrairement au reste de la population, se souviennent très bien de leur histoire. Eux aussi aspirent à régner en maître et ne veulent surtout pas que les descendants de Mévérick les dépassent au fil d'arrivée. Il semble que chaque peuple désire désormais imposer sa suprématie sur les autres, contrairement au tout premier affrontement, où seule la race humaine voulait régner sans partage.

Je songeai par-devers moi que cette histoire n'avait décidément rien de bien original. À part le fait que je croyais, jusqu'à tout récemment, que seuls les humains avaient cette soif de domination. Je reportai mon attention sur Madox, tout en prenant garde de suivre la piste, un peu moins abrupte que tout à l'heure.

– Avec la disparition des mages et des sorciers, il ne reste que les Filles de Lune qui peuvent traverser d'un monde à l'autre et permettre à d'autres de le faire sans danger.

– Je croyais que je n'avais d'emprise que sur le passage dont ma lignée avait hérité.

Madox soupira à nouveau. Il devait commencer à en avoir assez de tout m'expliquer tandis que le temps nous pressait. Mais c'était plus fort que moi. Pour une fois que quelqu'un répondait à mes questions...

– Au tout début, c'était le cas puisque vous étiez souvent trois, quatre et même plus par famille à pouvoir surveiller un seul endroit. Au cours des années, vous avez été décimées par ceux qui rêvaient de gloire et souvent sacrifiées parce que vous refusiez de leur obéir. Rapidement, il ne resta que quelques-unes d'entre vous, traquées et incapables de perpétuer les lignées, faute de temps. Les dernières survivantes ont alors hérité, on ne sait comment, de la totalité des passages. Probablement pour empêcher qu'un peuple ait plus de chance qu'un autre d'asseoir sa domination. Malheureusement, il était déjà trop tard ; certaines lignées s'éteignirent tandis que les autres trouvèrent refuge dans les mondes en périphérie, scellant les passages derrière elles et incitant les peuples à l'oubli pour retrouver la paix.

Chaque fois que je croyais comprendre, des faits nouveaux venaient tout compliquer.

– Mais alors, il ne reste que les descendants de Mévérick dont il faut se débarrasser puisque les autres sont confinés chez eux. Non ?

– Ça aurait été vrai si tu avais traversé il y a une cinquantaine d'années, mais ce n'est plus le cas. Il semble que Mélijna ait trouvé le moyen de rouvrir certains passages.... Tu as sans doute remarqué qu'elle avait des yeux très semblables aux tiens ?

– Difficile de ne pas le voir ! ricanai-je.

– Mélijna n'est pas une Fille de Lune assermentée. Malencontreusement, elle a su développer de nombreux dons, qu'elle utilise toujours à mauvais escient.

– Comme Wandéline autrefois ?

– Oui. À la différence que Wandéline est une Fille de Lune qui a été assermentée avant de perdre ses privilèges. Tu as aussi remarqué ses yeux, je suppose ?

– Je n'ai pas beaucoup de mérite. Il se trouve qu'on nous a dotées d'une caractéristique plutôt voyante pour des femmes qui devraient passer inaperçues, dis-je avec humeur.

Il éclata d'un rire qui se répercuta en écho durant quelques secondes.

– Force m'est d'admettre que les Sages auraient eu avantage à choisir un signe plus discret pour vous reconnaître... Mais n'oublie pas que tu as pu voir les yeux de Wandéline et de Mélijna parce qu'elles sont comme toi ; il y a belle lurette qu'elles ont appris à dissimuler ce détail gênant. Je ne suis même pas certain qu'Alejandre soit au courant que sa fidèle compagne est une descendante directe des Élues qu'il recherche avec autant d'acharnement.

Il avait repris son sérieux à l'évocation d'Alejandre. Je me demandai une fois de plus qui il était réellement pour en savoir autant dans ce monde d'ignorants...

– Si Mélijna peut desceller les passages, pourquoi me traquer dans ce cas ? insistai-je.

Je frappai mon front du plat de ma main avant de m'exclamer :

– Suis-je bête ! Parce que, n'étant pas acceptée dans nos rangs, il lui manque certains pouvoirs pour aller plus loin...

– En effet, approuva Madox. De plus, s'il est vrai que les passages sont désormais ouverts à tout venant, il reste que ce tour de force a été réalisé à partir des caves du château. Il faut encore les localiser, puisque leur position sont depuis toujours gardées secrètes par les véritables Filles de Lune et...

– Mais je n'ai aucune idée de la position des autres passages ! m'écriai-je.

– Laisse-moi finir, s'il te plaît. Je disais donc que les emplacements des passages sont normalement inconnus du commun des mortels. Par contre, trois sont aujourd'hui recensés : un qui conduit à Elfré, un autre à Golia et le dernier, qui est celui par lequel tu es venue jusqu'ici. Je crains que Wandéline ait raison : le jour est proche où quelqu'un trouvera le moyen de se passer de vos services pour traverser.

Une question me taraudait.

– Pourquoi le passage par lequel je suis arrivée est-il si visible ?

Je pus voir distinctement la tristesse sur son visage, sous les rares rayons de lune, quand il me murmura :

– Parce qu'il est maudit, au même titre que ta lignée...

Les chevaux se mirent soudain à s'agiter, mettant un terme à notre conversation. Nous étions vraisemblablement arrivés à destination.

Devant moi, une lampe brillait, à un peu moins d'un mètre du sol, mais ce qui attira davantage mon attention, c'était le petit être étrange qui la tenait à bout de bras. Même sous la faible lumière, je pouvais jurer que je n'avais jamais rien vu d'aussi laid, pas même au château des Canac ! Sa tête, chauve et difforme, semblait trop grosse pour son corps. Je ne distinguais rien de son visage, mais j'hésitais entre la crasse et la noirceur pour expliquer ce fait. Si c'était ça un gnome, on était à des lieues de *Blanche-Neige et les sept nains* ! L'image que je me faisais de cette petite créature ne s'améliora guère lorsqu'elle ouvrit la bouche. Elle avait une petite voix nasillarde et grinçante qui me donna des frissons. Comme chaque fois en présence d'une langue étrangère, mon cerveau décrypta la conversation sans que j'aie besoin de fournir le moindre effort.

– Ils viennent tout juste d'arriver au pied de la montagne, nous allons devoir nous presser, annonça le gnome en s'adressant à Madox. Il faudra laisser vos montures ici, elles n'accepteront jamais de descendre avec vous. Prenez ce dont vous avez besoin dans vos sacoches avant que je ne soustraie ces bêtes à la vue de vos poursuivants.

Je ne voyais vraiment pas comment il comptait s'y prendre pour cacher deux chevaux, en pleine nuit, dans cet environnement rocailleux, mais je ne répliquai pas et récupérai mes deux sacs. Je me rapprochai ensuite de Madox, qui avait fait de même avec l'unique bagage qu'il possédait. Je préférais me tenir à distance du gnome. Ce dernier me jeta d'ailleurs un regard en coin qui, sous la lumière vacillante de sa lampe, ne me parut pas des plus amicaux. Il s'avança vers moi et me saisit la main droite, palpant la base de mes doigts un à un, comme s'il cherchait quelque chose. Puis il répéta le même manège avec la main gauche.

– Comment se fait-il qu'elle comprenne le langage de la terre sans l'anneau ? demanda-t-il à Madox, avec circonspection. Est-ce que c'est une...

– Oui et non... C'est une Élue...

J'aurais bien voulu savoir pourquoi Madox ne l'avait pas laissé finir sa phrase. Sa réponse sembla modifier l'opinion du gnome sur ma personne puisqu'il me regarda à nouveau, mais cette fois avec un mélange d'animosité et de curiosité. Puis il marmonna : « Comme si on avait besoin de plus d'ennuis ! » avant de reporter son attention sur les chevaux que Madox tenait par la bride. Il se rapprocha d'eux, jusqu'à ce qu'il puisse les toucher, et j'entendis comme un grésillement. Quelques secondes plus tard, à l'endroit même où se tenait ma jument un instant auparavant, je ne distinguais plus qu'un très gros rocher aux formes rappelant vaguement un animal. Je constatai que l'étalon de Madox avait subi le même sort et me dis soudain que les paysans avaient toutes les raisons du monde de fuir l'intérieur des terres, de même que les montagnes.

– Maintenant, suivez-moi ! ordonna notre hôte d'un ton bourru. Et tâchez de regarder où vous mettez les pieds, ajouta-t-il à mon adresse.

Je ravalai une réplique cinglante. J'éprouvais une antipathie grandissante à son égard. J'espérais seulement ne pas avoir à le fréquenter trop longtemps.

Nous montâmes encore pendant une dizaine de minutes avant de nous arrêter dans un cul-de-sac. Je devinais une paroi lisse et abrupte devant nous. Nulle trace d'un passage. J'attendis en silence pendant quelques instants. Madox s'était adossé au roc, sur la gauche, et avait croisé les bras sur sa poitrine tandis que notre guide scrutait le sentier par lequel nous étions arrivés.

– Est-ce que je pourrais savoir...

Aussitôt, Fénon siffla un « Taisez-vous donc ! » entre ses dents serrées. Je me tournai vers Madox, mais ce dernier fouillait lui aussi l'obscurité en contrebas. Nous vîmes bientôt une lueur, puis une deuxième, crever l'obscurité au pied de la montagne. Je sentis la peur me gagner sournoisement. Nos poursuivants ne tarderaient pas à nous rejoindre. Nous n'avions nulle part où aller et nous ne pouvions pas rebrousser chemin. Je ne dis rien, cependant, de crainte de m'attirer les foudres de l'irascible petite créature.

Un bruit mat se fit soudain entendre derrière nous. Je fis volte-face et réprimai un hoquet de surprise. Le mur de roc pivotait sur lui-même, comme s'il avait des charnières, et laissait entrevoir un tunnel étroit dans lequel s'engouffrèrent le nain et notre source lumineuse. Sans un mot, Madox le suivit et je n'eus d'autre choix que de leur emboîter le pas. Je n'avais pas du tout envie de me retrouver seule sur ce promontoire rocheux, à la merci de ceux qui montaient à notre rencontre. À peine avais-je mis le pied à l'intérieur que je perçus le même son caractéristique, accompagné d'un déplacement d'air. Je me retournai juste à temps pour voir la porte se refermer. Impossible de faire demi-tour, maintenant. L'espace d'une fraction de seconde, la frayeur s'empara de moi comme si je venais d'entendre claquer la porte de mon propre tombeau. Je dus faire un immense effort pour me montrer rationnelle dans cette situation qui ne l'était pas du tout. Poussant un soupir résigné, j'empruntai la même direction que Fénon et Madox.

Je regardai autour de moi avec appréhension. Je m'attendais à une absence totale de lumière, mais j'eus l'agréable surprise de constater que le couloir qui s'ouvrait devant moi était faiblement éclairé, sur toute sa longueur. Les parois scintillaient doucement, comme si une partie de la pierre qui les composait était phosphorescente. L'air ambiant était frais et empreint d'humidité. Je rejoignis Fénon et mon compagnon une dizaine de mètres plus loin.

– Je vous conduis directement à Phénor, puisqu'il est le seul autorisé à prendre les décisions vous concernant.

– Il est toujours vivant ? s'étonna Madox.

– Oui, et plus déterminé que jamais à mettre un terme à l'alliance qui l'unit aux humains de ton espèce. Inutile de vous dire que votre présence ne déclenchera pas l'enthousiasme dans la communauté.

– Dans ce cas, pourquoi nous avoir soustraits à nos poursuivants ? demanda mon compagnon avec justesse.

– Parce que la requête venait de Wandéline et que Phénor n'a pas envie de s'en faire une ennemie, malgré leur divergence d'opinion concernant ceux qui devraient gouverner la Terre des Anciens. Mieux vaut parfois se résoudre à certains sacrifices plutôt que de se retrouver en conflit avec des êtres plus puissants que soi. D'un autre côté, il arrive qu'un service en attire un autre...

– À ce que je sache, l'opinion de Wandéline concernant la gouvernance de notre monde a tendance à se modifier au gré du temps et des gens qui la revendiquent, souligna Madox, sarcastique.

Fénon émit un ricanement teinté de mépris. Wandéline était crainte, certes, mais pas aimée.

– Malheureusement, nous ne le savons que trop, crachota le nain d'un ton amer.

Plus personne ne parla pendant le trajet qui nous conduisit dans les entrailles de la montagne. Nous atteignîmes finalement une enfilade de vastes grottes naturelles d'une beauté à couper le souffle. Des stalactites et des stalagmites de taille impressionnante donnaient au décor une allure surréaliste. Une multitude de niches avaient été aménagées à différents niveaux dans les parois. Notre arrivée s'ébruita rapidement et amena toute une série de têtes, aussi laides que celle de Fénon, à apparaître dans les ouvertures. Certaines se montraient curieuses, d'autres incertaines, mais la plupart affichait un air franchement hostile. Fénon avait dit vrai : nous n'étions pas les bienvenus dans leur monde souterrain.

Ce dernier nous guida jusqu'à une pièce située à l'écart. De la taille d'un amphithéâtre, elle était vide à l'exception d'un siège sculpté à même le mur du fond ; une dizaine de marches y menaient. Assis bien droit sur ce trône d'un autre âge, un gnome nous fixait d'un œil mauvais. Il semblait beaucoup plus vieux que tous ceux que nous avions croisés jusqu'ici. Il avait une très longue barbe grise et sale, mais pas un poil sur le crâne, ce qui lui donnait un air plus renfrogné encore – si c'était possible. Fénon nous précéda jusqu'au pied de l'estrade ; sans même faire les présentations, il nous laissa seuls avec l'inquiétant personnage. Madox posa un genou en terre et baissa la tête, attendant probablement que le gnome daigne lui adresser la parole. Indifférent à mon compagnon, l'aîné me fixait intensément, comme s'il voulait se faire une opinion avant même de me connaître. Il m'inspecta des pieds à la tête, sans la moindre gêne. Je calquai mon comportement sur le sien et le détaillai sans vergogne. Exercice aussi vain que désagréable...

– Pourquoi n'avons-nous pas su, avant votre apparition subite, qu'il restait plus d'une héritière toujours vivante en ce monde ? Je croyais pourtant avoir été clair lors de mon dernier entretien avec Uleric. Si...

Sa voix, dure et grave, ne recelait pas la moindre parcelle de sympathie à notre égard ; je sentais la colère vibrer en lui. Avions-nous échappé à une menace pour foncer tête première dans une autre, tout aussi dangereuse pour moi ? Madox intervint avant que le repoussant dirigeant des gnomes ne s'enflamme.

– Naïla n'est revenue que très récemment d'un long voyage dans le monde de Brume. Nous ne pouvions malheureusement pas prévoir ce retour. Je me permets donc de vous transmettre nos plus sincères excuses de la part d'Uleric...

Il n'y avait ni repentir ni sincérité dans la voix de Madox, mais plutôt une pointe de sarcasme qui me fit hausser les sourcils. La créature s'esclaffa lugubrement, avant de répliquer d'un ton méprisant :

– Pas pu prévoir, hein ! Et dire que c'est supposément le plus grand mage qui reste dans ce monde en perdition.

Il cracha par terre, avant d'ajouter :

– Nous sommes tombés bien bas ! Sache, jeune homme, que je respecterai la parole donnée à Wandéline de vous accueillir, mais je ne le ferai que pour une nuit...

– Les hommes du sire de Canac nous attendront...

– Cesse de m'interrompre ou je te jure que tu ne quitteras pas cet endroit vivant, fils de mage ou pas ! Et je n'hésiterai pas à marchander l'Élue pour assurer la survie de mon peuple ou une alliance qui lui permettra de retrouver la place qui lui est due. Il me coûte énormément de ne pas saisir cette chance qui m'est offerte sur un plateau, aussi ne me tente pas outre mesure. J'attends depuis trop longtemps déjà et ma patience a ses limites.

La colère le rendait encore plus laid – ce qui n'était pas peu dire. Je lisais la détermination dans ses gros yeux globuleux et je ne doutai pas un instant qu'il puisse mettre ses menaces à exécution. Madox, toujours agenouillé, le regardait avec dégoût, mais ne semblait pas éprouver la moindre peur devant les mises en garde à peine voilées.

– Le problème, dit-il, dédaignant les avertissements de Phénor, c'est que malgré vos beaux discours, vous êtes pieds et poings liés. Je suis prêt à parier que Wandéline veille sur l'Élue et que vous ne ferez pas long feu si cette dernière venait à tomber entre de mauvaises mains...

Mon compagnon laissa délibérément sa phrase en suspens. Je vis la crainte traverser le regard du gnome, mais ce fut si bref que je me demandai si je n'avais pas tout simplement rêvé. Il reprit la parole, faisant des efforts considérables pour ne pas s'emporter de nouveau.

– Fénon vous conduira vers l'est, à travers la chaîne de montagnes, par les galeries intérieures. Vous ressortirez au grand air suffisamment loin d'ici pour avoir la possibilité de disparaître sans notre aide. C'est tout ce que je ferai pour vous. Vous devrez vous en contenter...

Il était clair qu'il ne le faisait pas de gaieté de cœur ; il en voulait à Madox de si bien connaître les contraintes avec lesquelles il devait composer. Pour sa part, mon ami s'était relevé et se dirigeait vers la sortie quand Phénor l'interpella :

– Contrairement à elle – il me désigna du menton –, tu ne dois la vie qu'à la bonté de Wandéline, qui croit ta présence nécessaire aux côtés de l'Élue. Quant à moi, je serais plutôt enclin à penser que ta disparition serait une excellente chose à bien des égards. Ne te retrouve plus sur mon chemin, car je n'aurai pas la même clémence à ton égard, petit-fils de Mathéo. Je n'ai pas oublié le crime de ton aïeul ni la promesse que je lui ai faite à cette occasion. Déüs ou pas, je finirai bien par te retrouver et, ce jour-là, tu payeras ton dû...

Je jetai un coup d'œil à Madox, mais il ne semblait pas plus ébranlé que tout à l'heure. Qu'avait bien pu faire son ancêtre pour que Phénor lui en veuille autant ? Au moins, je savais maintenant que son père était un mage, même si cette information m'avançait peu. Puis je me souvins que les mages étaient censés avoir tous disparu depuis bien longtemps. Rien n'était donc jamais clair dans ce monde ?

À la fin de l'entretien, deux gnomes femelles nous conduisirent dans une salle reculée pour la nuit. Nous étendîmes nos couvertures et nous nous allongeâmes, épuisés. Toutefois, en dépit de ma grande fatigue, je ne parvenais pas à trouver le sommeil ; les événements de la journée se déroulaient en boucle dans ma tête, des détails ressortant ici et là. Ceux-ci soulignaient à gros traits l'étendue de mon ignorance de ce monde, dans tous les domaines, et faisaient jaillir une multitude de questions sans réponse qui rejoignirent, une à une, la longue liste que je trimballais déjà dans mon cerveau surchargé. Certaines ressortaient davantage, comme le fait que Phénor éprouvait du ressentiment à l'égard de Madox et qu'il l'avait appelé Déüs. Je me souvenais très bien que Wandéline l'avait interpellé ainsi au cours de l'après-midi. J'avais voulu demander à mon compagnon ce que cela signifiait, mais je n'en avais pas eu le temps. Sitôt couché, il m'avait souhaité bonne nuit, tout sourire malgré notre éreintante journée. Je m'endormis beaucoup plus tard que lui. Les cauchemars ne tardèrent pas à venir me hanter, fidèles à leur habitude...

- 15 -

Les Traqueurs

Toujours dans son antre, Mélijna repensait à la colère du sire de Canac face à la disparition de la Fille de Lune des repères magiques. Les lèvres de la vieille femme s'étirèrent sur un sourire mesquin. Alejandre avait osé la menacer, mais il s'était vite ravisé de peur de voir sa puissante sorcière lui fausser compagnie et ainsi révoquer son appui à sa cause. De son côté, Mélijna avait déduit que le seul endroit qui avait pu permettre à la Fille d'Alana de disparaître se trouvait dans les entrailles de la terre, le domaine des gnomes. Le problème n'était plus tant de savoir où la jeune femme s'était volatilisée, mais quand et où elle reparaîtrait.

Connaissant Phénor et Oglore, Mélijna savait que la possibilité que ces deux-là laissent la vie sauve à Naïla dépendait uniquement de l'intervention de Wandéline, et que la patience du dirigeant et de sa sorcière serait sûrement de très courte durée. En attendant, elle ne pouvait rien faire de mieux que de se consacrer à ses nombreuses autres tâches, toutes aussi urgentes.

La sorcière reprit là où elle en était avant que le sire de Canac ne descende lui rendre visite. Elle leva donc les bras vers la voûte de son repaire et prononça plusieurs incantations dans la langue des Filles de Lune. Avec une intense satisfaction, elle vit se dessiner, peu à peu, des images de ce qui se passait aux quatre coins de la Terre des Anciens. Elle avait ainsi la preuve que ses protégés vivaient toujours et poursuivaient leur mission. Les images qu'elle regardait lui parvenaient grâce aux cinq Traqueurs qu'elle avait créés pour détecter la présence de Filles de Lune. Elle n'eut toutefois pas le bonheur de voir une précieuse Élue dans leur parage...

Son corps rechignait de plus en plus à accomplir les simples gestes du quotidien et de longues mèches grises s'étaient à nouveau détachées de son crâne pendant la visite du sire. Mélijna savait que la vie la quittait de plus en plus vite ; elle craignait maintenant que ses pouvoirs ne l'abandonnent bientôt. Avec un rire amer, elle s'imagina la joie que pourrait ressentir un homme comme Alexis à l'annonce de sa mort. D'un geste brusque, elle lança dans l'âtre le flacon qu'elle tenait à la main. Au contact des flammes, le verre explosa dans un fracas assourdissant qui ne fit qu'amplifier le sentiment de rage et d'impuissance qui habitait la sorcière. Elle qui avait découvert plus de grimoires et de formules puissantes que tous les sorciers encore vivants de cette terre, elle était toujours incapable de percer le secret de la vie éternelle. Elle était pourtant convaincue que cette merveille existait quelque part ; il suffisait de trouver où. En plus de quatre siècles, elle avait fouillé tous les coins et recoins de ce vieux monde. Qu'avait-elle donc négligé ? Ce joyau se trouvait-il entre les mains d'un être appartenant à un autre monde ?

Serrant les poings, elle scruta avec attention les images que lui renvoyait chacun de ses Traqueurs. Deux d'entre eux survolaient les Terres Intérieures, mais aucune forme de vie pensante n'était perceptible à des kilomètres à la ronde. Mélijna repéra toutefois le site d'une bataille récente : des charognards se disputaient les restes de plusieurs corps mutilés ; des humains, pour la plupart, mais aussi quelques mancius. Cela lui confirma que certains clans de mutants n'avaient pas accepté le pacte conclu avec elle dans le désert de Jalbert.

Les armoiries brodées sur les vêtements des morts attestaient qu'ils appartenaient au sieur de Gringoix, vivant non loin du château des Canac, de même qu'au sieur de Lavalande, qui habitait pour sa part beaucoup plus au nord, sur une étroite bande de terre. Toujours les mêmes qui bataillaient pour ces maudits trônes introuvables ! Mélijna soupira. En près de huit siècles, personne n'avait encore réussi à retrouver le fameux Sommet des Mondes sur cette terre immense, mais si peu peuplée. Il fallait des semaines, voire des mois aux survivants pour retourner chez eux après une défaite comme celle qu'elle venait de voir et plusieurs autres mois aux seigneurs déchus pour se rebâtir une armée digne de ce nom. Pendant ce temps, le sieur victorieux poursuivait son chemin, à condition, bien sûr, d'avoir réussi à épargner suffisamment d'hommes pour continuer les recherches. Toutefois, les conditions de vie au cours des expéditions étaient toujours pénibles, parfois inhumaines, et les alliés provenant d'autres peuples, dont l'aide et les dons magiques pouvaient s'avérer précieux, étaient devenus extrêmement rares.

Mélijna pensa alors aux troupes du sire de Canac. Aux dernières nouvelles, Alejandre était parvenu à recueillir les promesses d'engagement de quelque cinq cents hommes, ce qui représentait un exploit en soi. Mais ce n'est pas sur ces troupes que la sorcière comptait, pas plus que sur les mancius avec qui elle venait de conclure un accord, mais plutôt sur les hybrides de Dual. Si elle pouvait rapidement retrouver la Fille de Lune maudite, ou une autre, elle comptait bien se rendre dans ce monde pour négocier. Dommage que son statut de Fille de Lune non assermentée l'empêche d'utiliser les passages sans être accompagnée. Elle ne doutait pas un seul instant que ce qu'elle avait à proposer à ces êtres bannis puisse lui assurer leur collaboration.

Tout en réfléchissant, elle continuait de fixer les images qui défilaient sur la voûte. Un troisième Traqueur survolait les îles de Hasik, à l'extrême nord de la péninsule. Il y en avait des milliers, en groupes plus ou moins rapprochés, et chacun de ces bouts de terre coupés du monde pouvait receler un secret. Mélijna avait plus d'une fois fait des découvertes intéressantes sur ces îles qui voisinaient avec le territoire des Insoumises, où personne ne mettait jamais les pieds. Un quatrième Traqueur survolait des sommets enneigés, situés complètement au sud, sur des terres de glace et de neige où vivre relevait du miracle. La sorcière savait néanmoins que les passages des Filles d'Alana pouvaient se situer dans les endroits les plus inhospitaliers, justement pour que le moins de gens possible puissent les découvrir par hasard. Enfin, le dernier Traqueur venait tout juste d'entrer dans une épaisse et dense forêt de conifères, quelque part dans la bande habitée. Ce que vit Mélijna quelques instants plus tard lui fit ouvrir de grands yeux surpris avant de lui faire froncer les sourcils. Pendant de très longues minutes, elle repassa en boucle l'image perçue pour s'assurer qu'elle n'hallucinait pas. Le Traqueur avait croisé ce regard d'un autre temps sans même ciller puisque sa mission se bornait à dénicher des Filles de Lune. Pour Mélijna, ces yeux gris comme un ciel d'orage et ces cheveux flamboyants ne pouvaient appartenir qu'à une seule personne. Cela n'avait aucun sens. Mévérick avait disparu depuis quelque quatre cents ans déjà...

La sorcière se frotta les tempes en maugréant. Pourquoi donc fallait-il qu'il y ait toujours un élément qui vienne tout gâcher ? Qui était donc cet homme s'il n'était pas Mévérick ? Un de ses descendants ? Pourtant, Mélijna croyait bien connaître la lignée de ce tyran ; de fait, ses membres n'hésitaient jamais à se faire reconnaître d'une quelconque façon, tentant ainsi d'exploiter leur ascendance à leur avantage.

La vieille femme prononça une nouvelle série d'incantations, déclenchant une forme de léthargie chez ses Traqueurs pour lui permettre de fouiller leur mémoire. Elle cherchait à savoir si l'un d'eux avait pu apercevoir cet homme au cours de ses nombreuses années de cavales permanentes. Ces petites merveilles étaient parties depuis tellement longtemps ! Il était impossible qu'elles n'aient pas, à un moment ou à un autre, vu quelque chose de pertinent.

Pendant de longues heures, Mélijna attendit de voir si les souvenirs de ses protégés renfermaient d'autres images de cet homme surgi du passé. Elle finit par s'assoupir, son vieux corps ne pouvant plus résister à la fatigue. De toute façon, elle ne parvenait pas à se concentrer sur autre chose que ce qu'elle avait perçu à travers le regard du Traqueur. Elle ne profita pas bien longtemps de ce repos nécessaire, se réveillant en sueur tandis que le plafond de pierre brute devenait soudainement incandescent. Trois paysages différents y flottaient et l'atmosphère devint pesante, presque oppressante, pour la sorcière. Ce qu'elle contemplait avec autant de fascination lui glaça le sang ; à deux reprises, ses Traqueurs avaient croisé le chemin de la réplique de Mévérick – penser que c'était une réplique permettait à Mélijna d'amoindrir la portée du problème, du moins pour le moment. Mais la troisième image la pétrifia. Le jeune homme roux était accompagné d'une Fille de Lune maudite, supposément morte depuis plus de cinquante ans. Comment était-ce possible ?

- 16 -

Oglore

Je me levai aussi épuisée que lorsque je m'étais assoupie, quelques heures plus tôt. J'étais certaine de ne pas avoir dormi plus de deux heures d'affilée sans me réveiller en sursaut, inquiète. Au moins une fois, je me souvenais avoir ouvert les yeux avec l'impression angoissante d'être observée. Je m'étais redressée sur ma couche et j'avais scruté l'obscurité, cherchant à repérer le moindre mouvement suspect, sans succès. Je m'étais recouchée, toujours anxieuse mais résignée, pour replonger dans un sommeil chaotique.

Je constatai l'absence de mon compagnon et présumai que nous devrions bientôt nous remettre en route. L'absence de ciel au-dessus de ma tête ne me permettait pas d'estimer l'heure qu'il était. Je roulai ma couverture en boule, puis renonçai à faire un brin de toilette. Je portais les mêmes vêtements depuis mon départ précipité du château ; mon hygiène personnelle avait été le cadet de mes soucis depuis : j'avais été plus occupée à sauver ma peau qu'à la laver. J'eus un geste las avant de ranger ma couverture dans l'un de mes sacs et de les passer en bandoulière. Je me mis ensuite à la recherche de Madox sans rien manger, les nausées matinales ayant raison de mon faible appétit.

Je n'eus pas à aller bien loin. Il montait la garde à l'entrée de notre chambre improvisée.

– Il nous faut partir le plus tôt possible, question de ne pas donner à Phénor l'occasion de repenser aux menaces qu'il a proférées hier soir. Je ne suis pas convaincu que la cupidité et le désir de vengeance ne l'emporteront pas sur sa peur des représailles. Il n'a pas survécu aussi longtemps, dans ce monde hostile, sans raison.

– Et que comptes-tu faire une fois que nous aurons retrouvé l'air libre ? m'informai-je. Nous ne savons même pas à quel endroit il va nous rendre notre liberté. Tu peux aussi bien n'avoir jamais mis les pieds là-bas et...

– Pour ta gouverne, Naïla, et si ça peut te rassurer, il y a fort peu de lieux sur les terres habitées que je n'ai jamais visités, ne serait-ce qu'une seule fois. Et je ne crois pas que les gnomes aient la moindre intention de nous conduire si loin à travers leur réseau, pour ne pas nous laisser entrevoir son étendue. Il ne faut surtout pas sous-estimer leur intelligence. Ils sont laids, mais pas stupides.

Il avait prononcé la dernière phrase à voix basse, comme s'il craignait qu'un autre que moi ne l'entende. Il se leva ensuite, ramassa son sac et était sur le point de se mettre en marche quand je demandai :

– Madox, qu'est-ce qu'ils sont au juste ?

Il inspira profondément et esquissa un sourire sans joie.

– J'oublie trop facilement que ce monde ne t'est pas familier...

– Je te signale que, d'après ce que j'ai cru comprendre, il ne l'est pas non plus pour quatre-vingt-dix-neuf pour cent de la population à laquelle on cache je ne sais combien d'horreurs de ce genre, le rembarrai-je brusquement.

– Fais-moi plaisir : ne les traite plus d'horreurs à voix haute jusqu'à ce qu'on soit à bonne distance des oreilles indiscrètes. Je n'ose imaginer la fureur de Phénor si pareils propos lui parvenaient. Déjà qu'il a peu de sympathie pour nous...

– D'accord, désolée..., capitulai-je, le ton de ma voix trahissant que je n'en pensais pas moins et que je ne regrettais nullement ce que j'avais dit.

Les mains sur les hanches, je soutins le regard amusé de Madox.

– Ce qui t'échappe, c'est que le reste de la population ne fait pas partie du cercle très restreint des Filles de Lune et de ceux qui gravitent autour. Il est donc normal qu'ils ignorent ce qui, dans ton cas, est essentiel, voire vital, me rappela-t-il avec justesse.

Devant mon regard assassin, il s'empressa d'ajouter :

– Je sais... Je sais... Tu n'y es pour rien.

J'inspirai profondément et tâchai de me ressaisir. La situation ne devait pas être évidente pour lui non plus. Voyant que je semblais prête à l'écouter, il répondit enfin à ma question :

– Les gnomes font partie des élémentaux, c'est-à-dire des créatures qui régissent les quatre éléments essentiels à la stabilité de l'univers. Ils sont en charge de la terre et de tout ce qu'elle renferme : ils sont les gardiens des minéraux et des pierres précieuses, et peuvent influer sur les tremblements de terre ou la lave, par exemple. En général, ils s'entendent assez bien avec les humains, mais pas n'importe lesquels. Ils ont une nette préférence pour les moins recommandables.

– Leur peuple ne pourra donc jamais s'éteindre puisqu'ils sont essentiels à la survie du monde...

– C'est un peu plus complexe. Leur survie à long terme dépend des alliances qu'ils forment avec les autres peuples. S'ils respectent les accords qu'ils concluent dans leur intégralité, les dirigeants de la communauté qui les ont signés se voient accorder une prolongation significative de leur espérance de vie. Certains disent même que les gnomes pourraient ainsi accéder à l'immortalité...

Un silence plana durant quelques secondes avant que Madox n'enchaîne :

– J'avoue que je me suis posé des questions sur le bien-fondé de cette croyance lorsque j'ai appris que Phénor était toujours vivant. Pour ce que j'en sais, il a depuis fort longtemps dépassé les deux cent cinquante ans d'espérance de vie de son espèce. En tenant compte des différentes alliances qu'il a forgées depuis son accession au pouvoir, il serait juste de penser qu'il aurait dû mourir il y a un certain temps déjà. Le fait qu'il soit toujours de ce monde est un record, mais aussi une très mauvaise nouvelle. Cela implique qu'il y a de nombreuses ententes dont nous ne savons rien et qui ont donc nécessairement été conclues avec l'ennemi. La façon dont les gnomes semblent gérer leurs affaires me force à affirmer qu'ils ne sont pas près de s'éteindre..., conclut-il, avant de se diriger vers la salle du trône.

Je lui emboîtai le pas, comme toujours, ayant l'impression d'être un caniche suivant partout son maître. Lorsque nous pénétrâmes dans la pièce, l'important personnage nous attendait. Son humeur ne semblait pas s'être améliorée depuis la veille, et Fénon, debout à ses côtés, ne manifesta guère plus d'enthousiasme à notre arrivée. Celui-ci n'était pas seul ; une demi-douzaine de ses compatriotes, à la mine aussi rébarbative, nous dévisageaient avec hostilité. « Charmant », pensai-je. Nous pourrons nous estimer heureux de quitter cet endroit en un seul morceau. Je n'avais aucun mal à les imaginer promenant nos têtes sur des piques et célébrant bruyamment notre fin atroce, autour d'un gigantesque feu de camp. Cognant sèchement sur le sol le bâton qu'il tenait à la main, Phénor me sortit de ma rêverie.

– Une escorte a été constituée afin d'assurer votre protection jusqu'à la Montagne aux Sacrifices. Wandéline a déjà été prévenue que nous vous laisserions là-bas ; elle a approuvé notre décision.

Son regard se posa sur moi.

– Je répugne à vous laisser partir, compte tenu de votre valeur marchande. Il serait préférable que nos chemins ne se croisent plus, désormais. Wandéline ne sera pas toujours là pour vous sauver la mise. Quant à toi...

Il s'adressait maintenant à Madox, la voix chargée de haine et de ressentiment.

– Je t'ai déjà averti hier, je ne perdrai donc pas mon temps à me répéter. Pour être certain que tu as saisi le sérieux de mon laïus, je te ferai plutôt cadeau de ceci...

À cet instant, deux des hommes de notre escorte présumée s'écartèrent pour laisser passer un membre féminin de leur communauté. Marchant avec une canne, elle était encore plus laide et ridée que Phénor, plus petite aussi. Elle portait une robe grossièrement taillée qui lui donnait l'air d'avoir revêtu un grand sac de toile informe dans laquelle on aurait fait des trous pour les membres. Elle me fit un sourire mauvais qui découvrit des dents noires et pourries – enfin, ce qu'il en restait. Elle dévisagea Madox avec autant de haine que Phénor, sinon davantage.

– Je ne sais si c'est la témérité ou l'inconscience qui t'a conduit jusqu'à nous, petit-fils de Mathéo, mais je suis d'accord avec Phénor : tu ne dois plus jamais venir nous narguer, même sous la protection d'une sorcière. D'ici notre prochaine rencontre, je veillerai à ce que mes pouvoirs aient atteint le même niveau que ceux de Wandéline, que nous pourrons alors cesser de craindre. En attendant, pour que l'erreur commise par ton ancêtre et la conséquence qui en découle continuent de hanter ta mémoire...

Elle tendit la main droite devant elle et vida sur le sol un petit flacon doré. Immédiatement, une légère brume turquoise s'éleva dans la caverne en tourbillonnant gracieusement. Les volutes prirent doucement la forme d'un être humain. Je distinguai bientôt une jeune fille que je ne connaissais pas.

– Vous n'avez pas le droit ! cria Madox.

Je me tournai vers mon compagnon, dont le visage exprimait un mélange d'horreur et de colère. La main sur la garde de son épée, il semblait prêt à fondre sur la sorcière. Cette dernière éclata d'un rire cruel, en même temps que Phénor. Le reste du groupe regardait l'image de la jeune femme, qui semblait terrorisée, avec un amusement non dissimulé. Phénor s'adressa à Madox avec toute la hargne dont il était capable.

– Tu oses dire que je n'ai pas le droit ! Comme tu peux le constater – il montra l'apparition du doigt –, elle, au moins, est toujours en vie. Je te rappelle que Daméril et Dasca n'ont pas eu cette chance, après avoir croisé le chemin d'Hyriel.

– Laédia n'a rien à voir dans cette histoire, grinça Madox, réprimant difficilement son courroux. Elle n'est même pas au courant de cette... erreur de jugement de la part de son aïeul.

Il avait hésité avant de prononcer les derniers mots. Je le soupçonnais de manquer de sincérité. Phénor lui jeta un regard dégoûté. Sa sorcière reprit la parole :

– Tu connais aussi bien que nous les lois régissant les alliances entre les peuples de notre monde. Les descendants d'un être qui a commis une faute impardonnable envers un membre d'une communauté différente de la sienne, et qui n'a pu la réparer avant sa mort, se voient remettre le fardeau de l'expier. Peu importe que cette personne soit sur la Terre des Anciens ou dans l'un des mondes parallèles au moment des faits. Laédia est donc aussi responsable que toi à nos yeux.

– Elle ne peut pas comprendre, tenta d'expliquer Madox. Elle ne sait rien de ce qui lie et oppose, en un même temps, notre famille à la population des gnomes. Elle est trop jeune pour porter un tel poids sur ses épaules. Je...

– En voilà assez ! le coupa la sorcière. Daméril et Dasca n'étaient pas non plus en âge de comprendre quand...

Madox ne la laissa pas finir.

– Oh que si ! Ils savaient très bien ce qu'ils faisaient, siffla-t-il entre ses dents, en rendant à Phénor son regard haineux au centuple. Il s'agissait de gnomes adultes et ils ont agi en toute connaissance de cause.

– Ils ont été dupés par de fausses promesses ! explosa Phénor. C'est un homme de votre race qui les a trompés avec ses mensonges et ses rêves de gloire et de fortune et...

Une détonation se fit soudain entendre, assourdissant la foule s'entassant dans cet espace restreint. Je portai instinctivement mes mains à mes oreilles et fermai les yeux. Lorsque je les rouvris, Wandéline se tenait au centre de la pièce, à l'endroit exact où flottait la dénommée Laédia un instant plus tôt. Un coup d'œil suffit pour constater qu'elle était de fort mauvaise humeur.

– Je croyais avoir été claire en envoyant Naïla et Madox ici, commença-t-elle sur un ton autoritaire. Vous deviez mettre vos rancœurs de côté, pour le peu de temps qu'ils passaient dans vos cavernes, en échange de ma clémence envers votre récente erreur...

– Pensais-tu vraiment que je parviendrais à oublier le passé à la vue de cet homme qui ressemble tant à son aïeul ? vitupéra Phénor. Notre soumission forcée a ses limites, Wandéline. Tu ferais bien de ne pas les négliger. Tu aurais dû me prévenir que le guerrier qui accompagnait cette femme était le petit-fils de Mathéo et le descendant direct d'Hyriel.

– Tu aurais refusé de les protéger et ton peuple était leur seule chance de s'en sortir. J'ai d'excellentes raisons de vouloir qu'ils restent en vie *tous les deux* et ce n'est pas à toi de juger si celles-ci sont justes ou non. Je ne peux t'empêcher de détenir Laédia, même si je considère que tu as choisi la mauvaise cible, mais notre accord t'oblige à laisser partir Madox. Si tu veux assouvir ta soif de vengeance, il te faudra attendre de le revoir.

Elle fit face à Madox.

– Il en va de même pour toi ! Si tu t'en prends à Phénor ou à Oglore maintenant – elle regarda sa consœur avec une répugnance évidente –, je peux te garantir que tu ne parviendras jamais à délivrer ta sœur de sa prison. Eux seuls savent dans quelle partie de leurs innombrables galeries ils la détiennent. Je ne crois pas que tu souhaites être directement responsable de sa mort. Tu ne lui rendrais pas service non plus en mourant aujourd'hui, lui dit-elle en posant sa main sur celle de Madox, qui tenait toujours la garde de son épée.

Je crus déceler une certaine compassion dans le regard de la sorcière. Par contre, elle n'en avait pas la moindre pour les gnomes. Peu semblait lui importer le drame qu'ils avaient supposément vécu. Madox poussa un soupir résigné avant de tourner le dos aux petits êtres ignobles et de quitter la salle d'un pas rageur. Wandéline s'adressa ensuite à notre escorte, qui avait reculé jusqu'à se retrouver appuyée contre le mur. Si Phénor et sa sorcière semblaient vouloir s'opposer à Wandéline, les autres la craignaient ouvertement.

– Vous allez maintenant vous acquitter de la mission qui vous a été confiée ce matin. Que rien ne vienne la mettre en péril, car vous en répondrez de votre vie ! Je veux que ces jeunes gens aient atteint leur destination au plus tard dans cinq jours, au coucher du soleil. Sinon...

Puis elle se tourna vers Phénor et Oglore.

– ... j'ai bien peur que certains membres influents de votre communauté n'aient de sérieux problèmes à très court terme. Suis-je assez claire ?

Je pouvais lire un combat intérieur dans les yeux de Phénor. Wandéline attendait une confirmation de la bonne foi de son interlocuteur. Comme il ne lui répondait pas, elle tendit la main gauche, doigts écartés, et lui fit décrire des cercles. Elle n'eut pas besoin de flacon pour faire apparaître une vision semblable à celle qui flottait dans la pièce à son arrivée. Une nouvelle silhouette se dessina, mais cette fois, dépourvue de visage. Vêtue de haillons et extrêmement maigre, la prisonnière se mouvait avec difficulté. Elle portait des fers aux poignets et l'une de ses jambes traînait une chaîne dont je ne voyais pas la fin. Je portai une main à ma bouche pendant qu'un long frisson me parcourait. La chair de poule courut sur ma peau. Comment pouvait-on être aussi cruel envers quelqu'un ? Je me demandai ce que cette femme avait bien pu faire pour qu'on la traite de cette manière...

Les yeux de Phénor semblaient sur le point de sortir de leur orbite. Quant à Oglore, elle vacillait sur ses courtes jambes. Même en l'absence de visage, ils avaient de toute évidence reconnu la personne que nous observions. J'en déduisis, le cœur serré, que je devais être en train de contempler leur œuvre. Wandéline allongea soudain les deux bras devant elle, ses mains se chevauchant. Puis, d'un coup sec, elle écarta ses bras en croix et la vision s'évanouit. Elle fixa les deux acolytes, sourcils froncés.

– Vous croyiez être les seuls détenteurs de ce terrible secret ? Comme vous le constatez, je suis parfaitement au fait de vos agissements. Je sais même que vous avez procédé de votre propre chef, sans l'aide de vos misérables alliés. Ces derniers n'apprécieraient certainement pas de savoir que vous détenez une Fille de Lune depuis aussi longtemps alors que vous avez juré avoir constaté sa mort, après une tentative d'évasion de sa part. En fait, je serais curieuse de connaître leur réaction... Peut-être devrais-je leur annoncer la bonne nouvelle ? Non ?

La mâchoire de Phénor sembla se décrocher et Oglore dut s'appuyer sur sa canne pour ne pas s'effondrer. Pour ma part, la seule chose que j'avais retenue, c'était qu'une de mes semblables était actuellement détenue par ces laiderons sans pitié. Il fallait absolument que j'en parle à Madox.

Pendant un long moment, un lourd silence flotta dans la pièce. Les membres de notre escorte retenaient leur souffle. Je les soupçonnais de ne pas comprendre la situation beaucoup plus que moi, si ce n'est que Wandéline savait quelque chose que les deux autres auraient préféré ne pas voir révélé. Ce fut Phénor qui rompit le silence en faisant disparaître de sa voix toute trace d'arrogance, la remplaçant par une lassitude et une exaspération à peine contenue.

– Peut-on savoir quel sera le prix de votre silence, cette fois ?

– Je n'exigerai rien de plus que ce que je vous ai déjà demandé. Vous savez maintenant qu'il serait préférable que je n'aie plus à revenir pour vous rappeler à l'ordre...

Sur ce, Wandéline disparut dans une nouvelle pluie d'étincelles orangées. Je l'enviais. Que n'aurais-je pas donné pour disparaître aussi facilement ! Phénor et sa sorcière échangèrent un regard, mais je compris qu'ils attendraient d'être seuls pour discuter des derniers événements. Le vieux nain donna quelques recommandations aux gnomes présents avant de se tourner vers moi. Il patienta jusqu'à ce que le dernier des membres de notre garde personnelle ait quitté la pièce. Un rictus méprisant flottait sur ses lèvres. Il avait repris son air supérieur et arrogant.

– Il vaudrait mieux que notre *ami* Madox ne sache rien de ce qui vient de se passer. Il serait en effet déplorable qu'il apprenne l'existence de notre prisonnière ; il pourrait alors aisément l'identifier et tenter de la retrouver. Cette situation ne serait guère souhaitable compte tenu des projets que nous nourrissons depuis longtemps à son égard. Puis-je compter sur votre discrétion pour ne pas ébruiter la nouvelle ?

Je haussai les sourcils, le regardant comme s'il était fou. Je n'avais nullement l'intention de taire ce que je venais d'apprendre et je ne voyais pas comment il pourrait me contraindre au silence. Son horrible sorcière s'avança vers moi, un sourire torve aux lèvres, aussi arrogante que son complice. Elle voulut poser une main sur mon épaule, mais je reculai précipitamment, lui interdisant de me toucher. Je gardais de très mauvais souvenirs de mes contacts obligés avec des sorcières.

– N'oubliez pas que je suis une Fille de Lune ! Qui sait ce que je pourrais vous faire subir, dis-je sans réfléchir.

Oglore éclata d'un rire mauvais.

– N'essayez pas de me leurrer, pauvre sotte. La nuit dernière, j'ai fait une brève incursion dans votre passé. Je désirais connaître l'étendue de vos pouvoirs et de vos connaissances...

Elle s'arrêta, guettant ma réaction. Une lueur de compréhension traversa mon regard alors que se confirmait la présence que j'avais ressentie au cours de la nuit.

– Dommage que vous ayez perçu mon arrivée en si peu de temps. Vous m'avez privée d'un examen plus approfondi de votre fascinante personne – au mot « fascinante », elle sourit d'un air condescendant. J'ai tout de même eu le temps de constater, avec une certaine surprise je l'avoue, que vous ne représentiez pas, contrairement à ce que nous appréhendions, une bien grande menace pour notre communauté. Vous possédez un nombre impressionnant de dons, il est vrai, mais la plupart n'ont jamais été exploités, même une seule fois. Il est pathétique de découvrir à quel point les derniers spécimens de Filles de Lune n'ont plus rien de la splendeur ni de la puissance de leurs représentantes d'autrefois.

Elle pivota pour s'adresser à son complice.

– Combien en avons-nous croisé depuis trente ans, Phénor ?

Le gnome haussa joyeusement les épaules. Il lui laissait le privilège de s'en vanter. Elle fit mine de réfléchir intensément avant de revenir vers moi, l'air triomphant.

– Quatre, si je ne m'abuse... peut-être même cinq, l'une d'entre elles ayant toujours un statut incertain. Et j'ai le plaisir de vous annoncer que toutes, sauf une, étaient aussi impuissantes et mal renseignées que vous quand nous les avons retrouvées. Peut-être est-ce la fin d'un règne immérité pour ces émissaires métissées de la dangereuse race humaine ? conclut-elle dans un rire de crécelle.

C'était maintenant à mon tour de lui jeter un regard chargé de haine et de mépris. Je ne voyais pas pourquoi je devais rester là, à écouter cette naine m'insulter et s'enorgueillir d'avoir rencontré plusieurs de mes consœurs dans ce monde qui s'inquiétait de leur présence si rare et pourtant essentielle. Je me dirigeais vers la sortie, n'ayant pas envie d'en entendre davantage, lorsqu'Oglore m'interpella durement.

– Je n'en ai pas encore terminé avec vous, Fille d'Alana. Vous ne croyez quand même pas vous en tirer à si bon compte après avoir été témoin de la révélation spectaculaire de notre petit secret.

Je levai les yeux au ciel sans même me retourner, continuant d'avancer. Si elle espérait que j'allais lui répondre... Elle se mit soudain à murmurer une série d'incantations dont je ne saisis que des bribes. Le tout ne dura que quelques secondes. Je fus brusquement prise de vertige et je dus faire des efforts considérables pour ne pas tomber. Je portai les mains à ma tête, appuyant fermement sur mes tempes pour tenter d'enrayer la douleur fulgurante que je ressentais. Lorsque je retrouvai finalement mon équilibre, cette horreur me contemplait d'un air satisfait. Je la fixai, complètement perdue, l'esprit flottant dans un épais brouillard. Je l'entendais à peine, mes oreilles bourdonnant comme si j'étais assaillie par un essaim entier d'abeilles. La douleur et le bruit s'estompèrent progressivement.

– J'ai quelque peu modifié votre mémoire. C'est une façon efficace de nous assurer de votre collaboration. Soyez sans crainte, vos souvenirs sont intacts, si ce n'est que certains ne vous sont dorénavant plus accessibles...

Mais de quoi parlait-elle ? Qu'est-ce qu'elle voulait dire en évoquant des souvenirs inaccessibles et une mémoire modifiée ? Voyant que je ne répliquais pas, elle poursuivit :

– Je vais maintenant vous poser une simple question, histoire de vérifier que je n'ai pas perdu la main... Dites-moi, Naïla, Wandéline a-t-elle fait apparaître une silhouette semblable à celle de Laédia lors de sa visite en ces lieux ?

Comme je levais des yeux hagards vers elle, une sensation de froid intense se répandit en moi durant quelques instants, s'insinuant dans tous mes membres. Je me sentais de plus en plus nauséeuse et confuse. Je ne comprenais pas du tout à quoi elle faisait allusion, puisqu'elle avait été présente dans la pièce tout le temps qu'avait duré la visite de sa consœur. Je lui répondis tout de même « non » pour qu'elle me fiche la paix, avant de quitter la pièce pour rejoindre Madox. J'avais de plus en plus hâte de fuir cet endroit lugubre.

Le sourire d'intense satisfaction qui déforma le visage ingrat d'Oglore m'échappa...

- 17 -

Retrouvailles

Alix avait quitté son refuge à l'aube, quelques minutes à peine après que Madox lui eut fait un compte rendu de l'accueil des gnomes et de la rencontre houleuse qui venait tout juste de se terminer. Il n'était guère surpris que Phénor et Oglore n'aient pas bondi de joie à l'apparition d'une Fille de Lune qu'ils devaient protéger, et non exploiter sans pitié, et, surtout, à la vue de Madox. Celui-ci aurait bien dû se douter que sa présence rappellerait de douloureux souvenirs au dirigeant des gnomes, même si l'histoire de Daméril et de Dasca remontait à plus de cent cinquante ans. Il était utopique de croire que le ressentiment du vieux gnome avait pu s'atténuer avec le passage du temps. Ces élémentaux étaient reconnus pour leur forte tendance à la rancune. Alix devait cependant admettre que la colère de son ami concernant la détention de Laédia était pleinement justifiée. Il n'y avait pas de raison pour que Phénor et sa sorcière s'en prennent à la jeune fille, qui ignorait tout de la vie cachée de son frère et d'une partie de ses ancêtres de même que du passé de la Terre des Anciens. Madox avait respecté le vœu de sa mère en laissant l'adolescente dans l'ignorance. Sa capture ajoutait malheureusement une tâche de plus à la longue liste d'urgences qu'Alix trimballait dans son cerveau surchauffé.

Avec un soupir, le jeune homme passa une main dans ses cheveux noirs en bataille. La barbe qu'il négligeait de couper depuis plusieurs jours le démangeait, au même titre que les nouvelles cicatrices qui sillonnaient son corps déjà passablement marqué pour son jeune âge. Il n'avait pas changé de vêtements depuis son séjour dans la cache à bandits sous le plancher de ses amis, trop préoccupé pour se rendre compte que ses ennemis pourraient bientôt le suivre à l'odeur. Et ce n'était pas aujourd'hui que la situation risquait de s'améliorer... Par ailleurs, penser à se laver lui rappelait cruellement sa première rencontre avec la Fille de Lune et la curieuse réciprocité qui avait finalement découlé du désir de cette dernière de se sentir propre... Repassant une main dans ses cheveux, il soupira à nouveau et scruta l'horizon. Que ne donnerait-il pas pour que ses problèmes diminuent de moitié dans cette seule journée !

Une bourrasque se leva soudain. Invisible, Alix jeta un coup d'œil anxieux autour de lui, dans l'espoir de voir apparaître Foch. Une fois de plus, il fut déçu. Le vieil homme ne se manifestait toujours pas. Le jeune guerrier attendait depuis plusieurs heures déjà, réfléchissant sans arrêt à de possibles solutions pour régler ses multiples problèmes. Il était pourtant certain d'avoir suivi à la lettre les indications du mage pour le faire venir jusqu'à lui. Pourquoi le temps continuait-il de s'écouler sans aucun signe de la part de son vieil ami ? Excédé, il sortit de son sac de cuir le parchemin que lui avait autrefois remis Foch avant de disparaître. Il le relut pour la dixième fois au moins depuis la matinée, sans y déceler la moindre erreur par rapport à ce qu'il avait fait.

Il y était mentionné de se rendre à la limite des Terres Intérieures, dans la plaine où naissait le désert de Jalbert. Au même endroit, en fait, où avait eu lieu la rencontre des mancius avec Mélijna pour la passation du feu de Phédé. Le retour d'Alix sur la petite falaise qui surplombait l'immensité de sable avait été douloureux. Il ne tenait guère à se rappeler l'attaque traîtresse de son frère ni son incapacité à se débrouiller seul.

Sur place, il avait repéré la marque gravée dans la pierre du surplomb rocheux, y avait posé sa main et récité les trois incantations nécessaires : la première dans le langage des Anciens ; la deuxième dans le dialecte des cyclopes – langue du peuple d'origine de la mère de Foch – ; la dernière dans celui des mancius, peuple que le mage avait défendu avec ardeur avant de tirer sa révérence. Alix avait ensuite retiré sa main et attendu... En vain. Il s'apprêtait à faire une ultime tentative quand un nouveau déplacement d'air se fit sentir. Le jeune homme enleva sa main, se retourna, conservant l'autre sur la garde de son épée, et attendit, ne reconnaissant pas la marque distinctive de Foch. Toutefois, il finit par réaliser que l'apparition était loin d'être dangereuse pour lui et ne dégaina pas. Il se matérialisa plutôt, faisant sursauter son vis-à-vis.

– Pourquoi cherches-tu à faire revenir le grand Protecteur de son repos ? demanda Mayence, soucieux.

Alix resta d'abord interloqué, avant de se rappeler que, pour les mancius, le mage était mort depuis plus d'une décennie. Il allait devoir peser ses mots. Avant qu'il ne puisse dire quoi que ce soit, Mayence reprenait :

– Les anciens de notre peuple n'aiment pas beaucoup qu'on touche à la marque laissée dans le roc par ce grand homme.

– Comment as-tu su que j'y avais posé la main ? demanda Alix, intrigué.

– Dans chacun des clans de mancius qui survit encore, un mutant adulte porte la marque de Foch : un œil tatoué sur l'épaule gauche. Quand quelqu'un se risque sur cette falaise et touche la gravure, l'œil change automatiquement de couleur et impose une sensation de brûlure à son porteur. C'est ce qui s'est produit ce matin pour celui du clan dans lequel je me trouvais. Quand le phénomène s'est reproduit, il y a quelques instants, l'Ancien du village m'a demandé de venir voir ce qui se passait, sachant que je pouvais voyager magiquement. Il voulait surtout s'assurer que le caractère sacré de l'endroit était respecté. Je me suis donc éclipsé discrètement pour reparaître ici. J'étais moi-même curieux de découvrir qui pouvait bien essayer de communiquer avec le grand Protecteur. Il est plutôt rare qu'il réponde aux appels à l'aide de notre peuple...

Alix plissa le front.

– Tu veux dire qu'il arrive parfois que certains mancius lui demandent son aide et qu'il intervienne ?

Alix croyait que Foch avait définitivement coupé les ponts avec ses protégés quand il avait choisi de disparaître pour des raisons connues de lui seul. Jamais il n'aurait pensé que le mage avait donné à d'autres la possibilité d'entrer en contact avec lui.

– Les trois ou quatre premières années suivant son départ, il arrivait assez souvent que l'esprit du grand homme nous donne des indices susceptibles de contribuer à résoudre les nombreux problèmes auxquels notre communauté faisait face. Puis, avec le passage du temps, ses réponses se sont faites de plus en plus rares, jusqu'à devenir pratiquement inexistantes. Je ne serais pas surpris que notre propension à nous détruire, sans aide extérieure, ait fini par l'exaspérer.

Mayence grimaça de dégoût à l'évocation du comportement ridicule de ses semblables. Puis, avec un sourire malicieux, il ajouta :

– Et toi, Alix, serais-tu à ce point dépassé par le comportement de ta jolie Fille de Lune que tu ne voies plus que le souvenir d'un vieux sage pour te tirer de ce mauvais pas ?

Malgré le sérieux de leur conversation, le mutant n'avait pu s'empêcher de taquiner son compagnon. Il savait que le jeune guerrier, qui ne craignait pourtant rien ni personne, semblait ébranlé par son rôle de Cyldias désigné. Alix s'énerva. Décidément, sa réputation face à cette embarrassante Fille d'Alana ne s'améliorait pas.

– Sache, pour ta gouverne, que ma présence en ces lieux ne concerne pas mon statut de Cyldias. Wandéline étant dans l'incapacité d'interrompre la grossesse de l'Élue, je dois avouer que je ne sais plus vers qui me tourner pour trouver une solution à cet épineux problème.

Songeur, Mayence s'enquit :

– Selon toi, Foch s'est-il seulement retiré du monde ou bien est-il réellement mort ?

Durant un instant, Alix fut tenté de lui dire qu'il croyait que le vieil hybride était encore en vie, ou du moins qu'il l'avait été longtemps après que tous l'avaient cru mort. Il se retint toutefois à la dernière minute. Il ne pouvait pas trahir la confiance de celui qui l'avait aidé à une époque où tous semblaient se liguer contre lui. Histoire de se donner une contenance, Alix haussa les épaules, retournant la question à Mayence.

– Qu'est-ce qui te fait croire qu'il pourrait avoir survécu ?

Celui-ci regarda au loin, vers la ligne d'horizon en contrebas. Il haussa les épaules à son tour.

– Je ne sais pas. Peut-être simplement parce que ce serait bien qu'il soit toujours là pour nous défendre contre ceux qui aspirent à nous exploiter, ainsi que pour nous enseigner tout ce qui fait que nous nous sentons moins ignorants par rapport au reste du monde...

Il y avait quelque chose de douloureux dans la réponse de Mayence. Alix ne pouvait qu'imaginer à quel point il devait être difficile d'incarner une espèce comme celle des mancius. En plus de supporter le poids des erreurs de leurs ancêtres, les jeunes devaient faire face aux préjugés et aux idées préconçues. Ne sachant que répondre, le jeune homme préféra se taire. Nostalgique, Mayence reprit, se parlant davantage à lui-même :

– Puisque le grand Protecteur n'est pas menacé, il est préférable que je regagne le village. Si tu as besoin de moi, Alix, n'hésite pas...

Sur un dernier regard au symbole de l'hybride qui avait tant fait pour son peuple, Mayence s'évanouit dans la nature. Il venait à peine de disparaître qu'Alix sursauta. Une voix qu'il n'avait pas entendue depuis trop longtemps lui demandait de se rendre à la limite nord de Nelphas, immenses terres marécageuses situées à l'ouest. Sans perdre une seconde, il se transporta là-bas.

* *
*

Le guerrier reparut dans un décor qui n'avait rien de commun avec celui qu'il venait de quitter. Partout, la terre gorgée d'eau offrait un spectacle époustouflant. La végétation luxuriante, les arbres dont les lourds rameaux tombants touchaient le sol, le couvert de mousse épaisse et spongieuse, les filets d'eau claire qui cascadaient parmi les rochers, absolument tout donnait l'impression d'être dans un autre univers.

– *Je t'attends au sanctuaire des Sages, jeune Alix.*

Le Cyldias passa d'une pierre à l'autre, prenant bien garde de ne jamais poser un pied sur le sol meuble qui risquait de l'engloutir, se repérant à l'aide des symboles sculptés sur les troncs des arbres qui jalonnaient son parcours. Quand il ne voyait plus de pierres lui permettant de continuer, il attendait patiemment que l'une d'elles jaillisse de sa gangue boueuse. Les roches se mettaient spontanément à la disposition de ceux qui avaient suffisamment de patience pour les attendre, pourvu qu'on annonce clairement l'emplacement où l'on souhaitait se rendre ; c'était l'un des mystères de cet endroit. Il s'agissait d'une épreuve en soi pour Alix, pour qui la patience n'avait jamais été une force – pas plus qu'elle ne semblait faire partie des qualités de la Fille de Lune qu'il devait protéger. À cette pensée, il s'ébroua. Songer à Naïla risquait de lui faire perdre sa concentration...

Tout en avançant, il fit lentement renaître de vieux souvenirs. Il était déjà venu dans ce coin mal aimé des peuples de la Terre des Anciens, il y avait bien longtemps, après que Madox lui en eut dévoilé le secret. Il avait voulu voir de ses propres yeux ce que renfermait le cœur de cette jungle humide et il n'avait pas été déçu. Il avait cependant choisi de ne jamais revenir, craignant que son retour ne soit perçu comme une profanation de la part des êtres qui habitaient ces immenses marais. Aujourd'hui, il devait toutefois retourner dans l'un des endroits qu'il avait visités autrefois, pour le bien du monde qu'il voulait sauver.

* *
*

Sa marche vers le sanctuaire des Sages durait depuis plus de trois heures. Alix sentait la fatigue le gagner sournoisement, risquant d'affaiblir ses réflexes, ce qui pouvait s'avérer mortel dans ce labyrinthe naturel. Il regretta de ne pas pouvoir se servir de la magie pour se rendre sur les lieux de son rendez-vous. Les Sages d'une autre époque en avaient interdit l'utilisation pour que seuls les plus méritants puissent pénétrer dans le temple du savoir, à l'image de ce qu'Alana exigeait de la part de ses Filles qui se rendaient sur la Montagne aux

Sacrifices. Heureusement, le fait d'avoir déjà réussi l'exploit, par le passé, donna un regain d'énergie au jeune homme. Peu après, il aperçut enfin la construction de pierre, qui se confondait avec son environnement parce qu'envahie par la végétation. Sur les marches menant à l'intérieur, un très vieil homme l'attendait, appuyé sur une canne sculptée. Le sourire qui illumina leur visage de part et d'autre fut éloquent. Ces deux défenseurs de la Terre des Anciens se retrouvaient avec bonheur.

- 18 -

L'heure de la réconciliation ?

Wandéline n'eut pas à attendre longtemps le retour de son ravel. L'oiseau, qu'elle avait envoyé à la recherche de Foch, revint deux jours plus tard, alors que la sorcière examinait attentivement la couverture d'un très vieux grimoire. L'un de ses rares amis le lui avait fait parvenir la veille, accompagné d'une étrange demande. Il voulait qu'elle étudie l'ouvrage, d'une épaisseur non négligeable, mais surtout qu'elle le cache. Le livre aurait appartenu à Ulphydius, le plus grand sorcier que la Terre des Anciens ait connu, celui qui avait osé défier Darius, celui dont plusieurs recherchaient le trône. Wandéline avait affiché une expression d'incrédulité à la lecture de la note épinglée sur le paquet, croyant à une mauvaise blague. Elle s'était rapidement ravisée quand elle avait tenu le manuscrit entre ses mains. Sur la couverture, en peau de dragon, dans une enluminure finement ouvragée, le symbole d'Ulphydius semblait presque jaillir pour imposer sa loi, même des siècles après la disparition de son créateur. Un majestueux édné la fixait du regard, fier et déterminé.

Wandéline avait souri malgré elle, non pas parce qu'elle approuvait le comportement du puissant sorcier, mais parce que la vision de l'être choisi comme symbole lui rappelait certains souvenirs heureux. Même si elle était une Fille de Lune déchue, elle ne s'était pas pour autant privée de voyager par certains passages vers les autres mondes, sans que personne ne le sache jamais. Pour ce faire, elle avait développé ses propres sortilèges. Son secret le mieux gardé, en plus de deux siècles d'existence, consistait en la découverte du passage vers Bronan, faite par hasard dans sa jeunesse. Elle y avait alors rencontré ce peuple fier et farouche que sont les édnés, mais surtout le jeune Garil. Cet édné si différent avait su conquérir la jeune fille qu'elle était alors et ils s'étaient aimés en secret pendant de nombreuses années, ne se voyant malheureusement que très rarement. En temps normal, ces êtres nocturnes ne fréquentaient aucune espèce pensante des autres mondes, sauf en cas d'absolue nécessité. Depuis le tout début des affrontements, à l'époque de Darius, ils vivaient retirés du reste de l'univers.

Au contact du grimoire, Wandéline se remémora avoir longtemps cherché pourquoi il en allait ainsi. Elle était certaine que le fait qu'Ulphydius ait choisi de se représenter par une gravure d'édné avait à la fois un lien avec le refus de ce peuple de prendre parti et sa volonté de s'isoler. La rage au cœur, elle avait finalement abandonné ses recherches. Son désir de percer ce mystère à jour lui avait coûté son amour en même temps que la vie de Garil. Elle n'avait plus jamais retraversé la frontière entre les deux mondes et elle n'avait parlé de cette terre et de ce qui s'y trouvait qu'à une seule personne. Tout cela était trop douloureux... À la réception du précieux ouvrage, elle avait donc préféré attendre au lendemain. Elle n'avait repris le grimoire que ce matin, quelques instants à peine avant l'arrivée de Mévor.

Elle le délaissa à nouveau pour écouter ce que son ravel avait d'intéressant à lui raconter. Elle ne fut pas déçue, mais ne se réjouit pas outre mesure non plus. Les croassements de son protégé lui révélèrent que non seulement il avait retrouvé Foch bien vivant, mais que ce dernier était accompagné de nul autre qu'Alexis. Wandéline se mordit les lèvres. Elle se doutait bien que le jeune homme avait un lien avec le vieux sage. Combien de temps passerait-il aux côtés de Foch ? Elle ne pourrait pas entrer en communication avec le mage tant et aussi longtemps qu'Alexis serait dans les parages. Elle ne se sentait toujours pas prête à renouer avec le guerrier, bien qu'elle fût consciente que le moment où elle serait tenue de le faire approchait inexorablement.

En soupirant, elle se demanda pourquoi elle rechignait autant à pardonner son erreur de jeunesse à l'Être d'Exception. Tout serait tellement plus simple si elle se raisonnait enfin. Malheureusement, elle ne parvenait pas à oublier que cette gaffe lui avait coûté des semaines entières de recherches et avait causé la perte d'un grimoire presque aussi rare que celui qui lui était parvenu la veille. Durant un moment, elle se demanda s'il était possible qu'Alexis ait réussi à sauver le précieux manuscrit, mais elle secoua finalement la tête. Le jeune homme le lui aurait sûrement rendu s'il était parvenu à en sauver ne serait-ce qu'une infime partie. Il savait trop bien à quel point elle tenait à ce qu'il renfermait.

Soudain, sans trop savoir pourquoi, elle eut envie de se rendre directement voir les deux hommes, pour s'expliquer avec eux, tenter de sauver la Fille de Lune qui portait en son sein autant de pouvoir destructeur et faire la paix avec celui qu'elle croyait capable de rétablir l'équilibre de la Terre des Anciens, même si elle ne lui avait jamais dit. De même, elle pourrait apporter le fameux grimoire. Foch était l'érudit par excellence ; il en percerait les secrets et en déchiffrerait le contenu. Elle savait que c'était ce qu'il y avait de mieux à faire.

Elle cheminait seule depuis beaucoup trop longtemps déjà, imposant sa loi, faisant régner la terreur parmi ceux qui osaient lui demander son aide, marchandant ses pouvoirs au plus offrant sans jamais ressentir la moindre étincelle de plaisir ou de satisfaction. Elle était mue par un éternel désir de vengeance depuis qu'elle avait perdu le seul être qu'elle ait jamais aimé. Il était plus que temps qu'elle se réconcilie avec le monde qui l'avait vue naître, mais surtout avec elle-même.

Sans réfléchir plus longuement, elle donna de nouvelles instructions à Mévor, le chargeant de retrouver, dans les immensités montagneuses, l'Insoumise Lunaire. Elle voulait absolument lui faire parvenir un message. Grâce à une puissante potion, elle savait la prisonnière des gnomes en vie, mais elle ignorait le lieu exact de sa détention. Elle ramassa ensuite l'antique manuscrit et s'apprêtait à disparaître quand elle réalisa qu'elle ignorait où se trouvaient les deux hommes. Elle rappela Mévor qui, en quelques croassements, l'en informa. Instantanément, les élans de réconciliation de la sorcière furent freinés ; elle ne pouvait pas se rendre dans les marais de Nelphas. Elle en avait été bannie par le peuple qui veillait sur ce territoire plus d'un siècle auparavant, après qu'elle eut refusé de respecter certaines règles. Elle devrait donc encore attendre. Elle espérait seulement que ce délai supplémentaire ne la ferait pas changer d'avis...

Elle déposa finalement le grimoire sur sa table de travail, s'assit sur un tabouret et l'ouvrit pour la première fois. Le volume émit alors une longue plainte déchirante et ses pages se mirent à tourner toutes seules, de plus en plus vite. Puis elles s'arrêtèrent subitement. Au centre de la page, une gravure du sorcier de jadis glaça le sang de Wandéline. Ses yeux s'agrandirent de surprise et elle crut un instant que son cœur allait flancher. Ce qu'elle voyait pouvait à jamais changer son destin et celui de la Terre des Anciens...

- 19 -

Delphas

Alix et Foch se retrouvaient avec une joie manifeste. Toutefois, le jeune guerrier remarqua avec tristesse que le temps rattrapait inexorablement le vieil homme et que ce dernier ne semblait pas avoir la force de s'y opposer. Alix n'avait aucune idée de l'âge réel de Foch. Jamais il n'avait pensé faire de recherches quant à la longévité des cyclopes puisqu'il n'imaginait même pas revoir son ami un jour. Tout à ses réflexions, il ne remarqua pas tout de suite l'œil unique du sage qui le scrutait avec attention. Quand le jeune homme s'en rendit enfin compte, il éclata de rire.

– Alors, votre inspection vous a plu ?

Le mage sourit franchement devant la perspicacité de son ancien protégé. Mais son sourire s'estompa aussitôt.

– Je ne crois pas avoir déjà rencontré, au cours de ma longue existence, quelqu'un qui présente autant de cicatrices à un aussi jeune âge...

La voix de Foch était teintée d'un soupçon de reproche et de tristesse. Alix n'en fut pas ému. Il entendait cette remarque tellement souvent maintenant ! Inutile d'essayer de se justifier ou de se dérober ; il s'acceptait, point final.

– Je doute m'être beaucoup assagi depuis notre dernière rencontre...

Le silence plana pendant quelques instants avant qu'Alix reprenne.

– Quoi que vous en pensiez, je suis convaincu que certaines causes méritent qu'on souffre pour elles...

Le vieil homme ne réagit pas. Il continuait à fixer Alix avec attention. « Il est en train de me sonder », pensa ce dernier. Il attendit sans broncher, sachant qu'il ne pourrait pas détourner son ami de sa concentration. Tout en patientant, Alix remarqua que le sage cachait maintenant son orbite vide sous un bandeau beaucoup plus large qu'autrefois. Se pouvait-il que la formule qui avait permis à Foch d'avoir une forme humaine ne fasse plus effet ? Allait-il reprendre une apparence de cyclope après toutes ces années ? Une question fusa alors, tirant brusquement le jeune homme de ses pensées.

– Depuis quand es-tu un Cyldias désigné ?

Alix sursauta. Même s'il avait une assez bonne idée de l'étendue des pouvoirs de Foch, il ne s'attendait pas à ce que ce dernier découvre aussi rapidement la source de ses récents ennuis. Après tout, même Mélijna ne s'en était pas rendu compte ; il le savait parce que la sorcière n'aurait pas manqué une aussi belle occasion de se servir de lui.

– Depuis toujours, je suppose, mais je l'ai appris récemment.

– Cette jeune femme que tu dois protéger, est-elle aussi démunie et ignorante que celles qui l'ont précédée ?

Pour toute réponse, Alix soupira bruyamment avant de laisser tomber platement :

– C'est la fille d'Andréa.

Il ne souhaitait pas faire l'étalage de la médiocrité de Naïla. Étrangement, au lieu d'en éprouver de la rage et de la frustration, il en était plutôt gêné. Comme si, par le biais de son rôle de protecteur, il était devenu responsable de ce triste état de choses. Foch soupira à son tour, parce qu'il connaissait trop bien le bouillant caractère d'Alix.

– Ça ne doit pas être facile de devoir assumer un tel fardeau. Toi qui ne rêves que de combats, de puissante magie, mais plus que tout de sauver la Terre des Anciens et les autres mondes... Comment supportes-tu cette nouvelle épreuve, qui entraîne vraisemblablement un retard dans l'accomplissement de ton plus grand rêve ? Même si elle peut devenir ta plus précieuse alliée dans cette quête incroyable, tu dois d'abord trouver le moyen de l'amener au sommet de sa puissance sans qu'elle perde prématurément la vie...

Décidément, ce vieux fou n'avait rien perdu de sa perspicacité habituelle. Alix ne répondit pas tout de suite, cherchant la meilleure façon de lui expliquer ce qu'il en était sans se compromettre. Toutefois, Foch le devança. Un faible sourire dérida les traits du sage tandis qu'il assenait le coup de grâce à Alix.

– Tu as peur de tomber amoureux d'elle, n'est-ce pas ? Amoureux de celle à laquelle tu préférerais rester insensible, parce qu'elle serait ainsi beaucoup plus facile à protéger et à servir. Elle ne représenterait alors qu'une mission comme une autre, une simple étape de plus à franchir vers le but que tu t'es fixé. Tu pourrais aussi l'exploiter sans te sentir coupable et n'éprouver aucun remords si elle mourait... Tandis que si tu l'aimes, sa mort entraînera inévitablement la tienne...

Assis dans l'escalier de pierre qui conduisait à l'entrée du sanctuaire des Sages, Alix se passa une main dans les cheveux et poussa un soupir à fendre l'âme. Il avait l'impression de ne faire que cela depuis un certain temps : soupirer. Regardant au loin, il expliqua :

– Tous ceux qui m'entourent, même Uleric, croient qu'un Cyldias désigné meurt automatiquement si celle qu'il est chargé de protéger perd la vie. Je n'ai jamais cherché à les détromper...

Alix passa une nouvelle fois la main dans ses cheveux en bataille avant de reprendre.

– Mais je sais, moi, parce que vous me l'avez enseigné, qu'un Cyldias désigné ne meurt que s'il aime d'amour celle dont il a la garde...

Il fit une pause, puis poursuivit sur un ton de reproche.

– Vous m'avez aussi dit que ces protecteurs n'existaient plus depuis bien longtemps, ayant disparu avec les dernières Filles de Lune *dignes de ce nom*.

Le vrai problème résidait dans les quatre derniers mots. Il se tourna vers le vieil homme et, contenant difficilement sa colère, avoua :

– Je ne sais même pas d'où je viens ni pourquoi j'ai abouti dans ce monde qui n'est pas le mien. Je ne me connais ni famille ni véritables attaches. Je suis un Être d'Exception aux dons si exceptionnels, justement, qu'il me faut en taire la plupart, pour ma propre sécurité. J'arbore plus de cicatrices résultant de la magie et des combats que tous les habitants de cette terre de misère réunis. Je rêve de retrouver un trône que personne n'a jamais vu, mais j'ignore qui je pourrais bien y asseoir le jour où mes recherches aboutiront enfin. J'ai hérité d'un jumeau qui est, en fait, mon ennemi juré au même titre que sa maudite sorcière et je me suis mis à dos la puissante Wandéline alors que j'étais à peine un homme. Mes songes ne recèlent plus que des images cauchemardesques de la bêtise des hommes et des êtres qu'ils côtoient quand ce ne sont pas les paroles d'une femme qui dit veiller sur moi, mais qui m'est totalement étrangère. Croyez-vous sincèrement que j'avais besoin qu'on m'assigne à la garde d'une Fille de Lune de la lignée maudite aux dons aussi extraordinaires que son ignorance et son inaptitude ?

Le Cyldias se renfrogna, les coudes appuyés sur les genoux.

– Tout de même, aussi démunie soit-elle, il y a au moins un membre de sa famille doté d'une magie suffisamment puissante pour que tu puisses t'éloigner d'elle sans en subir les conséquences. C'est déjà beaucoup mieux que rien, crois-moi.

Admirant la luxuriante végétation des marais entourant le sanctuaire, Alix hocha la tête, las.

– Vous savez aussi bien que moi que ce n'est qu'un répit, rien de plus. Aucun homme ne peut remplacer un Cyldias désigné à long terme, aucun...

Le silence plana à nouveau avant que les deux hommes ne reprennent leur conversation.

– D'aussi loin que je me souvienne, Maxandre a toujours répété qu'elle savait que le salut de notre monde viendrait non pas d'un seul individu qui s'assiérait sur le bon trône, mais plutôt d'une alliance entre les forces du bien et du mal, sans jamais préciser davantage sa pensée. Tous croyaient, au sein de l'élite, qu'elle ne savait pas de quoi elle parlait. Pour ma part, je me rappelle m'être plutôt demandé ce qu'elle avait appris que le commun des mortels ignorait toujours, me questionnant sur l'endroit où elle avait trouvé cette précieuse information. Tu sais aussi bien que moi, pour en avoir amplement entendu parler, que cette Fille de Lune, dernière responsable des Gardiennes des Passages, ne parlait jamais à la légère. Elle appuyait toujours ses affirmations sur des bases extrêmement solides, que personne n'osait remettre en question.

– Mais elle a disparu, emportant son secret avec elle, compléta Alix, amer.

– Oui, elle a disparu. Au même titre que la mère de la jeune femme à ta charge. Mais ça ne veut pas nécessairement dire qu'elles ne sont plus de ce monde ou qu'elles n'ont rien laissé derrière elles qui nous permette de comprendre et de réussir là où elles ont échoué, faute de temps. Elles étaient toutes deux beaucoup plus intelligentes que la moyenne des gens, y compris ceux de notre présumée élite. Je ne doute pas un instant qu'elles aient fait le nécessaire pour que leur savoir ne se perde pas. Rappelle-toi que personne n'a jamais vu la dépouille de l'une ou de l'autre...

Alix regardait maintenant son mentor avec un nouvel intérêt. Il n'avait jamais pensé que Maxandre et Andréa puissent être encore en vie ni qu'elles aient été en mesure de laisser un héritage aussi important derrière elles sans en avertir personne. Il était pourtant vrai que la mentalité première des êtres de leur rang consistait à s'arranger pour que leurs découvertes ne soient transmises qu'à des gens qu'elles jugeaient dignes et fiables.

– Vous croyez réellement qu'elles pourraient être vivantes ?

– Je le suis bien, moi !

La réponse détournée de l'hybride ne pouvait être plus claire. Elle fit se redresser le guerrier.

– De combien de temps disposes-tu avant de devoir retourner auprès de ta protégée ?

Alix ouvrit les mains, signifiant son ignorance, puis il esquissa un sourire indulgent pour son compagnon de combat laissé en compagnie de Naïla.

– Aucune idée. Madox ne m'en a pas parlé. Il était bien trop heureux de retrouver la fameuse sœur dont sa mère lui avait tant parlé dans sa jeunesse pour penser à un détail de ce genre. À votre avis ?

Foch eut lui aussi un sourire au souvenir du gamin qu'il avait autrefois croisé en compagnie de sa fascinante mère. Il se rappelait trop bien l'adoration qu'il avait vue dans les yeux de Madox à ce moment-là et les paroles qu'il avait prononcées : « Vous verrez, monsieur. Moi aussi, je me battrai un jour pour sauver la Terre des Anciens. » Le vieux sage n'en avait pas douté un instant, et le croyait aujourd'hui encore.

– Pour ce que j'en sais, tout dépend de la puissance magique de ton remplaçant. Madox est un Déüs, n'est-ce pas ? Doué ?

Alix hocha la tête en guise d'assentiment.

– Ce qui veut dire que tu possèdes tout le temps nécessaire. La seule restriction à ce genre d'arrangement, c'est que tu ne dois pas en abuser...

Alix l'interrompit.

– Un peu comme pour les cellules temporelles ?

Foch hocha la tête à son tour.

– Exactement. Mais contrairement à ce qui concerne la magie temporelle, je serais bien embêté de te dire en quoi consiste exactement un abus ou quelles en seraient les conséquences pour la Fille de Lune ou pour toi. Je ne vis pas depuis suffisamment longtemps pour avoir pu constater les effets de ce genre de magie sur les individus qui transgressent les règles. Je ne peux que te recommander la prudence même si je sais que tu n'en feras jamais qu'à ta tête.

Après l'avoir considéré pendant un moment, Foch ajouta :

– Étonnamment, tu sembles toujours bien t'en tirer...

Alix eut un sourire en coin. Il se doutait bien que la chance ne serait sûrement pas toujours de son côté, mais il préférait faire comme si c'était le cas. Il verrait en temps et lieu comment agir en cas d'abandon de sa bonne étoile. Foch lui posa alors une question qui le prit au dépourvu.

– Quand tu me disais, tout à l'heure, que tes songes étaient habités par une voix de femme disant veiller sur toi, est-ce que tu reconnais l'endroit où tu te trouves alors ?

– Non, il n'y a qu'un épais brouillard tout autour de moi et cette voix que je ne connais pas.

– Un brouillard chaud ou froid ?

Alix tourna vers le sage des yeux étonnés, croyant que ce dernier se moquait de lui. Il réalisa qu'il n'en était rien. Le vieil homme avait plutôt l'air songeur en attendant sa réponse. Alix dut réfléchir un instant avant de lancer :

– Froid je dirais, très froid même. Mais je ne vois pas le rapport avec...

– C'est tout simplement parce que tu n'es jamais retourné là-bas, le coupa Foch d'une voix douce. Sinon, tu saurais...

Méditatif, le vieil homme entrevoyait pourquoi il avait rêvé des édnés en tentant de retrouver Alix, mais il devait vérifier sa théorie, laquelle lui semblait trop extravagante.

– Est-ce que tu as une tache de naissance ? Une marque quelconque que tu n'as jamais vue sur un autre corps que le tien ?

Habitué aux questions étranges de Foch, Alix répondit simplement :

– Bien sûr que j'en ai une ! Mais elle n'est pas unique ; mon frère a la même...

– Qu'est-ce qu'elle représente ? A-t-elle une forme particulière ?

Cette fois, le Cyldias éclata de rire, en dépit du sérieux de son interlocuteur.

– Il faudra vous fier à la parole de mon frère ou à celle des femmes qui ont traversé ma vie puisque je ne l'ai jamais vue. À moins que vous ne vouliez vous-même la contempler ?

Il avait employé un ton moqueur, avec un brin d'insolence. Ce fut au tour du sage d'avoir l'air réellement surpris.

– Il semble que cette marque ait la forme d'un dragon. Pour ma part, elle se trouve au bas de mon dos... Très bas, en fait. Mais vous auriez sûrement plus de chance avec mon frère. Dans son cas, elle se trouve sur sa hanche gauche.

– Donc dissimulée à la plupart des regards. La légende disait vrai..., marmotta le vieil homme.

– Que voulez-vous dire ?

Alix avait posé la question avec un étonnement teinté de méfiance, oubliant son hilarité de l'instant précédent. Sourcils froncés, il regardait son ancien protecteur dans l'attente d'une explication qui ne venait pas. On aurait dit que ce dernier n'avait soudainement plus conscience de sa présence, qu'il se parlait à lui-même. Il murmurait presque. Alix dut tendre l'oreille pour saisir chacune de ses paroles, qui resteraient à jamais gravées dans sa mémoire.

– Il est très probablement celui que les édnés attendent, celui qui leur a été dérobé à la naissance, celui qui devait réparer la faute commise par l'ancêtre. Mais alors, pourquoi est-il un Cyldias ? Cela n'a pas de sens... C'est contraire à ce que l'avenir lui réservait, surtout que cette jeune femme est une descendante d'Acélia la Maudite... À moins que ce ne soit son frère qui... Dans ce cas...

– Je peux savoir à quoi vous faites allusion ? s'impatienta Alix, mettant fin au monologue de Foch.

Le vieil érudit sursauta. Secouant la tête, il regarda Alix comme s'il le voyait pour la première fois. Puis il annonça d'une voix étrangement sereine :

– Tu es un enfant de Bronan, Alix, mais pas n'importe lequel. Tu es un enfant mystique du peuple des édnés, un enfant de la nuit, un enfant des ténèbres. Il est inutile, je crois, que je t'explique ce que cela signifie...

En dépit de tout ce qu'il souhaitait savoir, il y a quelques minutes à peine, Alix n'eut soudain qu'une envie : disparaître. C'est ce qu'il fit, sans même dire au revoir.

Foch n'en fut pas surpris. Même s'il se doutait de l'endroit où s'était éclipsé l' Être d'Exception, il ne tenta pas de le suivre. Il savait que le jeune homme lui ferait signe quand il aurait digéré la nouvelle, ce qui pouvait prendre plusieurs jours. Il se releva péniblement et se dirigea lentement vers le sanctuaire. Il regrettait déjà la présence du Cyldias ; il avait tant de choses à lui dire. Toutefois, il comprenait très bien, trop bien même, comment ce dernier devait se sentir. D'abord Être d'Exception doué, puis Cyldias désigné et, enfin, fils de Bronan, enfant mystique du peuple des édnés ; c'était beaucoup plus que ne pouvait en porter un seul individu, aussi remarquable soit-il. Voilà pourquoi l'érudit ne l'avait pas empêché de partir, craignant les questions qui fuseraient inévitablement par la suite. Il n'avait pas vraiment envie de compléter les informations qu'Alix possédait déjà sur les édnés et le monde qui les abritait, et encore moins d'expliquer pourquoi il en savait lui-même autant sur cette terre perdue. Avec un soupir, Foch se résigna. Il allait devoir reprendre vie pour Wandéline également ; il fallait absolument qu'il lui parle...

* *
*

Alix reparut juste à l'entrée de son repaire, aux limites des Terres Intérieures. Sans même un regard aux alentours, il passa la porte de la cabane de bois rond, qu'il fit claquer, et se laissa choir sur son lit. La colère et l'amertume qu'il ressentait déjà face à sa mission de Cyldias avaient décuplé à l'annonce de ses origines. Il aurait voulu se convaincre que Foch se trompait, qu'il avait faussement interprété les informations qu'il possédait, que c'était probablement son frère et non lui qui... que... que... Mais Alix savait qu'il perdrait son temps. La façon dont le sage avait annoncé la nouvelle parlait d'elle-même : Foch n'avait pas soulevé une possibilité, mais avait plutôt formulé un simple constat, énoncé une vérité. Crue et sans fioritures. Un fait. Il lui faudrait apprendre à vivre avec cette réalité.

Par ailleurs, tant de dons et de choses, passées et présentes, prenaient maintenant un sens que le Cyldias savait, lui aussi, que ce ne pouvait être que la vérité. Il était un enfant de Bronan *et* un enfant des ténèbres. Pourtant, le fait de l'apprendre, après toutes ces années, n'avait que peu en commun avec l'idée de l'accepter. Pour cela, il avait besoin de temps. Madox lui avait fait savoir que le voyage dans les entrailles de la terre devait durer au moins cinq jours ; il en profiterait donc pour tenter de se ressourcer et, surtout, pour réfléchir à l'avenir, Fille de Lune comprise. Ensuite... Eh bien, on verrait !

- 20 -

Entre mage et sorcière

Foch se matérialisa à l'entrée de la demeure de Wandéline, défiant, sans même s'en rendre compte, toutes les protections magiques que la sorcière avait mises en place avec talent. L'hybride avait tellement développé ses dons et sa magie au cours de ses années d'exil volontaire qu'il n'était pas toujours conscient de s'en servir aussi efficacement. Un peu comme si ses pouvoirs avaient une volonté propre...

– J'aurais dû me douter qu'il n'y avait que toi pour réussir un exploit de ce genre...

Bras tendus, Wandéline accueillit son vieil ami avec autant, sinon davantage, de bonheur qu'Alix. Il lui avait beaucoup manqué pendant les dernières années, surtout pour ses conversations et sa façon de percevoir ce monde étrange et souvent imprévisible. En quelques mots, Wandéline lui expliqua qu'elle s'apprêtait justement à le rejoindre, quelques heures plus tôt, mais que le lieu où il se trouvait ne lui avait pas permis de le faire.

– Tu serais venue malgré la présence du jeune Alix ?

Un instant, elle se rembrunit, se reprenant aussitôt.

– Pour être honnête, oui. Non seulement parce qu'il est temps que cette vieille histoire se termine, mais aussi parce que je crois que ce jeune homme incarne probablement la meilleure chance que nous ayons jamais eue de réussir à mettre un terme à plus de sept siècles de guerres et de luttes de pouvoir. Il se trouve que...

Le vieil homme ne la laissa pas terminer.

– Je suis content de constater que tu suis enfin la voie de la raison et non celle de la vengeance, apprécia Foch avec un sourire indulgent.

– Et toi ? Que me vaut l'honneur de te voir reparaître après tant d'années d'absence au cours desquelles tous ont cru à ta mort ?

Wandéline tenait à changer de sujet, celui de sa vengeance étant trop explosif à son goût.

– Tous sauf toi, à ce que je vois, puisque tu m'as fait rechercher. Ton ravel est toujours aussi efficace...

– Oui, surtout pour les vieux fous dans ton genre. Mais tu ne réponds pas à ma question...

Le sourire du sage s'estompa quelque peu.

– Je suis venu dans l'espoir de ressasser de lointains souvenirs en ta compagnie, même si je doute que tu en aies envie...

Wandéline pencha la tête de côté et observa son vieil ami, les sourcils froncés. Elle soupira.

– Pourquoi ai-je la nette impression que les souvenirs que tu désires faire remonter à la surface de ma mémoire sont justement ceux que je cherche désespérément à oublier parce qu'ils me font inévitablement souffrir ?

Foch eut un geste d'impuissance.

– Probablement parce que c'est effectivement le cas. Je crois que cet exercice est essentiel pour le bien de notre monde...

La sorcière ferma les yeux un instant et prit une grande inspiration, puis elle les rouvrit en expirant.

– Je t'écoute... Mais je ne te promets rien.

L'érudit lui expliqua alors ce qu'il croyait avoir découvert à propos d'Alix et de son passé – à savoir qu'il était un enfant de Bronan, né chez les édnés.

– Tu es la seule que je connaisse qui ait réussi à se rendre sur la terre de Bronan et à y avoir côtoyé les édnés. Personne d'autre, pour ce que j'en sais, n'a réalisé une telle chose depuis quelques centaines d'années.

– Ce qui ne veut pas dire que ce soit toujours possible, j'espère que tu en es conscient.

Le vieil homme eut un sourire amusé.

– Je n'ai jamais dit que je souhaitais me rendre sur place ni y envoyer qui que ce soit.

– Ce qui ne signifie pas que tu n'y aies pas pensé, répondit Wandéline, avec un air entendu. Je t'ai fréquenté suffisamment longtemps pour connaître ta façon de fonctionner. Je sais très bien que tu voudras te rendre là-bas pour vérifier le bien-fondé de ton hypothèse – elle appuya sur le mot

« hypothèse » – de même que pour recueillir de nouvelles informations qui te permettront de comprendre et, surtout, d'influencer la suite des événements.

Foch ne perdit pas son sourire.

– Tu es toujours aussi perspicace. C'est vrai que cette histoire me taraude. Je me demande pourquoi cet enfant et son frère jumeau ont abouti sur la Terre des Anciens alors que leur avenir semblait déjà tout tracé dans leur propre monde. Tu connais la légende des édnés aussi bien que moi. Cela n'a tout simplement pas de sens. Ils ne peuvent pas avoir abandonné les recherches pour retrouver un être de cette valeur alors qu'ils attendent sa venue depuis des siècles. Je ne peux pas croire que...

Wandéline coupa son élan.

– Que veux-tu dire par « Tu connais la légende des édnés » ? Je n'ai jamais entendu parler de la moindre légende.

Foch ouvrit de grands yeux surpris et dévisagea un moment sa vieille amie, bouche bée. Cette dernière, les sourcils froncés et les mains sur les hanches, attendait vraisemblablement qu'il s'explique. Il lui demanda plutôt :

– Es-tu en train de me dire que tu as fréquenté ce peuple pendant près de dix ans et que jamais personne ne t'a parlé de la raison pour laquelle les membres de cette communauté se sont isolés du reste du monde ?

– « Fréquenté » est un bien grand mot dans le cas des édnés. Je t'ai déjà précisé qu'ils ne m'avaient pas réellement acceptée. Ils toléraient ma présence, tout au plus...

Il y eut un moment de silence, que Foch ne troubla pas.

– ... jusqu'au jour où ils se sont rendu compte que je cherchais, depuis un certain temps déjà, la raison pour laquelle ce peuple si fier s'était justement isolé. C'est ma quête qui a coûté la vie à Garil... Mais tu comprendras aisément que je n'ai pas beaucoup envie d'en parler...

Wandéline soupira, avant de reprendre la parole.

– Je croyais que tu m'annonçais seulement qu'Alexis était né chez les édnés, rien de plus. Je ne voyais d'ailleurs pas pourquoi c'était si extraordinaire ni pourquoi tu pourrais avoir envie de te rendre sur place, même si c'était le désir que je percevais chez toi. Il arrive que des femmes des peuplades humaines environnantes s'y réfugient pour donner la vie à des enfants illégitimes ou pour un cas de naissance difficile. Malgré leur terrorisante réputation, les édnés ont de grands pouvoirs de guérison et un don certain pour les naissances problématiques. Souvent, les enfants qui voient le jour sur leur territoire leur sont ensuite confiés pendant quelque temps, avant de retrouver une famille humaine. J'ai plus d'une fois été témoin de situations de ce genre au fil des ans.

Wandéline fixait un point vague au-dessus de l'épaule de Foch, la tête envahie de souvenirs qu'elle n'avait pas envie de partager, pas encore. L'hybride le comprit et revint à la légende.

– Si les édnés acceptent aussi facilement de recueillir les enfants illégitimes et d'aider les naissances difficiles, c'est fort probablement parce que cet état de choses leur permet, en cas de besoin, de camoufler un de leur plus grand secret. Il arrive parfois, bien que ce soit extrêmement rare, qu'un couple d'édnés donne vie à un enfant d'apparence humaine, qu'ils appellent un « enfant mystique ».

Wandéline l'interrompit alors que le ciel obscurci menaçait de laisser s'échapper une importante quantité d'eau.

– Je crois que nous devrions continuer cette conversation à l'intérieur.

* *
*

Devant l'âtre, Wandéline s'étonna de la dernière déclaration de Foch.

– Tu veux dire que deux édnés, ces descendants directs des dragons, peuvent engendrer un humain ?

– Oui, mais personne n'a jamais découvert pourquoi il en était ainsi. Cette situation particulière et inusitée ne dérangeait pas outre mesure les édnés, qui confiaient alors les enfants à des familles humaines pour leur assurer un meilleur avenir. Il en alla ainsi pendant de nombreux siècles, même après la séparation des mondes.

– Quel rapport avec Alexis ? demanda Wandéline, qui s'impatientait de connaître enfin le fond de l'histoire.

– J'y arrive... Il n'y eut aucun problème jusqu'au jour où Ulphydius fit son apparition. Tu sais sans doute que son emblème a toujours été un édné et qu'il parvenait, à la grande surprise de tous, à chevaucher les dragons alors que ce sont des bêtes rares et farouches qui ne se laissent jamais domestiquer.

Wandéline acquiesça en plissant les yeux. Elle commençait à comprendre où Foch voulait en venir.

– Le sorcier, qui a causé tant de torts à la Terre des Anciens par ses pouvoirs et sa soif de domination, était un enfant mystique. Et il le savait. Ce qui le différenciait de tous ceux qui l'avaient précédé, c'est qu'il était né pendant la nuit, alors que...

– ... les édnés, bien qu'ils soient un peuple nocturne, n'enfantent que le jour, compléta Wandéline. Il est écrit que les enfants nés dans la nuit sont des enfants des ténèbres, des êtres maléfiques aux pouvoirs difficiles à juguler et qui ne peuvent que créer des ennuis. Ils sont toujours mis à mort dès le lever du jour. Je le sais pour en avoir été témoin à deux reprises pendant mes courts séjours là-bas. Dans ce cas, comment se fait-il qu'Ulphydius ait survécu ?

Foch haussa les épaules.

– Probablement parce qu'il avait hérité de toutes les caractéristiques humaines et que les édnés ont pensé que les croyances de leur peuple ne s'appliquaient pas à lui. Il fut placé, comme les autres, dans une famille humaine. Ce n'est que bien des années plus tard que les édnés ont appris que le sorcier qui semait la terreur et la désolation sur son passage était un des leurs. Malheureusement, ils ne pouvaient rien faire. Ils n'avaient pas les pouvoirs nécessaires pour mettre un terme au carnage, pas plus que les autres espèces... Ils ont donc choisi de se retirer complètement de la civilisation et de faire en sorte d'être craints pour que personne, jamais, ne découvre leur terrible secret : ils avaient sciemment épargné un enfant des ténèbres qui était devenu une plaie pour l'univers créé par Darius. Tous ont cru que ces descendants des dragons s'étaient avant tout isolés parce qu'Ulphydius avait choisi un édné comme symbole et qu'ils ne voulaient surtout pas être associés à un sorcier aussi maléfique. Mais le grand Sage Darius a fini par apprendre la vérité. Il leur aurait alors dit que la paix reviendrait sur son monde le jour où un autre enfant mystique naîtrait durant la nuit, un enfant marqué de l'emblème de ce peuple fier. Il incomberait alors à cet enfant de réparer les torts d'Ulphydius...

Wandéline émit un ricanement amer.

– Et cet enfant, c'est Alexis je suppose ?

Sans attendre la réponse de l'hybride, elle poursuivit :

– Belle perspective d'avenir ! Et moi qui ai présomptueusement cru que j'étais ce qui pouvait arriver de pire à Alexis...

Un nouveau silence plana pendant quelques instants avant que la sorcière, qui cherchait à se faire l'avocat du diable, ne reprenne.

– Mais pourquoi es-tu convaincu qu'Alexis est cet enfant tant attendu ? Ça pourrait aussi bien être son frère, non ?

– C'est vrai. Mais je suis un homme d'intuition et je sais que j'ai raison. Je trouverai bien le moyen de te convaincre.

– Rassure-toi, c'est pratiquement le cas. Pas pour les mêmes raisons que toi, cependant... Comment as-tu appris l'existence de cette légende ?

Pour la première fois, le vieil homme se rembrunit.

– C'est une information que je ne suis pas autorisé à divulguer, je suis désolé. Mais je peux t'assurer qu'elle est véridique.

– Quand je pense que j'ai passé près de dix ans de ma vie à faire des recherches sans trouver de réponse...

– La vie est parfois bien mal faite, philosopha Foch. Mais cela ne me dit pas pourquoi tu es convaincue pour des raisons différentes des miennes.

Mystérieuse, Wandéline s'éloigna du foyer pour se rendre près de sa table de travail.

– J'ai ici quelque chose qui pourrait t'intéresser...

Elle n'eut pas le temps de montrer le grimoire d'Ulphydius à Foch. Mévor entrait, porteur d'une nouvelle fort étrange, alors que la pluie tombait à verse.

Le dense rideau de pluie semblait s'être écarté pour laisser passer l'animal qui s'ébroua sans gêne, envoyant voltiger des gouttelettes d'eau tout autour de lui. Il se mit ensuite à croasser avec ardeur. Wandéline fronça bientôt les sourcils, avant d'ouvrir de grands yeux étonnés. Devant la réaction de sa vieille amie, Foch n'avait qu'une hâte : que la sorcière lui traduise la teneur de ce petit discours ornithologique. Il dut attendre que Wandéline réponde à son ravel. Elle ne se contenta pas, cependant, d'une simple réplique, puisqu'elle se dirigea vers les larges tablettes qui occupaient tout un mur de son refuge. Elle farfouilla durant quelques minutes, déplaçant des flacons et des contenants, avant de revenir en serrant dans sa main droite une petite fiole au contenu d'un bleu profond. À l'intérieur de celle-ci, de rares courants argentés tournoyaient à la surface, reproduisant des formes animales diverses qui s'évanouissaient presque aussitôt conçues pour en créer de nouvelles.

Foch tiqua. À sa connaissance, une seule concoction pouvait, une fois achevée, comporter de telles caractéristiques et bien peu de gens possédaient les connaissances nécessaires à sa réalisation. Qu'est-ce que Wandéline pouvait bien vouloir fabriquer avec une potion comme celle-là ? La réponse ne tarda pas, tandis qu'elle glissait la fiole dans une pochette de cuir qu'elle attacha à la patte de Mévor. Quelques secondes plus tard, l'oiseau d'un autre temps prenait son envol après un dernier croassement. Wandéline le regarda filer en secouant la tête de droite à gauche, comme si elle ne pouvait toujours pas croire ce qu'elle venait d'entendre.

– Pourvu qu'il réussisse...

Puis, elle se tourna vers l'hybride, qui attendait toujours une explication.

– Mévor a retrouvé l'endroit où Phénor et Oglore gardent l'Insoumise Lunaire prisonnière.

Devant l'air franchement surpris de Foch, Wandéline comprit qu'il n'était pas au courant de la condamnation de cette femme ; il devait probablement présumer, comme tous les autres, qu'elle était morte depuis un certain temps déjà. En quelques mots, elle informa son ami de sa récente découverte, effectuée lors d'une visite sur le territoire des Insoumises, et de ce qu'elle représentait pour la Terre des Anciens. Elle lui expliqua aussi qu'elle avait réussi, grâce à un puissant sortilège, à obtenir une image en temps réel de cette femme si particulière et qu'elle avait ensuite demandé à Mévor de la retrouver. Une fois de plus, l'oiseau s'était acquitté de sa mission avec succès, mais dans un laps de temps extrêmement court, ce qui signifiait que le lieu de détention ne devait pas être sur le continent, mais sur la péninsule.

– Et tu espères que la potion que tu lui envoies lui permettra de s'échapper en suivant la voie empruntée par ton fidèle oiseau, termina Foch à sa place.

– Je n'ai pas d'autre choix. Elle est trop faible pour utiliser sa magie, pourtant extrêmement puissante. De toute façon, tu sais aussi bien que moi qu'elle ne peut se servir de ses pouvoirs tant et aussi longtemps qu'elle se trouve dans les entrailles de la terre. Maudits soient ces gnomes et leur vieille magie...

– Si tu réussis, Phénor et Oglore se douteront que tu es à l'origine de cette impensable évasion. Tu risques de perdre leur confiance à tout jamais, toi qui comptais parmi leurs *amis proches* il n'y a pas si longtemps.

– Ne t'en fais pas pour ça, mon cher Foch. Il y a un certain temps déjà que les gnomes ne me traitent plus en *amie*. Ils n'éprouvent plus que de la crainte à ma vue, et c'est simplement parce que ma magie dépasse encore de beaucoup celle d'Oglore. Heureusement, le jour où ses pouvoirs atteindront les miens est encore bien loin.

Avec un soupir, Wandéline quitta la vision déprimante qu'offrait la pluie qui continuait de tomber dru et revint vers sa table de travail.

– Il est temps de reprendre notre discussion interrompue par Mévor.

Tout en parlant, la sorcière agita les doigts de sa main droite, geste grâce auquel se matérialisa le lourd grimoire qu'elle consultait juste avant l'arrivée de l'érudit. Aussitôt, celui-ci se précipita sur l'ouvrage. Il le tint durant plusieurs minutes entre ses mains, frappé d'étonnement, caressant la couverture d'une main respectueuse.

– Comment as-tu fait pour t'approprier un manuscrit de cette valeur ? Sais-tu que tu détiens l'un des trésors les plus recherchés de cette terre ? Inutile de préciser que j'en connais certains qui seraient prêts à tuer pour lire ce que renferment ces pages jaunies...

– Si tu te taisais un peu, je pourrais peut-être dire quelque chose à mon tour...

Foch fit mine de sceller ses lèvres et s'inclina. Wandéline reprit la parole.

– Je l'ai reçu hier, dans la soirée, mais je ne l'ai ouvert que ce matin. Trop de souvenirs douloureux me sont revenus à la vue de la page couverture pour que j'aie le courage de le consulter immédiatement. Peu de choses peuvent me remuer autant que la vision d'un édné...

Tout dans le visage de la sorcière traduisait son malaise. Néanmoins, elle poursuivit.

– Te rends-tu compte que, bien que je sois la sorcière la plus crainte de cette terre de misère, je suis incapable de refouler mes sentiments quand on parle d'un peuple que personne ne connaît plus que par le biais de gravures et de livres à demi rongés par le temps ?

– Ce qui prouve qu'il reste encore quelque chose des elfes en toi, quoi qu'en disent ceux qui justement te craignent..., répliqua Foch d'une voix douce où perçait la compréhension.

Wandéline préféra ne pas commenter et revint à l'épaisse reliure de cuir.

– Ouvre-le. Tu comprendras pourquoi je soupçonnais déjà l'importance d'Alexis dans l'avenir de la Terre des Anciens.

Le cyclope s'exécuta, mais le livre refusa de s'ouvrir. En dépit de ses efforts, il resta obstinément fermé. Le mage leva des yeux interrogateurs vers Wandéline, mais cette dernière ne le regardait pas. Elle fixait le grimoire, sourcils froncés.

– Je ne comprends pas, murmura-t-elle. Il s'est ouvert de lui-même ce matin, en laissant échapper une longue plainte déchirante. Pourquoi ne recommence-t-il pas ?

Machinalement, elle tendit les mains vers le volume, qui vint aussitôt s'y déposer. À peine avait-elle effleuré la couverture qu'il s'ouvrit en émettant à nouveau un cri lugubre. Cette fois-ci, ses pages restaient immobiles. Seule la couverture s'était rabattue, laissant voir la page de garde, noircie d'une courte inscription dans la langue des édnés. Un doigt sur les lèvres, Wandéline invita Foch à s'approcher, lui faisant comprendre qu'il ne devait surtout pas toucher le volume. Elle croyait savoir pourquoi celui-ci était resté clos au contact du vieil homme, mais elle ne voulait pas lui en faire part tout de suite. Elle désirait d'abord consulter le grimoire.

> *À toi qui as su apprendre à connaître et à maîtriser les forces des ténèbres et de la nuit, puisses-tu trouver dans ce grimoire les enseignements nécessaires pour parfaire tes connaissances et réaliser ce que je n'ai malheureusement pas réussi de mon vivant. Sache que la force qui m'habitait autrefois n'attend que mon successeur pour se déployer à nouveau et atteindre des sommets inégalés. Voyons si tu seras non seulement capable, mais aussi digne, de retrouver la source de ma puissance...*
>
> *Ulphydius*

Sitôt la lecture de ces lignes terminée, les pages tournèrent d'elles-mêmes pour faire place à une longue série d'incantations diverses dans des langues rarement utilisées, des listes interminables d'ingrédients aussi inusités qu'introuvables pour la plupart, ainsi que des formules mystiques aux résultats surprenants, mais aussi terrifiants, même pour une femme de la trempe de Wandéline.

La sorcière laissa la moitié du livre se dévoiler ainsi, lisant en diagonale, simplement pour avoir un aperçu de ce qu'il contenait. Elle savait qu'elle aurait besoin d'énormément de temps pour interpréter et comprendre la mine de renseignements qui se trouvaient entre ses mains. La gravure illustrant le célèbre sorcier apparut bientôt, couvrant la totalité des pages centrales. L'homme, visiblement dans la vingtaine, était représenté chevauchant un dragon et entouré de mancius, qui avaient autrefois été ses plus grands alliés et ses plus fervents admirateurs. Wandéline n'eut pas besoin d'expliquer quoi que ce soit à Foch ; sa réaction fut toute aussi vive que la sienne.

– Douce Alana... Ce n'est pas possible...

– Voilà pourquoi je ne suis pas surprise qu'Alexis soit un enfant des ténèbres. À regarder cette gravure, on n'a guère l'impression de remonter le temps, mais plutôt d'assister à une scène contemporaine...

Fixant toujours l'illustration, qui aurait aussi bien pu représenter le jeune guerrier né sur Bronan que le sorcier présumé mort plus de sept siècles auparavant, l'hybride désigna à sa vieille amie un gribouillis dans le bas de la page de droite. Elle se pencha pour mieux distinguer ce qui était écrit, mais elle eut beau plisser les yeux, elle ne parvenait pas à déchiffrer la langue utilisée.

– Je me demande...

À peine le sage eut-il effleuré la page que le manuscrit se referma dans un bruit mat qui les fit sursauter. La sorcière le déposa sur la table.

– Ce grimoire ne tolère que les mages noirs, pas les blancs... Ce qui donne une idée assez juste du niveau de puissance qu'il renferme.

– Ce ne sera pas facile de lui faire cracher ses secrets. Ce sorcier a dû user de tous ses pouvoirs pour éviter que ses découvertes et sa puissance ne tombent entre les mains de gens trop gentils à son goût.

Wandéline éclata de rire.

– C'est une belle façon de traduire la réalité.

Elle reprit le grimoire, qui s'ouvrit simplement à son contact, à la plus grande fascination de Foch.

– Avant de nous mettre à l'étude de cet ouvrage monstrueux, j'aimerais bien savoir ce qui est écrit dans le bas de la page centrale. Je ne saurais dire pourquoi, mais je pense que cette inscription revêt une importance cruciale dans la compréhension du reste. Nous y trouverons probablement les indices nous permettant de comprendre ce que signifie « retrouver la source de ma puissance ».

– Se pourrait-il qu'il ait laissé un objet quelconque renfermant la totalité de son savoir et de ses pouvoirs et que ce grimoire n'en soit qu'un aperçu ? demanda Foch. Un objet autre que le trône qui attend supposément son successeur, dans les Terres Intérieures...

– Si ce que je tiens entre mes mains n'est qu'un aperçu de sa puissance, je n'ose imaginer ce que recélerait un objet comme celui dont tu soupçonnes l'existence. Ce grimoire semble renfermer des formules et des incantations si puissantes que la maîtrise de la magie nécessaire à leur utilisation demande des dizaines d'années d'études et de pratique. Je ne suis même pas certaine d'être en mesure de me servir du dixième de ce que ce livre renferme. Pourtant, je suis loin d'être une néophyte en matière de magie noire ; tu sais aussi bien que moi que je suis plutôt douée.

– Nous devrions d'abord éplucher ce bouquin avant de chercher plus loin. Selon ce que nous y découvrirons, nous conviendrons de ce qu'il faudra faire par la suite. Peux-tu m'assurer que nul ne sait que tu es en possession de ce manuscrit ?

– Sois sans crainte. La personne qui me l'a envoyé était trop heureuse de s'en débarrasser. Elle n'a pas envie que sa trouvaille s'ébruite. Nous avons suffisamment de temps devant nous. La seule chose qui pourrait nous interrompre, c'est le retour à la surface de la Fille de Lune, mais cela ne devrait pas se produire avant quatre ou cinq jours encore. Tant qu'elle est dans les entrailles de la terre, elle ne risque rien, contrairement à l'Insoumise Lunaire.

- 21 -

Retour à la surface

Madox m'attendait au pied d'un escalier de pierre qui s'enfonçait dans les profondeurs de la terre. Quand il me demanda pourquoi j'avais mis autant de temps à le rejoindre, je ne sus que dire. Pourtant, il venait tout juste de quitter la pièce lorsque j'en étais moi-même sortie.

– Qu'est-ce que tu veux dire ? fis-je d'un ton incertain.

– Comment, qu'est-ce que je veux dire ? Je t'attends depuis une éternité. Quand les gardes sont enfin sortis, je croyais que tu les suivrais. Mais non ! Je serais bien allé te chercher, mais je craignais de ne pouvoir me contrôler en présence de ces deux ignobles individus...

Je ne l'écoutais plus, absorbée dans mes pensées. Je ne me souvenais pas que les gardes m'aient précédée. En y réfléchissant bien, je ne me rappelais pas non plus que Wandéline était partie avant moi. Pourtant, nous n'étions plus que trois au moment où j'étais enfin sortie de la pièce. J'aurais voulu me concentrer davantage sur les récents événements, mais mes nausées augmentaient. Une sensation de vertige s'empara bientôt de moi. J'entendais la voix de Madox en sourdine, comme si elle me parvenait à travers un épais brouillard. Je fermai les yeux et portai les mains à mon visage, respirant profondément plusieurs fois d'affilée. Le malaise persistant, je vacillai soudainement. Une paire de bras me rattrapa à temps. Je murmurai un vague merci. Ce devait être l'air vicié de ces grottes qui ne me convenait pas. Il était plus que temps que je retrouve la fraîcheur extérieure. Nous nous mîmes bientôt en chemin, juste derrière notre escorte de petits êtres répugnants.

En dépit de mon état, je ne pus m'empêcher de songer aux trésors de patience, d'efforts et d'habileté qu'il avait fallu déployer pour parvenir à creuser dans les différentes matières que nous rencontrions le long du parcours. Je n'eus aucune peine à croire que les gnomes avaient des pouvoirs sur les éléments terrestres que personne d'autre ne possédait. Dans un éclair de lucidité, je pensai qu'il devait sûrement y avoir des êtres semblables pour chacun des trois autres éléments de ce monde. J'eus une brève vision de la créature que Vigor avait jetée en pâture à un serpent de mer affamé et me promis d'en discuter avec Madox dès que nous serions seuls.

Après plusieurs heures de marche, on nous offrit un repas que je fus incapable d'avaler. Croyant vraisemblablement aux désagréments causés par ma grossesse, Madox ne posa aucune question. Tout au long de la journée, il se contenta de me soutenir chaque fois que je perdais pied ou menaçais de m'effondrer. Je n'avais même pas l'énergie de lui dire que je soupçonnais Oglore d'être la source de mes malaises. La sensation de froid vertigineuse qui m'avait pénétrée lorsqu'elle m'avait regardée avant que je quitte les souterrains était responsable de mon état, j'en aurais mis ma main à couper. Je pourrais sûrement en glisser un mot à mon compagnon plus tard.

Après quatre jours de randonnée spéléologique imposée, je n'avais qu'une envie : m'échapper de ces tunnels sans fin ! J'étais fatiguée, j'avais faim et mes pieds me faisaient souffrir le martyre à force de marcher sur la pierre brute. Ce soir-là, lorsque vint le temps de dormir, je fus incapable de trouver le sommeil. Je contemplais la voûte de la caverne dans laquelle nous nous étions arrêtés, les parois scintillantes luisant toujours dans l'obscurité permanente. Par désœuvrement, je tentai, tant bien que mal, de faire le compte des jours écoulés depuis mon arrivée sur la Terre des Anciens : deux mois seulement avaient passé alors que cela me paraissait en fait une éternité.

J'étais enceinte d'un tyran. J'avais partagé, avec un homme qui était probablement mon frère, des élans de passion qui n'auraient pas dû être. J'étais sans cesse poursuivie par des gens qui avaient besoin de moi dans un but certainement inavouable et, parfois même, par ceux qui disaient vouloir me venir en aide. J'avais toutes les peines du monde à départager les « bons » des « méchants », mes croyances étant sans cesse remises en question par l'opinion de tout un chacun. Je désespérais de voir clair dans tout cela et rien, jusqu'à maintenant, ne me donnait envie de poursuivre mon séjour sur cette terre inhospitalière. Pour l'heure, je devais m'en tenir à la promesse faite à Meagan... Je ne savais pas si je parviendrais à retrouver l'aïeule de ma demoiselle de compagnie, mais je savais qu'immédiatement après, je rentrerais chez moi !

La carte ! Cette pensée me tira de ma réflexion. Je l'avais complètement oubliée depuis que nous avions quitté précipitamment la maison de Wandéline. Je la cherchai dans mes sacoches, à tâtons, prenant garde de ne réveiller personne. À mon grand soulagement, je la trouvai rapidement, mais ma vision nocturne ne valait pas grand-chose. Je me levai doucement et m'approchai de la paroi pour profiter de sa luminosité. J'essayai d'identifier l'endroit par où nous étions entrés dans ces passages souterrains. Si rien ne nous avait détournés de notre route, nous aurions rejoint normalement Morgana quelques semaines plus tard. Phénor, quant à lui, avait plutôt mentionné la Montagne aux Sacrifices comme étant notre destination finale. Je parcourus la carte des yeux un bon moment, dans la demi-pénombre, me demandant si les dessins de Meagan en faisaient mention. Lorsque je passai pour la quatrième fois au-dessus d'un point minuscule, je le vis. Meagan avait écrit M.A.S., ponctué d'un point d'interrogation, juste au-dessus du tracé d'une chaîne de montagnes, située à peu près au centre d'une douzaine de massifs. La jeune femme avait mentionné ne pas être certaine de la position exacte puisque cet endroit relevait aujourd'hui de la légende.

Je me souvenais que ma mère avait écrit, dans sa lettre, que je devais impérativement m'y rendre si je voulais enfin bénéficier de mes pouvoirs. Mais en ce moment, je ne désirais que rencontrer Morgana pour qu'elle m'explique comment rentrer chez moi, à l'instant même où j'étais partie. Je n'avais que faire de pouvoirs dont je ne saurais probablement pas me servir... Les voyages entre les différents mondes étant réservés aux Filles de Lune, ce n'était certainement pas Madox ni Alexis qui pourraient me renseigner.

Constatant toutefois la distance entre la demeure de Morgana et la Montagne aux Sacrifices, je n'avais d'autre choix que de m'avouer que Madox n'accepterait jamais de revenir aussi loin en arrière pour satisfaire ce qu'il ne manquerait pas de qualifier de « caprice ». Je ne pouvais quand même pas lui dire que je voulais quitter la Terre des Anciens au plus vite... Je doutais qu'il puisse comprendre et savait qu'il s'opposerait certainement à cette solution radicale. Il me faudrait donc user de persuasion ou lui fausser compagnie, tout simplement. Dans un cas comme dans l'autre, c'était l'impasse. Si la première option demandait de l'imagination et une détermination à toute épreuve – qualités qui commençaient à me faire cruellement défaut –, la seconde relevait de la folie pure et simple. Dans le cas où je réussirais – ce dont je doutais fortement –, il me faudrait ensuite survivre seule et éviter d'être retrouvée, peu importe par qui. Forte de mon expérience passée, je cessai sur-le-champ d'y rêver.

Je poussai un soupir et repliai la carte, que je replaçai dans mes bagages, puis je regagnai ma couche. Je m'endormis finalement, en espérant que la Montagne aux Sacrifices portait un nom sans aucun rapport avec ce qu'il sous-entendait. Ma dernière pensée consciente fut que, dans ce monde perdu, il y avait neuf chances sur dix que mes espoirs soient vains...

* *
*

Nous marchions depuis longtemps déjà, dans un couloir excessivement étroit, lorsque notre escorte s'arrêta brusquement. Une grande agitation régna pendant un moment, les gnomes discutant vivement à voix basse. Je n'en étais pas certaine, mais je devinais que nous étions arrivés à destination. Je regardai Madox, juste derrière moi, mais il haussa les épaules avant de poser un doigt sur ses lèvres. Silencieuse, j'attendis. Un des gnomes disparut soudainement dans une anfractuosité, puis nous entendîmes distinctement un cri. La petite créature revint en bousculant ses compatriotes, les mains sur le visage. Fénon, que je croyais être le chef de cette étrange délégation, se mit alors à marmonner plus fort que tout à l'heure, vraisemblablement en colère. Il se contrôlait difficilement, et je saisis les mots « folie », « lumière » et « mourir » au passage. Quand je demandai à Madox ce qui se passait, il leva les yeux au ciel et me fit signe de patienter, désignant du menton quelque chose derrière mon épaule. J'eus à peine le temps de me retourner que le gnome le plus gras du groupe parvenait à notre hauteur.

– Vous êtes arrivés, nous dit-il d'une voix éraillée. Suivez-moi.

Nous lui emboîtâmes le pas, passant devant les autres, et nous le suivîmes dans une mince fente, entre deux murs rocheux. Nous distinguions aisément la lumière du jour à l'autre bout et je hâtai le pas, pressée de sortir enfin. À quelques mètres de la sortie, notre guide s'arrêta net.

– Vous allez devoir continuer seuls. Je ne peux m'aventurer au-delà de cette limite sans risque.

Tout en parlant, il jetait de fréquents coups d'œil aux rayons de lumière qui filtraient. Curieusement, il semblait hésiter entre nous laisser aller et nous précéder. Je me demandais ce qui motivait un tel dilemme, mais je restai muette, encore une fois. L'idée me vint que si je continuais ainsi à ne pas utiliser ma voix, il y avait de fortes chances que je croasse lorsque j'en aurais finalement besoin.

Notre ami sembla enfin prendre une décision et s'écarta du chemin, se collant à la paroi pour nous permettre de passer. Madox m'agrippa par un bras et me tira vers la sortie. Habituée depuis plusieurs jours à la pénombre permanente, je clignai frénétiquement des paupières, tâchant de rendre à mes yeux leur acuité le plus rapidement possible. Souriant, Madox attendait patiemment que je sois en mesure de me remettre en route ; du moins, c'est ce que je croyais. Au lieu de cela, il me guida vers une nouvelle cavité rocheuse. Je venais à peine de retrouver le grand air et la lumière ! Pas question que j'y retourne... Je m'apprêtais à manifester mon mécontentement lorsque mon compagnon éclata de rire.

– Pas d'affolement ! Je n'ai pas l'intention d'y entrer tout de suite. Tu auras tout le temps voulu pour profiter de l'air pur et de la clarté. Maintenant que nous sommes seuls, il nous sera plus facile de faire le point. Nous n'avons pas eu la possibilité d'échanger depuis quelques jours. Tu dois encore te poser quelques questions, non ?

« Quelques questions » était un euphémisme ! Il eut un sourire indulgent pour mon perpétuel manque de connaissances et m'expliqua, avant que j'aie besoin de le lui demander, l'étrange comportement du gnome à la sortie des tunnels.

– Ce sont des êtres très différents de nous..., commença-t-il.

– Merci, je m'en étais rendu compte ! le rabrouai-je.

– Ce que je veux dire, reprit Madox sans perdre son calme, c'est que s'ils ont des corps totalement différents vus de l'extérieur, il en est de même à l'intérieur. Ils passent leur vie sous la terre, à la protéger et à l'explorer toujours davantage. Ils ne sortent pratiquement plus jamais maintenant, étant beaucoup plus à l'abri des guerres et des autres peuples dans leurs sous-sols. À l'air libre, ils deviennent vulnérables...

– Combien d'autres élémentaux y a-t-il ? le coupai-je.

Il soupira, l'air de dire « je n'avais pas terminé mon explication », mais il répondit tout de même.

– Quatre. Les gnomes et les glyphes veillent sur ce qui est tangible comme la terre et l'eau. Ils contrôlent donc les tremblements de terre et les raz-de-marée, entre autres. À l'opposé, les sylphes et les salamandres contrôlent l'immatériel, c'est-à-dire l'air et le feu, donc les tempêtes et la foudre, par exemple.

– Et pourquoi les élémentaux ne règnent-ils pas sur cette terre, compte tenu de leur nature ? Mis en commun, leurs richesses et leurs pouvoirs constitueraient une puissance impossible à égaler, même pour le plus grand sorcier.

– En effet. Mais vois-tu, les élémentaux ne se fréquentent pas entre eux ; ils nourrissent plutôt une haine implacable pour ceux qui leur ressemblent de par leur mission. Ils s'opposent depuis le début des grands conflits, soit depuis plus de mille ans à ce jour, n'ayant pas tous choisi de servir les mêmes intérêts. De plus, chacun est bêtement convaincu que l'élément qu'il protège est le plus essentiel à la survie de notre monde...

Je l'interrompis encore une fois, sans même m'en rendre compte.

– C'est ridicule ! Aucun d'eux n'est viable à long terme sans la présence des autres. Nous non plus d'ailleurs...

Madox soupira en haussant les épaules.

– Tu viens de résumer, en une seule phrase, ce que les élémentaux n'ont toujours pas compris... ou ne veulent pas comprendre, après tout ce temps... Mais je m'éloigne du sujet initial de cette conversation. À force de vivre loin de la lumière du jour, les gnomes s'en sont fait une ennemie mortelle. Ils se sont graduellement acclimatés à la vie souterraine ; leur corps difforme ne supporte plus le contact des rayons du soleil, qui provoquent de graves blessures, entraînant bien souvent leur mort. Toutefois, comme tout être, quel qu'il soit, ils sont irrésistiblement attirés par ce qui leur est interdit. De nos jours, ils ne peuvent donc plus sortir que la nuit, ce qui complique singulièrement leurs relations avec les peuples d'ici et d'ailleurs.

– Je vois.

Un long moment passa. J'attendais qu'il poursuive, sur ce sujet ou sur un autre, mais le silence s'éternisait. Il fixait un point, le regard perdu dans un univers dont je ne faisais vraisemblablement pas partie. Toujours sans un mot, il s'assit sur une énorme pierre et ferma les yeux. Les coudes appuyés sur les genoux, il se massait les tempes en marmonnant. Lorsque j'entendis « Laédia », je compris.

Accablée par la fatigue de notre périple, j'avais complètement oublié la situation précaire de sa sœur. Je m'en voulus pour mon manque de compassion des derniers jours. Obnubilée par ma grossesse et mes problèmes dans ce monde étrange, j'oubliais trop facilement que je n'étais pas la seule à avoir des ennuis. M'installant à ses côtés, je glissai un bras autour de ses épaules et l'attirai doucement vers moi, pour qu'il s'appuie contre mon corps. Un très long moment plus tard, il se détacha et reprit la parole, le regard toujours aussi vague, comme s'il se parlait à lui-même.

– Laédia n'a que treize ans. Je n'aurais jamais dû la laisser seule au village, sans personne pour veiller sur elle. Même si je sais qu'au quotidien, elle peut très bien se débrouiller seule, j'aurais dû prévoir qu'elle ne pouvait pas se défendre contre des forces qui dépassent sa compréhension. Elle ne sait rien des guerres anciennes et des enjeux de notre monde. Elle ignore tout de sa propre histoire. C'était là le souhait de ma mère, car ma sœur est née sans pouvoirs. Elle n'est pas et ne sera jamais une Fille de Lune.

Je poussai une exclamation de surprise.

– Ta mère est une Fille de Lune !

Ce fut à son tour de me jeter un regard étonné.

– Je croyais que tu l'avais compris quand Wandéline, puis Phénor m'ont appelé « Déüs ».

Je lançai alors avec exaspération :

– Soit tu as la mémoire courte, soit tu te fiches de moi. Combien de fois devrai-je encore le répéter ? JE NE SAIS PRATIQUEMENT RIEN DE CE MONDE DE FOUS. RIEN, TU M'ENTENDS ?

Je criais presque à présent, les larmes aux yeux. Je me sentais déjà suffisamment ignorante sans qu'on me le rappelle sans cesse.

– Je suis sincèrement désolé. La captivité de Laédia est une très mauvaise nouvelle et je me retrouve devant un dilemme. D'une part, je dois veiller sur toi et m'assurer que tu atteignes le sanctuaire des Filles de Lune, et, de l'autre, il y a ma sœur qui est prisonnière de ces ignobles petites créatures... Même si je ne cesse de me répéter qu'ils ne lui feront pas de mal, l'ultime but étant de m'attirer dans leurs filets, il subsiste tout de même un doute...

J'aurais voulu lui demander pourquoi les gnomes en voulaient autant à sa famille, mais je devais admettre qu'il y avait plus prioritaire pour moi. Il continua :

– Et le fait que je ne puisse pas discuter avec toi, comme je le ferais normalement avec quelqu'un de ton rang, me complique singulièrement la vie. Ce n'est sûrement pas toi qui m'aidera à trouver une solution...

– Ça, tu me l'as déjà dit..., fis-je, tiraillée entre la compréhension et l'irritation.

– Je sais...

– Qu'est-ce qu'un Déüs ? questionnai-je, histoire de remédier à une de mes nombreuses lacunes.

– C'est un Être d'Exception qui naît de l'union d'une Fille de Lune et d'un mage.

– Donc, tu es un Être d'Exception. Je croyais qu'il n'y en avait plus depuis longtemps...

J'étais lasse des choses et des faits qui étaient ou n'étaient plus, selon le contexte ou l'époque.

– Il y a deux catégories d'Êtres d'Exception. Les critères de base, si l'on peut s'exprimer ainsi, concernent les parents. Ils doivent être d'origine différente et présenter des dons particuliers en grandissant. Comme tu le sais déjà, les Êtres d'Exception sont des métis, des sang-mêlé. Quant aux Déüs, ils appartiennent à la deuxième catégorie parce qu'ils descendent toujours des classes de sang royal : les dirigeants des peuples, les grands mages et les Sages, en l'occurrence, et d'une Fille de Lune. La séparation des peuples a engendré presque automatiquement la fin du métissage, faute de pouvoir voyager entre les mondes. Il est resté quelques Êtres d'Exception et Déüs ici et là, mais vraiment très peu comparativement à une précédente époque. Le fait que l'union de gens devenus quasiment inexistants ne donne pas toujours des êtres comme moi ajoute à la rareté.

À ces mots, je me souvins du désarroi exprimé par mon aïeule, Miranda, quand elle avait engendré une petite fille sans pouvoir. Pour elle, cela avait été un drame épouvantable dont elle ne semblait jamais s'être remise. Madox disait que Laédia non plus n'avait pas hérité des pouvoirs particuliers de ses parents. Pour ma part, je n'étais pas certaine que recevoir ces dons hors du commun soit une bénédiction ; j'en doutais même fortement. Je me gardai bien de partager mes pensées avec Madox ; sa fierté de faire partie d'une élite aussi rare se lisait sur son visage en ce moment même. Il soupira pourtant.

– Nous pourrions discuter encore longtemps de ce que tu sais ou ne sais pas, mais nous devrions plutôt nous préparer pour la nuit. Le soleil va bientôt se coucher et tu as grand besoin de repos. Nous poursuivrons cette discussion autour d'un bon feu. Qu'est-ce que tu en dis ?

J'approuvai, reconnaissante.

Nous dûmes descendre quelques dizaines de mètres afin de trouver de quoi faire du feu. La grotte se trouvait pratiquement au pied d'une très haute montagne, dont le sommet était encore enneigé bien que nous soyions à la fin de l'été.

Dans le boisé, en contrebas, nous amassâmes le nécessaire ; du bois et des petits fruits sauvages, avant de regagner notre perchoir. Nous n'entrâmes pas profondément dans la cavité, dont je ne voyais pas le fond. Nous nous installâmes plutôt à l'entrée. Madox disposa le bois pendant que je regardais ce que je pourrais dénicher à manger dans mes sacoches.

Dans la première, je trouvai du pain plus très frais, de la viande et des fruits séchés, des galettes à l'aspect étrange et des espèces de gâteaux durs, qui devaient provenir des cuisines du château. Je mis aussi la main sur une gourde pleine. Je me retournai pour demander à Madox, si nous pouvions boire son contenue sans crainte, mais je ravalai ma question devant son attitude étrange. Il fixait intensément le monticule de bois tout en marmonnant. Je ne pus m'empêcher de lui demander, en souriant, s'il attendait que celui-ci lui fasse l'honneur de s'allumer tout seul.

– Exactement ! répondit-il en plissant malicieusement les yeux.

À peine finissait-il sa phrase que le crépitement du bois se fit entendre ; simultanément, une légère fumée s'éleva du petit tas de branches. Je devais vraiment avoir l'air d'une dinde, les yeux ronds et la bouche ouverte, parce que Madox éclata d'un rire sonore.

– Il est plus que temps que tu apprennes à faire usage des pouvoirs qui dorment en toi et que tu devrais déjà connaître et maîtriser, décréta-t-il, une fois son hilarité calmée. Quel âge as-tu ? Vingt-quatre, vingt-cinq ans ?

– Euh... Vingt-six ! fis-je, soudainement gênée.

Mais je n'en dis pas plus. Je préférais oublier que j'avais tristement « célébré » mon anniversaire dans les cachots du château des Canac.

– Dans ce cas, c'est plus qu'urgent ! Nous commencerons dès demain, quand nous reprendrons la route vers le sanctuaire...

Soupçonneuse, je demandai :

– Quel sanctuaire ?

– Celui des Filles de Lune. Je te rappelle que nous sommes sur la Montagne aux Sacrifices...

Je le regardai un moment, la tête penchée sur le côté, mon cerveau travaillant à toute vitesse. Ma mère n'avait mentionné que la montagne, il n'avait jamais été question d'un sanctuaire. Elle avait dû juger que c'était du pareil au même puisque l'un se situait vraisemblablement sur le territoire de l'autre. De toute façon, ça ne changeait rien dans ma vie puisque je n'avais pas l'intention de m'y rendre, ce que je m'empressai de faire savoir à Madox.

– Mais tu n'as pas d'autre choix, Naïla. S'il m'est possible de te montrer les rudiments de la magie, ce n'est toutefois pas moi qui pourrai te donner le plein usage de tes pouvoirs. Pour ce faire, tu dois te rendre là-haut... D'ailleurs, tu as bien plus besoin de cette visite que de quoi que ce soit d'autre..., conclut-il, comme si cette phrase pouvait mettre un terme à la discussion.

Encore quelqu'un qui voulait me dicter ma conduite ! Je devais rêver... Je dévisageai Madox, espérant qu'il se reprendrait et modifierait son discours, mais il n'en fit rien. C'était le signal que j'attendais !

– Je ne me présenterai pas plus à ce sanctuaire que je ne suis allée chez Uleric, quand on me l'a demandé. Je te signale que je fuyais Alexis précisément parce qu'il voulait me conduire là où je n'avais nulle envie de me rendre quand je t'ai rencontré. Ne va pas t'imaginer que je me soumettrai davantage à ta volonté. Il y a des limites à tout, terminai-je avec une agressivité mal contenue.

Mon ressentiment des derniers mois explosait. Madox ne réagit pas, se contentant de me fixer comme un père qui regarde sa gamine de cinq ans piquer une colère pour avoir une nouvelle poupée dans un magasin bondé et qui sait pertinemment qu'il ne la lui achètera pas, attendant tout simplement qu'elle se calme. Cette attitude condescendante me mit davantage hors de moi.

– Je veux seulement retrouver Morgana, l'aïeule de Meagan, pour qu'elle m'explique comment faire pour rentrer chez moi, au moment où je suis partie. Si, par la même occasion, elle peut faire la lumière sur mon passé et, surtout, me dire ce qu'est devenue ma mère, j'aurai fait d'une pierre deux coups. Ça m'évitera d'avoir à chercher quelqu'un d'autre pour obtenir ces renseignements. S'il y a une chose dont je me suis rendu compte depuis mon arrivée, c'est que mon monde ne se porte pas plus mal d'avoir été séparé du vôtre depuis des siècles. Les autres peuples ne doivent pas être davantage dans la misère, puisque vous ne semblez jamais en entendre parler. Cette terre est à peine peuplée, et une très forte majorité de gens se fichent éperdument de ma précieuse présence. Et le principal, c'est que la médecine moderne que j'ai laissée derrière moi réglera en quelques minutes cet épineux problème de grossesse que tout le monde ici semble trouver effarant. Inutile donc de m'enseigner des tours de magie dont je ne saurai que faire dans un monde civilisé. Si tu voulais bien me conduire chez Morgana, ce serait déjà magnifique. S'il y a la moindre possibilité qu'on se déplace par une quelconque sorcellerie, ce serait encore mieux ; ça nous éviterait de devoir toujours nous cacher. Il ne doit quand même pas y avoir que Wandéline qui soit capable de cette prouesse !

Je croisai les bras sur ma poitrine, le dévisageant avec fermeté. J'espérais qu'il me fasse au moins la grâce de s'échauffer un peu ou d'avoir l'air exaspéré. J'avais été habituée à Alexis, et voilà que je tombais sur l'extrême opposé...

Bref, j'aurais souhaité autre chose que son éternel sourire... Il semblait bien que je sois la seule personne qui fut exaspérée, sur ce bout de roc dégarni. J'attendis, me retenant à grand-peine de taper du pied. Comme il ne disait toujours rien, je m'assis près du feu et sortis la carte de Meagan de mon sac d'un geste rageur. Je me rendis bientôt à l'évidence qu'il me serait impossible de rejoindre la demeure de Morgana au grand jour, au vu et au su de tous ; nous nous en étions beaucoup trop éloignés. Wandéline et les gnomes m'avaient momentanément sauvé la vie, mais ils me l'avaient aussi grandement compliquée à court terme. Phénor serait sûrement heureux de l'apprendre...

– Même si tu épluchais ce bout de parchemin pendant les quinze prochaines heures, tu n'y découvrirais rien qui puisse te rendre d'aussi grands services que ceux que tu attends. Tu devrais plutôt écouter ce que j'ai à te dire. Si tu n'as toujours pas envie de m'accompagner ensuite, libre à toi de poursuivre sur la voie que tu t'es déjà tracée. Mais permets-moi de te faire remarquer que tu n'as aucune chance de réussir dans l'entreprise que tu as conçue. Tu ne survivras pas plus de deux jours dans ces contrées sauvages où l'on veut ta peau à tout prix.

Je lui opposai une moue boudeuse, même si je devais admettre qu'il y avait une très grande part de vérité dans ses propos. Je savais bien que je n'avais pas la moindre possibilité de me débrouiller seule, mais mon orgueil, si mal placé fut-il, était tout ce qui me restait pour m'empêcher de craquer. J'acceptai finalement de lui adresser la parole, ne serait-ce que pour essayer de le convaincre une fois de plus de m'aider.

– J'essaie tant bien que mal de saisir l'importance de ton point de vue, mais je demeure convaincue que je dois au moins me débarrasser de cette grossesse qui m'encombre avant de me lancer dans quoi que ce soit d'autre, surtout si ça concerne ma présumée magie. Je n'ai nulle envie de devoir fuir dans quelques mois, enceinte jusqu'aux yeux et me déplaçant à la vitesse d'une tortue rhumatisante. Tu n'as aucune idée, je le crains, de ce qu'implique la présence de ce fœtus dans la vie quotidienne, encore moins dans ce monde de fous. Ce n'est pas ma première grossesse : je sais trop bien à quoi m'attendre.

Madox me regarda, surpris de la mention d'une précédente grossesse, mais je dédaignai les grandes explications. Je me contentai de poursuivre, ignorant son air franchement ahuri. Le jour viendrait sûrement où je serais davantage disposée à m'épancher sur mon passé.

– Je peux toujours envisager de revenir ici, si tu arrives à m'en convaincre avant que je ne trouve le moyen de retourner dans le monde que je n'aurais jamais dû quitter. Je te le répète : nulle part je n'ai vu pour moi l'urgence d'agir, ou encore un quelconque indice signifiant que la Terre des Anciens ne pouvait pas se passer de ma personne. Je n'ai entendu que des contes et des légendes et vu des gens se lancer sans cesse des accusations à la figure, toujours concernant des ancêtres morts et enterrés depuis belle lurette. J'en suis venue à la conclusion que c'est peut-être ce que vous devriez tous faire : enterrer vos vieilles querelles et vivre en paix une fois pour toutes. Les humains de mon univers se chamaillent depuis la nuit des temps et il n'a jamais été question que la seule présence d'une lignée de filles bizarres puisse sauver la situation.

Je me demandais ce qu'on pouvait bien leur apprendre pour qu'ils en viennent à croire que je sauverais ce monde – et je ne sais combien d'autres – d'une menace que je ne percevais même pas comme dangereuse, à part pour ma propre vie...

Il m'avait écoutée avec un air songeur, assis sur un large rocher, le menton appuyé dans la paume de sa main gauche. Il se frottait désormais les tempes, en faisant doucement « non » de la tête. Quand il leva finalement les yeux vers moi, je n'aurais su dire ce qu'il pensait exactement.

– Quand je me suis porté volontaire pour prendre le relais d'Alix, je ne me serais jamais douté que cette situation puisse être si complexe, malgré ce qu'il avait pu m'en dire. J'ai croisé quelques Filles de Lune au cours de ma courte existence...

Je n'étais même pas surprise. Tout ce qui avait supposément disparu réapparaissait un jour ou l'autre dans ce monde bizarre. À croire que c'était essentiel à sa survie...

– Je croyais qu'elles avaient toutes disparu de la Terre des Anciens, soulevai-je, sarcastique.

– J'ai quand même eu le privilège d'en fréquenter quelques-unes un peu avant qu'on ne mette brusquement fin à leur existence. Des quelques rencontres que j'ai faites, tu es la Fille de Lune la plus obstinée, la plus grincheuse et la moins disposée à nous donner un coup de main pour sauver cette terre et ta propre vie, de même qu'à faire gentiment ce qu'on te demande. Quatre-vingt-dix-neuf pour cent des hommes que je connais t'auraient depuis longtemps étranglée ou abandonnée à ton triste sort, Fille Lunaire ou pas. Le pourcentage restant se voit obligé, de par son rôle de Cyldias, de veiller sur toi et est aussi impuissant que les autres à raisonner ta formidable tête de mule.

Faisant fi de cette assez réaliste description de ma personne, je contre-attaquai :

– Et toi ? Tu ne m'as pas étranglée ni abandonnée, et tu n'es pas, non plus, un Cyldias désigné. « Dieu merci ! ajoutai-je pour moi-même, un problème de ce genre me suffit largement. » Alors, pourquoi es-tu sur mes talons ?

– Je ne suis pas fratricide et ce que tu diras ou feras n'y changera rien. Jamais je ne renoncerai à te faire entendre raison ni à te protéger, quoi qu'il puisse m'en coûter. Je ne pourrais pas me le pardonner s'il t'arrivait malheur. Que veux-tu ? Je suis né optimiste...

Je mis un certain temps avant de comprendre la portée de ce qu'il venait de dire. À moins que je ne sois soudainement devenue gâteuse ou que mes oreilles aient vraiment mal entendu, je venais de me découvrir...

– Un frère... *mon* frère...

- 22 -

Réflexion

Alix n'eut pas assez de quatre jours pour reprendre pied dans la réalité. Les cauchemars qui le hantaient avaient une fois de plus imprégné son esprit d'images insoutenables, au cours des trois dernières nuits. Des combats sanglants faisaient rage de plus en plus souvent aux frontières des Terres Intérieures, laissant derrière eux des dizaines de cadavres de jeunes hommes qui avaient malheureusement cru aux rêves de gloire des seigneurs qui les avaient recrutés. La bêtise humaine était toujours aussi répandue. Les mancius, pour leur part, semblaient avoir momentanément enterré la hache de guerre et attendaient vraisemblablement le signal du sire de Canac pour se mettre en route. Mais Alix savait que son frère ne bougerait pas tant et aussi longtemps que la Fille de Lune ne serait pas de retour au château.

Il avait aussi appris, par le biais de Mayence, que Mélijna avait éprouvé certains problèmes dernièrement dans l'utilisation de sa magie. La sorcière paraissait beaucoup moins en forme que par le passé. Alix se souvenait que Foch et Wandéline avaient autrefois tenté de percer le secret de sa longévité, sans toutefois y parvenir. Son mentor lui avait cependant appris que la sorcière des Canac disparaissait parfois pendant de longs mois et revenait en bien meilleure forme que le jour de son départ. Où se terrait-elle durant tout ce temps ? Allait-elle s'éclipser une fois de plus ? Peut-être la fin de son règne était-elle proche ? Ce serait bien la seule bonne nouvelle en ce moment...

Le guerrier avait la désagréable impression que sa vie et son avenir empruntaient un chemin on ne peut plus différent de ce qu'il avait espéré. Depuis qu'il était en âge de comprendre l'importance des dons et des pouvoirs dont il avait hérité et qu'il connaissait la légende des trônes de Darius et d'Ulphydius, il n'avait eu de cesse de rêver du jour où il redonnerait sa splendeur à la Terre des Anciens. Bien qu'il n'ait jamais douté de rencontrer des embûches ou de devoir payer parfois le prix fort pour parvenir au but qu'il s'était fixé, jamais il n'aurait cru que ce serait aussi difficile. Il préférait, et de loin, les tortures de Mélijna, de même que les combats et les missions périlleuses, aux découvertes de ses origines et de son rôle de Cyldias.

Au cours des derniers jours, il s'était beaucoup interrogé sur la possibilité qu'il soit celui que les édnés attendaient pour racheter la faute qu'ils avaient commise, près de dix siècles auparavant, quand ils avaient laissé la vie sauve à un enfant des ténèbres aux traits humains, Ulphydius.

Ironie du sort, c'est Foch lui-même qui lui avait raconté cette légende, peu de temps avant qu'il ne disparaisse. Connaissant lui aussi les dons et pouvoirs en dormance de son protégé, de même que son désir le plus cher, le sage avait jugé essentiel qu'il soit au courant de la légende des édnés, laquelle avait toujours été transmise oralement. Le jeune homme n'avait jamais fait le lien entre sa tache de naissance et ce récit jusqu'à ce que l'hybride lui en parle, quelques jours plus tôt. Pas plus qu'il n'avait compris la teneur des messages reçus en rêve et qui, aujourd'hui, prenaient tout leur sens. Et maintenant qu'il savait tout cela, il avait énormément de difficulté à gérer les vagues d'émotions contradictoires qui affluaient en lui ainsi que les nouvelles questions qui découlaient de ses récentes découvertes. Oui, il était soulagé de savoir enfin d'où il venait, mais il était aussi conscient que c'était bien peu par rapport aux lacunes de son passé. De plus, il était loin de se réjouir d'être un enfant mystique et d'avoir ainsi un lien avec Ulphydius. Parviendrait-il réellement à racheter la faute de celui qui pourrait bien être son ancêtre direct ? Alix eut la désagréable impression que la charge déjà considérable que supportaient ses épaules venait de s'alourdir une fois de plus...

Deux heures plus tard, il était toujours assis sur le seuil de sa cabane, se passant à répétition une main dans les cheveux. Il avait beau réfléchir, il ne voyait pas comment il pourrait, dans un avenir rapproché, se rendre sur Bronan pour y quérir les réponses dont il avait si cruellement besoin. Pour accéder à un passage vers ce monde qui l'avait supposément vu naître, il avait absolument besoin d'une Fille de Lune. Or, il doutait que Naïla accepte de lui donner un coup de main. Il s'ingéniait à lui empoisonner la vie depuis son arrivée, rêvant de se débarrasser d'elle malgré sa mission de Cyldias désigné. S'il voulait réussir à traverser, il fallait que la jeune femme connaisse coûte que coûte l'étendue de ses dons et de ses pouvoirs, et qu'elle soit à même de s'en servir intelligemment dans les plus brefs délais. Il n'y avait qu'une seule façon de réussir pareil exploit rapidement : la conduire à la Montagne aux Sacrifices – vers laquelle Madox était déjà en route...

- 23 -

Le secret de Mélijna

Pendant plus de quatre jours et quatre nuits, Wandéline, toujours en compagnie de Foch, n'eut de cesse de tourner les pages du précieux grimoire ayant appartenu à Ulphydius. Ils prenaient des notes, mais tentaient surtout de comprendre comment l'homme était parvenu à un degré aussi élevé de magie. Il ne semblait pas avoir eu de véritable maître en la matière ; du moins, s'il en avait eu un, il ne le mentionnait jamais. À plusieurs reprises, Wandéline avait émis un long sifflement admiratif à la lecture d'une formule particulièrement complexe et dont le résultat dépassait, de loin, les attentes les plus grandes. Ils s'étaient rapidement rendu compte qu'il n'y avait pas de place, dans ce lourd volume, pour la « petite » magie noire, celle que les sorciers en devenir pratiquaient dans le secret de leur chaumière. Il n'y avait que de la « vraie » magie, celle qui peut causer plus de torts par l'énoncé d'une simple formule qu'une armée de mille hommes entraînés au combat. Ce n'était pas le genre de manuscrit qui devait tomber entre de mauvaises mains. Il était préférable que sa découverte ne s'ébruite pas.

En plus des formules et des incantations, Ulphydius y donnait quelques informations sur ses origines, c'est-à-dire sa naissance chez les édnés. Il se vantait non seulement d'être un enfant mystique, mais aussi un enfant des ténèbres. Il se disait fier d'avoir hérité de toutes les supposées tares inhérentes à sa naissance, à savoir les dons nécessitant de l'égocentrisme, de la malveillance et de la cruauté. Il maîtrisait à merveille toutes les anciennes formes de magie noire, en plus d'avoir développé l'étonnante faculté de créer de nouveaux sortilèges, toujours plus dangereux et destructeurs. Il avouait ne jamais avoir eu à fournir le moindre effort pour domestiquer les dragons ; ceux-ci s'étaient apparemment présentés à lui d'eux-mêmes.

En dépit des espoirs de Foch et de Wandéline, la mine d'informations tant espérée à propos de la vie du grand sorcier s'était vite tarie. Il ne parlait pas de son enfance ni de ses premiers contacts avec les forces obscures qui lui avaient permis de « s'épanouir ». Il restait également muet sur les alliances forgées avec d'autres peuples, bien qu'elles aient été nombreuses, comme tous le savaient. Plus regrettable encore, les deux alliés ne trouvèrent pas le moindre indice concernant la transmission possible de son savoir à un éventuel successeur digne de ce nom. Leur seule consolation, si elle en était une, fut qu'ils arrivèrent à déchiffrer le gribouillis trouvé sur l'une des pages centrales, sans toutefois être capables d'en comprendre le sens. Il s'agissait d'une courte note en langage lunaire :

> *Bien qu'il soit né de la nuit, son secret repose à jamais à la naissance du jour...*

Au matin de la cinquième journée, Wandéline poussa un profond soupir. Foch et elle avaient à peine dormi depuis le départ de Mévor et ne s'étaient pas convenablement alimentés. Bien que la sorcière soit depuis longtemps apte à passer plusieurs jours sans boire ni manger – un don qui lui venait de ses ancêtres elfiques –, elle savait aussi que ses forces finiraient par décliner. Elle n'était plus de la première jeunesse et les nuits blanches passées à travailler lui demandaient beaucoup plus d'efforts et de concentration que par le passé. Avec un dernier regard vers le livre sur lequel le mage était toujours obstinément penché, en veillant soigneusement à ne pas toucher les pages, elle se leva en étouffant un gémissement et entreprit de dénicher un en-cas substantiel pour l'érudit et elle.

Elle commença par attiser les braises qui se mouraient dans l'âtre avant de bourrer celui-ci de quartiers de bois franc. Elle ne se sentait guère d'attaque pour la création d'un feu magique qui n'avait jamais, de toute façon, la même chaleur pénétrante, et surtout réconfortante, que son équivalent naturel. Tandis qu'elle fouillait dans la réserve, à l'arrière de la maison, elle entendit ce qu'elle prit pour un cri de triomphe lancé par Foch. Elle retourna précipitamment à l'intérieur, curieuse de connaître les raisons de cet enthousiasme soudain. Elle eut la surprise de voir l'hybride debout devant les rayonnages pleins à craquer de sa bibliothèque de fortune.

– Je peux savoir ce que tu cherches ?

– Le livre que je t'ai offert il y a bien des années, celui qui renfermait les potions de longévité les plus complexes. Un petit manuscrit d'une vingtaine de pages, relié en peau de gnome, si je me souviens bien...

– Ta mémoire ne te trompe pas, mais tu ne le trouveras pas sur ces rayons bancals. Il est sous une lame du parquet, juste sous l'étagère contenant mes fioles à ingrédients. Tu ne croyais tout de même pas que je laisserais, au vu et au su de tous, un document de cette valeur !

Le vieil homme haussa les épaules dans un demi-sourire.

– Quel rapport entre ce recueil et le grimoire ? demanda Wandéline, sourcils froncés.

– Je me demandais s'il n'y avait pas une relation possible entre l'incantation que je viens tout juste de lire et la mise en garde qui se trouvait, il me semble, à la fin de ton recueil.

Wandéline observa Foch un moment sans comprendre, puis son visage s'éclaira enfin.

– Tu veux parler de la recommandation qui suit la dernière formule, c'est ça ?

Le cyclope acquiesça.

– Tu te souviens de ce qui était inscrit ?

– Pas exactement, non. Mais nous n'allons pas tarder à le savoir.

Il ne fallut que quelques minutes à Wandéline pour récupérer le manuscrit. Elle l'ouvrit à la dernière page et lut à voix haute le paragraphe à la toute fin.

De toutes les potions et incantations que contient ce recueil, il n'en existe pas de plus difficile à réussir, et de plus cruelle, que celle qui précède. Elle se sert tout simplement de la mort d'une créature vivante et pensante pour prolonger la vie d'une autre de la même espèce. Cela est à la fois simple et ingénieux, mais demande une maîtrise de la magie noire de haut niveau de même qu'un mépris de la vie, ce qui est en total désaccord avec les enseignements de Darius. Vous comprendrez donc pourquoi l'incantation nécessaire, ainsi que la liste des ingrédients, n'est que partielle. Nous espérons que la recherche des termes et des composants manquants sera suffisamment longue et complexe pour donner à l'utilisateur potentiel le temps nécessaire à une réflexion profonde quant aux raisons qui l'incitent à pareille infamie, de même que la possibilité de revenir en arrière pour ne pas commettre l'irréparable...

– Je me demande si ce n'est pas de cette façon que Mélijna est parvenue à traverser les siècles, supputa Foch. Elle se sert peut-être de la vie d'autres Filles de Lune pour prolonger indéfiniment la sienne.

– Qu'est-ce qui te porte à croire qu'elle aurait pu réussir pareil exploit ? N'oublie pas qu'il faudrait qu'elle maîtrise cette formule depuis plus de quatre siècles déjà, si l'on considère que sa jumelle a disparu peu de temps après la défaite de Mévérick et qu'elle aurait pu être sa première victime. Je ne pense pas qu'une aussi jeune Fille de Lune non assermentée ait pu réussir le tour de force d'utiliser un sortilège aussi complexe, de même qu'une incantation qui demande une parfaite compréhension de la langue des Anciens. Elle ne possédait même pas d'anneau de Salomon à cette époque. Sans ce bijou, essentiel à l'accessibilité de toutes les langues, comment aurait-elle pu saisir le texte écrit dans ce dialecte ? De plus, je ne vois pas comment elle serait parvenue à combler les vides dans le texte, de même que dans la liste des ingrédients. Tout ça sans compter qu'elle ne devait pas encore maîtriser parfaitement les techniques de concoction des potions. À la lumière de ce que je viens d'énoncer, il semble impossible que ce que tu avances puisse avoir un relent de vérité.

– Maxandre affirmait que Mélijna n'était pas une nouvelle entité de Fille de Lune, mais plutôt la réincarnation partielle d'une ancêtre plus puissante. Sinon, comment expliquerais-tu, toi, le secret de la longévité de la sorcière des Canac ? demanda Foch, tout en se frottant le menton.

Quelque chose lui disait qu'il ne se trompait pas, même si les arguments de Wandéline sonnaient juste. Celle-ci haussa les épaules.

– Je ne sais pas. Il y a de nombreuses années que nous nous posons la question et nous n'avons jamais trouvé de réponse satisfaisante malgré nos innombrables recherches.

Considérant que l'espérance de vie d'une Fille de Lune non assermentée n'est pas plus longue que celle d'un humain ordinaire, il est évident qu'il y a quelque chose qui nous échappe encore. Mais je refuse de croire que...

Le cyclope l'interrompit.

– Je comprends ton point de vue, mais je persiste à croire qu'elle se sert de cette formule. Ça expliquerait pourquoi certaines Filles de Lune ont purement et simplement disparu plutôt que d'avoir été faites prisonnières afin de profiter, en temps opportun, de leurs puissants pouvoirs en dormance. Par contre, cette sorcière n'a pas pu attenter à la vie de la dernière Fille de Lune arrivée, de même qu'à celle de sa mère, puisqu'elles sont de la lignée maudite. Non seulement Naïla représente-t-elle une possibilité de voir la prophétie se réaliser, mais un sortilège d'Acélia la Maudite, propre aux descendantes de sa lignée, leur interdit de s'entretuer. Si elle voulait y arriver, Mélijna aurait besoin de la dague d'Alana et personne n'a plus revu cette arme depuis que Cardine et Thadéa ont voulu s'en servir, justement contre elle.

L'incertitude se lisait toujours dans les yeux bicolores de Wandéline. Elle n'était pas encore prête à adhérer à l'hypothèse de son ami.

– Qu'est-ce que tu as trouvé dans le grimoire d'Ulphydius pour que tu sois soudain si sûr de toi ?

– L'incantation complète, de même que la liste entière des ingrédients nécessaires à la réussite du sortilège de Vidas.

– Dans sa forme originale ?

– C'est ce que je pense. Par contre, ce n'est pas cette découverte qui m'a fait penser à la longévité de Mélijna, mais plutôt les annotations en marge des trois pages que prennent les instructions de ce sortilège complexe. En résumé, il est mentionné que cette technique pourrait permettre à une Fille de Lune de régner ultimement en maître sur l'ensemble des passages tout en s'assurant de la mort de ses congénères. Cette remarque d'Ulphydius concernait fort probablement Acélia la Maudite, qui a trahi ses sœurs de Lune.

– Mélijna ne peut avoir eu accès au grimoire, sinon elle ne s'en serait jamais séparée, le contra Wandéline. Une femme comme elle n'accepterait pas de se départir d'un tel trésor.

– La personne qui t'a fait parvenir le manuscrit t'a-t-elle précisé où elle l'avait trouvé ?

– Non, et je doute qu'elle me le dise, même si je lui demandais.

– Dans ce cas, pourquoi n'a-t-elle pas gardé sa découverte pour elle-même ?

– Parce qu'elle est incapable de comprendre ce qui y est écrit et ne peut s'en servir puisqu'elle ne possède pas la moindre parcelle de magie, bien qu'elle connaisse la valeur de sa trouvaille. Pour des raisons personnelles, elle voulait éviter que ce grimoire aboutisse entre de mauvaises mains. Elle estimait que je serais digne de sa confiance parce que je connaissais son histoire. Le manuscrit m'est parvenu par personne interposée.

Foch soupira. Wandéline et lui savaient que s'ils parvenaient à percer le secret de la longévité de la Fille de Lune jamais assermentée, ils pourraient ensuite tenter de l'éliminer et espérer réussir. La mort d'une sorcière de cette trempe serait une grande victoire. Mélijna était une menace permanente pour l'équilibre de la Terre des Anciens.

– À quand remonte la dernière disparition d'une Fille de Lune, si l'on fait abstraction de celles provenant de la lignée maudite ? demanda le sage.

– Disparition inexpliquée ?

Il opina du chef. La vieille femme réfléchit quelques secondes, sourcils froncés, avant de répondre.

– Une cinquantaine d'années, je dirais. Je ne crois pas me tromper en affirmant que c'est Roana qui fut la dernière à disparaître officiellement, si l'on ne tient pas compte des Élues maudites. On n'a jamais su par quel passage elle était arrivée, même si l'on a fortement soupçonné qu'elle pouvait être originaire de Mésa ; elle avait toutes les caractéristiques propres aux créatures amphibies. Elle avait été retrouvée aux limites des Terres Intérieures, dans une région chaude et marécageuse. Elle avait cependant beaucoup souffert de la traversée et les quelques explications qu'elle avait tenté de fournir étaient ambiguës et difficiles à comprendre. C'est le Sage Phidias qui l'avait recueillie chez lui. Puis la nouvelle de leur disparition à tous les deux s'est propagée une dizaine de jours plus tard. Ni l'un ni l'autre n'a jamais été aperçu par la suite. Après cet événement, il ne resta plus que trois véritables Sages pour l'ensemble de la Terre des Anciens. Tous semblent avoir aujourd'hui disparu, comme tu le sais.

– Je constate que tu ne comptes toujours pas Uleric parmi eux...

Les yeux de la sorcière lancèrent des éclairs, mais elle se contenta de tourner le dos à l'hybride, en silence. Foch sourit malicieusement. Il aimait rappeler l'existence de cet homme à Wandéline parce que celle-ci lui avait dit un jour qu'elle finirait bien par découvrir ce qui se cachait derrière l'arrivée du présumé Sage. Elle ne semblait toujours pas avoir atteint son but, comme beaucoup d'autres, d'ailleurs.

– Le grimoire mentionne que le nombre d'années de vie qu'on peut voler dépend non seulement de la longévité présumée de la victime, mais aussi de la façon dont on concocte la potion et récite l'incantation. En fait, il semble que ce soit extrêmement complexe.

Tout en parlant, Foch regardait le livre ouvert, songeur. Il relisait chaque ligne à voix haute, comme s'il pouvait ainsi trouver des réponses à ses interrogations. Wandéline l'écoutait distraitement, farfouillant dans ses étagères à ingrédients, examinant des fioles, en secouant certaines, soufflant la poussière qui en recouvrait d'autres.

– Est-ce que tu crois que tu pourrais..., commença l'érudit.

– ... essayer de réaliser cette formule ? compléta son acolyte. C'est exactement ce que j'ai l'intention de faire, mais je ne pourrai pas commencer maintenant...

Foch leva les yeux et se tourna vers sa vieille amie. Cette dernière regardait par la fenêtre, les yeux à demi fermés, attentive.

– Mévor approche, mais il y a quelque chose qui cloche.

Inquiète, elle sortit précipitamment, suivie de Foch. Elle arriva juste à temps pour attraper son ravel qui tombait littéralement du ciel, visiblement mal en point. Il ne croassa qu'une seule fois, avant de fermer les yeux.

– L'Insoumise est libre...

Ce furent ses seules paroles. Elle disparut à l'intérieur pour soigner son fidèle compagnon.

- 24 -

Histoire de famille

– Un frère... *mon* frère...

Les mots n'étaient que murmures lorsqu'ils franchirent mes lèvres. Cela n'avait aucun sens ! Je me retrouvais du jour au lendemain avec trois frères et une sœur, si je tenais compte des jumeaux de Canac et de Laédia. Combien de temps ma mère avait-elle bien pu vivre ici pour engendrer une aussi nombreuse progéniture ? Je me demandai si je tenais vraiment à connaître toute l'histoire et parvins rapidement à la conclusion que je préférais en avoir seulement quelques bribes, ici et là. Ce serait probablement plus facile à digérer. Madox attendait patiemment que je réagisse à la nouvelle qu'il m'avait lancée avec désinvolture. Je perdis quelques minutes à chercher les mots justes, puis renonçai.

– Je... Je ne sais pas quoi dire...

– Eh bien ! C'est une première ! dit-il, sourire en coin.

Je me sentais stupide, plantée là, incapable d'articuler une phrase cohérente. Lui souriait encore et toujours, sans avoir l'air le moindrement inquiet de ma piètre réaction. Je lui tendis finalement les bras et nous nous serrâmes dans une brève étreinte qui me fit beaucoup de bien. J'avais désespérément besoin de me sentir aimée dans ce monde où tous semblaient vouloir ma peau. Quand nous nous séparâmes, je lui demandai bêtement :

– Alors, tu es le frère d'Alexis ?

Que la seule chose qui me vint à l'esprit en cet instant précis fut son lien de parenté avec un homme que je m'efforçais de chasser de ma mémoire était pathétique ! Je me sentais vraiment ingrate envers mon « nouveau frère », mais surtout envers le souvenir de ma mère. Le sourire de Madox s'élargit davantage, si tant est que la chose fût possible. Je poussai un soupir excédé et retrouvai ma moue boudeuse. Il ne put s'empêcher de rire franchement devant mon comportement enfantin.

– Je ne trouve rien de mieux à te dire que cette niaiserie à propos d'Alexis et ça te fait rigoler ?

– Désolé... Vois-tu, Alix n'est pas plus mon frère que le tien. Tu serais au courant depuis déjà un bon moment si tu t'étais donné la peine de poser la question au principal intéressé, au lieu de croire sur parole un imbécile imbu de lui-même et ignorant totalement ses origines véritables. Alejandre n'a jamais vérifié la véracité de ce qu'il t'a raconté. Il s'est contenté de gober ce que lui a dit celui qu'il croit être son père et...

– Oh là ! Va moins vite, s'il te plaît. Tu viens de me donner un nombre considérable d'informations et je doute de les avoir toutes assimilées correctement.

– D'accord, je reprends plus lentement. Je commencerai même par le début pour que tu t'y retrouves plus facilement. La première fois que notre mère est venue dans ce monde, elle est restée trois ans. Elle...

– TROIS ANS ! criai-je. Impossible ! Elle n'a été absente qu'un mois de la maison !

Je secouai la tête, incrédule. Madox resta imperturbable.

– Trois ans, répéta-t-il avec assurance. Je croyais qu'Alix t'avait mentionné, lorsque vous vous êtes croisés dans les cachots du château des Canac, que le temps ne se déroulait pas nécessairement en parallèle, ni au même rythme, de ce côté-ci que dans le monde de Brume.

Je fronçai les sourcils, puis haussai les épaules avant d'avouer que je ne m'en souvenais pas.

– Vous avez dû être plus occupés à vous chamailler à propos de l'obligation de vous côtoyer qu'à échanger des informations pertinentes. Connaissant Alix, il n'a pas dû te traiter en princesse...

Il esquissa un sourire équivoque avant de poursuivre :

– Dans le cas d'Alix, il y a un certain nombre d'éléments que tu es en droit de savoir, mais il serait nettement préférable de discuter d'abord de notre mère. Je te promets d'y revenir ensuite... Si nous avons le temps.

– J'essaie juste de saisir son rôle par rapport à moi, me justifiai-je. Avec le peu de connaissances que je possède sur ce monde et son histoire, ce n'est vraiment pas facile. Je comprends parfaitement que ce ne doit pas être évident de se retrouver coincé avec quelqu'un comme moi, mais Alexis semble oublier que je n'ai pas souhaité cette situation inconfortable et...

– ... il y a beaucoup de non-dits entre vous, qui s'ajoutent singulièrement au problème. Tu ne le laisses pas indifférent, quoi qu'il en dise, et il ne sait pas comment composer avec cet aspect qui ne se règle pas à coups d'épée ni de sortilèges...

Rougissante, je feignis l'indifférence.

– Revenons plutôt à ma mère.

Le récit de son existence était beaucoup plus important qu'une hypothétique relation charnelle qui risquait de ne jamais mener nulle part, si ce n'est à plus de discorde.

– Quoi que tu aies eu comme renseignements, notre mère a effectivement vécu trois longues années ici. Longues parce qu'elles ont rarement été agréables pour elle. Les prémices de son histoire ressemblent d'ailleurs beaucoup aux tiennes : un sire de Canac rêvant de gloire et de pouvoirs exceptionnels – Nathias –, une sorcière cruelle – Mélijna –, une série de viols et une prophétie qui déclenche tout le reste. Contrairement à ce qui s'est passé pour toi, les Sages encore vivants à l'époque d'Andréa ont mis un certain temps avant de croire qu'une Fille de Lune était vraiment de retour et avait emprunté le passage maudit. Le temps nécessaire pour la localiser s'en trouva considérablement augmenté et les sévices qu'elle avait subis se comptaient déjà par dizaines. Quand ils l'ont enfin ramenée à la limite des Terres Intérieures, elle était dans un grand état de faiblesse et disait vouloir mourir avant la venue au monde des enfants qu'elle portait.

– Des jumeaux...

– Oui, des jumeaux, mais pas ceux que tu as croisés, séparément, depuis ton arrivée. Contrairement à ce que croit Alejandre, et quoi qu'en dise la prophétie, l'héritier qui devait reprendre la place de Mévérick et achever ce que ce dernier avait commencé est peut-être né il y a plus de vingt-cinq ans. Devant la menace que représentaient les enfants qu'Andréa avait engendrés, les trois derniers Sages – qui avaient été formés de peine et de misère – ont décidé de les garder avec eux. Il fut convenu que ces êtres étranges seraient élevés dans le plus grand secret et qu'on ne leur enseignerait rien qui puisse un jour se retourner contre nous.

– Pourquoi dis-tu que ce sont des êtres étranges ? Je croyais qu'ils étaient humains, comme toi et moi. Leurs parents l'étaient, non ?

– Leurs parents, oui. Malheureusement, bien que ces enfants aient eu pour mère une Fille de Lune, leur père, Nathias, n'avait ni sang royal ni pouvoir. Les dons particuliers que pouvait avoir Mévérick s'étaient depuis longtemps dilués, sans se développer, dans le sang de ses trop nombreux descendants. Est-ce qu'Alix t'a mise au courant de la loi qui régit notre monde depuis la création des Filles de Lune ?

Devant mon froncement de sourcils, il renchérit :

– Une loi fut écrite – et un sortilège mis en œuvre – pour contrôler les naissances des Filles d'Alana et s'assurer qu'elles n'auraient que des ancêtres choisis parmi l'élite de notre monde. Il est en effet interdit à quiconque de partager le lit d'une femme de ton rang s'il n'est ni de sang royal ni un Être d'Exception. Si quelqu'un transgresse cette règle, les enfants de cette union seront immanquablement difformes et probablement attardés mentalement.

J'écarquillai les yeux et l'encourageai d'une main à enchaîner rapidement pour que je comprenne bien vite ce qu'il venait de dire.

– Vous ne pouvez tout simplement pas porter les enfants de n'importe qui. C'est de l'ancienne magie, qui se perpétue à travers le temps, et parfois l'espace, puisque ce sortilège a été jeté par le plus grand des Sages, Darius.

– Celui dont le trône attendrait la venue de son successeur ?

– Exactement. Mais c'est une autre longue histoire... Les jumeaux d'Andréa, donc, sont nés avec de multiples malformations. Sache seulement qu'ils sont probablement bien pires que ce que tu peux imaginer.

– Tu ne les as jamais vus ?

Madox détourna le regard avant de reprendre, hésitant :

– Non... Mais maman en parlait parfois, toujours avec douleur et tristesse. Elle se reprochait de les avoir abandonnés même si c'était ce qu'il y avait de mieux à faire à ce moment-là.

Je préférai délaisser le sujet devant la réaction de mon frère. Je me promis, par contre, d'y revenir plus tard.

– Comment ma lignée a-t-elle pu survivre à notre passage dans l'autre monde si nous ne pouvons pas nous reproduire sans votre consentement ? m'enquis-je, une pointe d'ironie dans la voix.

Il ne pouvait quand même pas nier mon existence, ni celle de mes deux aïeules nées hors de cette terre, sans compter ma fille, dont il ne connaissait pas l'histoire. Je n'avais côtoyé personne qui ressemblât, de près ou de loin, à un monstre parmi ces femmes. Je voulais bien admettre qu'on avait envoyé à Hilda un homme d'ici pour favoriser la venue au monde d'une Fille de Lune, mais je ne savais rien de mon père et je ne pouvais que présumer qu'il était effectivement originaire de la Terre des Anciens. Cependant, je pouvais affirmer, hors de tout doute, qu'Hilda et Alicia avaient été conçues par des hommes tout ce qu'il y a de plus ordinaires. La pensée de Francis en Être d'Exception, l'épée à la main et prononçant d'étranges incantations, m'arracha l'un des rares sourires que je pus avoir à son souvenir, encore trop souvent douloureux.

– Étrangement, il semble que cette magie ne devienne inopérante que dans le monde de Brume, mais je serais bien embêté de te dire pourquoi. Elle fonctionne très bien sur Elfré, Mésa ou Golia. Il y a tout de même quelque chose de singulier dans le fait que tu aies hérité d'autant de dons, à l'image de notre mère, alors que vous avez toutes les deux le même ancêtre sans pouvoir : le père de ta grand-mère.

Je haussai les épaules une fois de plus.

– Ce n'est sûrement pas moi qui peux te répondre...

Il sourit.

– Ça, c'est certain...

Je revins aux jumeaux de ma mère.

– Si les enfants sont demeurés sous la garde des Sages, comment se fait-il qu'Alejandre soit convaincu qu'il est l'un d'eux ?

– Les Sages ne pouvaient pas cacher Andréa indéfiniment, sachant que Nathias, sire de Canac en ce temps-là, mettrait les terres à feu et à sang et n'aurait de cesse de la retrouver. À cette époque, Wandéline choisit de prendre le parti de ce dernier. Inutile de te dire que privés d'une puissance aussi grande que la sienne, les Sages pouvaient difficilement s'opposer. De plus, Mélijna étant issue de la lignée maudite, elle pouvait retrouver notre mère à peu près n'importe où sur le territoire.

– Les Sages n'ont-ils pas, eux aussi, des pouvoirs comparables à ceux de ces sorcières ?

– Les Sages qui restaient alors n'avaient pas le dixième de la capacité de leurs illustres ancêtres. Il faut un certain nombre de Sages vivants, dans un lieu donné, pour que les pouvoirs de chaque individu s'en trouvent décuplés et inversement. Darius avait imaginé ce stratagème pour éviter qu'un seul d'entre eux décide un jour de vouloir dominer les autres. Ayant tous besoin de leurs confrères pour conserver leur puissance, nul n'avait intérêt à les voir disparaître. Ce que notre grand mage n'a alors pas pris en considération, c'est que son sortilège n'aurait d'emprise que sur les Sages et les Êtres d'Exception qui composaient son propre univers et sa descendance. En aucun cas, ce genre de magie n'a d'effets sur des êtres qui ne lui portent pas allégeance. Ces derniers sont malheureusement de plus en plus nombreux, même s'ils sont dispersés et toujours aussi mal organisés. Wandéline tient son savoir et ses pouvoirs occultes de la sorcellerie tout autant que de ce que notre mère appelait « la magie blanche », celle qu'on utilise à bon escient. Plus personne n'a les deux genres de pouvoir depuis la disparition de Maxandre ; il ne reste que Wandéline. Et elle sait grandement tirer parti de ses connaissances hors du commun, comme tu as pu le constater toi-même.

– Ainsi, les Sages ont donc décidé de livrer ma mère en pâture pour sauver le pauvre peuple, dis-je avec sarcasme et amertume.

– Non, tu te trompes. C'est elle qui a demandé de retourner auprès de Nathias afin d'éviter un massacre dont elle aurait porté la responsabilité toute sa vie. Elle savait que cet homme avide et cruel tuerait tous ceux qui s'opposeraient à ses recherches pour la retrouver. Toutefois, elle ne pouvait pas revenir sans ses précieux enfants, puisque c'est pour tâcher de remplir la prophétie avant l'heure que Nathias avait voulu qu'elle enfante. Des chevaliers furent donc envoyés dans les villages à la recherche de jumeaux qu'on pourrait substituer aux autres.

Il répondit à ma question suivante avant même que je ne la formule de vive voix.

– D'où provenaient ceux que notre mère ramena avec elle ? Elle l'ignorait, ou alors, elle en garda le secret. Toujours est-il qu'elle rentra au château que tu connais, après une absence de quelques mois, accompagnée d'un homme fiable qui se fit passer pour un chasseur de primes. Nathias avait placardé des affiches dans tous les villages de la péninsule, offrant une récompense énorme pour l'époque, surtout pour les gens très pauvres. Il avait également profité des légendes qui circulaient déjà abondamment pour répandre des calomnies sur Andréa. Sans jamais parler de ses origines, il avait préféré discourir sur sa prétendue capacité à semer la mort et la maladie grâce à la sorcellerie. Mère disait que ça ressemblait beaucoup à une chasse aux sorcières de votre monde.

Il me jeta un œil interrogateur.

– C'est vrai. Je te l'expliquerai plus tard...

Je compris aisément qu'elle ait eu besoin d'une escorte pour éviter qu'on ne l'envoie directement au bûcher plutôt que de la livrer à Nathias. Même avec la récompense, aucun paysan sensé n'aurait supporté de savoir une femme aussi dangereuse en vie.

– Il n'y a plus grand-chose à dire sur ce premier voyage, si ce n'est qu'Andréa a disparu huit mois plus tard et qu'elle a mis plus d'une année avant de reparaître.

– Qui est mon père, alors ?

– Comment, qui est ton père ? Tu dois bien le savoir, non ?

– Comment veux-tu que je le sache, puisque ma mère est revenue de son périple enceinte et complètement démolie psychologiquement ?

– Tu es certaine qu'elle est revenue enceinte ? me demanda-t-il, incrédule. Tous croient ici qu'elle a voulu laisser une Fille de Lune en sécurité avant de revenir.

– Eh bien, « tous » ne se trompent pas ! C'est exactement ce qu'elle a fait, à la nuance près qu'elle ne désirait pas du tout que j'apprenne d'où je venais et que je mette un jour les pieds dans votre monde. Elle a tout tenté pour que je ne découvre pas cet univers. Tu sais très bien que ça n'a aucun sens que j'aie été conçue là-bas. Il faut un Être d'Exception ou un mage pour cela, comme tu viens de me l'expliquer. Où ma mère aurait-elle bien pu aller le pêcher dans le monde de Brume ?

Les yeux de Madox s'étaient agrandis au fur et à mesure que j'argumentais. Il était aisé de voir qu'il ne jouait pas la comédie et que ce que je lui disais prenait enfin tout son sens. Il s'était probablement toujours contenté de croire ce qu'on lui avait dit, sans jamais l'analyser en profondeur. S'il s'était donné la peine de le faire, il se serait depuis longtemps rendu compte que ce qu'il tenait pour acquis était tout simplement impossible.

– Mais qui donc a pu réussir à déjouer à la fois Nathias et les Sages ?

La question avait franchi mes lèvres avant même que je ne le réalise. Une autre interrogation, plus troublante encore, me traversa l'esprit : étais-je une enfant née de l'amour ou de la violence ? Aussi bizarre que cela puisse paraître, à mes yeux, cette notion importait plus que tout le reste.

– Et le père de ma mère ?

– Voilà une question à laquelle je peux facilement répondre ! Samuvel a été envoyé pour empêcher que la lignée maudite ne s'éteigne. Il était crucial que celle-ci se perpétue, même si elle était devenue impure de par le mari de Miranda, notre arrière-grand-mère. Les Sages ne se doutaient pas, par contre, que les dons de l'enfant qui naîtrait, notre mère, seraient aussi nombreux, et surtout, aussi puissants. Et il semble, selon Mélijna du moins, que tu en aies aussi hérité, et même davantage. C'est un mystère que nous ne sommes pas encore parvenus à élucider. Il y a tellement de choses que nous ignorons, compliquant sans cesse ce que nous rêvons de faire...

Madox regarda un moment au loin, par-dessus les flammes, avant de reprendre.

– Samuvel était un Être d'Exception qui avait grandement mérité l'honneur de veiller à la continuité des Filles de Lune. À l'époque, il comptait parmi les hommes qui pouvaient voyager sans dommage à travers les différents mondes, un don extrêmement rare chez la gent masculine. D'après ce que je sais, il n'y en a eu que deux ou trois autres comme lui au cours des cent cinquante dernières années...

J'aurais voulu lui demander qui étaient ces hommes, même s'il y avait de très fortes chances que je ne les connaisse pas. Je n'en eus pas le temps.

– Il est tard. Je pense que nous devrions nous consacrer à refaire le plein d'énergie. Nous pourrons revenir à la lignée maudite demain, en même temps qu'à la seconde partie du voyage de notre mère. Ce n'est pas quelques heures de plus qui changeront quoi que ce soit...

Il remit du bois dans le feu, puis nous étendîmes nos couvertures sur le sol de pierre. Si le confort faisait défaut, l'air libre et les dernières révélations de Madox m'aidèrent à me le faire oublier. Comme ma tête se nichait sur ma cape roulée en boule, un souvenir me revint en mémoire. Maintenant que nous étions à l'abri de l'indiscrétion des gnomes, je me devais de lui parler de mon étrange trou de mémoire à la suite des agissements d'Oglore. J'espérais sincèrement qu'il pourrait me renseigner sur ce que cette dernière avait bien pu trafiquer pour que je me sente aussi mal. Avait-elle réellement modifié mes souvenirs ? Dans quel but ? Avant que je n'aie le temps de m'interroger davantage, ou même d'en informer Madox, je sombrai dans un sommeil agité d'où naquit un rêve hors du commun.

- 25 -

Retour dans le temps

Je me trouvais au pied d'une montagne au sommet enneigé. Le vent soufflait en bourrasques glacées et la neige tombait par intermittence, s'accumulant lentement. Autour de moi, un paysage désolé s'étendait à perte de vue. La montagne m'offrait davantage d'espoir grâce à la mince volute de fumée que je voyais monter quelques centaines de mètres plus haut, sur son flanc droit. J'empruntai sans attendre un semblant de sentier pour rejoindre cette source probable de chaleur. Simplement vêtue d'une jupe longue et d'un corsage à manches courtes, je devais remédier à la précarité de ma situation dans les plus brefs délais si je ne voulais pas finir congelée. J'atteignis bientôt mon but, mais je m'immobilisai derrière un rocher, hors de vue et fascinée.

Des créatures étranges discutaient autour d'un feu, un peu plus loin devant moi. Elles ne portaient pas de vêtements, mais je ne pouvais véritablement détailler leur corps puisqu'elles étaient couvertes d'une épaisse couche de poils ; on aurait dit un croisement surréaliste entre l'homme et le gorille. Le plus dérangeant n'était toutefois pas leur aspect animal – loin de là –, mais plutôt l'absence de tête sur leurs épaules. Leur visage était sculpté à même leur torse. J'y distinguais parfaitement des yeux immenses, un nez quasi inexistant et une bouche aux lèvres charnues. Quand l'un d'eux se leva pour ajouter du bois dans le feu, je sursautai, constatant avec horreur que ses pieds étaient à l'envers, comme si on leur avait imposé un mouvement de rotation de cent quatre-vingts degrés ! Jamais, au grand jamais, je n'aurais pu imaginer croiser un jour des êtres comme ceux-là...

Le froid me pénétrant sans pitié, je m'obligeai à détacher mes yeux de cette vision sans précédent. Curieusement, malgré ma balade dans la neige épaisse, mes vêtements restaient secs. Transie, je frissonnai. Il me fallait absolument m'approcher du brasier.

Tandis que je m'apprêtais, avec appréhension, à leur demander si je pouvais me joindre à eux, une très vieille femme apparut au détour d'un autre sentier. Elle ne sembla nullement surprise par leur présence et les rejoignit naturellement. Elle répondit à leurs salutations bruyantes dans la même langue qu'eux. D'où je me trouvais, je ne percevais que des bribes de leur conversation, sans pouvoir en saisir la teneur. Une irrésistible envie de me rapprocher s'empara de moi, comme si je savais que c'était ce que je devais faire. J'avançai lentement, m'attendant à tout moment à ce que l'une des créatures remarque ma présence ; étrangement, ce ne fut pas le cas.

– Puis-je me joindre à vous ? m'enquis-je timidement.

Personne ne me répondit ou ne leva les yeux vers moi. Je répétai ma question, plus fort cette fois. Toujours aucune réaction. Je n'y comprenais rien ! Comment pouvais-je les voir alors qu'eux ne me voyaient pas ? Je m'assis finalement à côté de la vieille femme, espérant que cette dernière perçevrait ma présence. Peine perdue une fois de plus. Je lui touchai le bras, pensant que ce contact suffirait, mais je ne rencontrai que le vide, comme si je me trouvais en présence d'un fantôme. Je contemplai la scène, perplexe. J'avais la curieuse impression d'être une spectatrice, visionnant le film d'un événement déjà survenu. Je reportai mon attention sur la conversation animée qui se déroulait autour du brasier, dont je ne percevais malheureusement pas la chaleur : celui-ci brûlait pourtant ardemment.

Je dus faire un effort considérable de concentration pour ne rien perdre de ce qui se disait, et ce, malgré le froid qui me transperçait. Le dialecte étrange, que je comprenais sans trop de peine, alla simplement s'ajouter à tous ceux que j'avais déjà entendus depuis le début de mon séjour. La vieille femme parlait d'une voix éraillée, comme si la communication avec autrui lui avait été inaccessible depuis un certain temps. Elle semblait expliquer la raison de sa présence, mais l'une des créatures ne cessait de faire « non » de la tête, comme si ce que la femme lui disait n'avait pas de sens.

– Vous ne pouvez pas vous rendre seule là-haut, c'est beaucoup trop dangereux. Il y a de nombreuses années que l'endroit n'est plus visité. Je ne peux même pas vous garantir que l'entrée de la grotte sera accessible ; plusieurs avalanches se sont produites depuis quelque temps. Je pense sincèrement que vous devriez renoncer à cette folie.

– Je comprends fort bien que tu ne veuilles pas que je me rende là-bas, Yodlas. Je ne remets pas en question ta capacité à prévoir le danger, mais je ne crois pas que tu puisses saisir l'importance de ce pèlerinage pour moi, comme pour le reste de ce monde en déclin.

– Acceptez au moins que nous vous escortions jusqu'au Plateau des Sacrifiés. Le peu de chemin qu'il vous restera ensuite à franchir me rassurerait singulièrement. Vous n'êtes plus de la première jeunesse, Maxandre. Que ferions-nous si vous ne reveniez pas ? Vous savez aussi bien que moi qu'il ne reste personne de votre trempe ici-bas. Nulle ne peut, d'ailleurs, prétendre vous remplacer...

La vieille interrompit Yodlas, balayant ses objections du revers de la main.

– Je ne suis pas éternelle. J'ai vu ma vie prolongée plusieurs fois déjà et je ne crains plus la perspective de ma mort. Je l'ai plutôt... disons... apprivoisée. Les dieux savaient aussi bien que moi que je n'étais pas immortelle, mais ils n'ont pas jugé bon de me doter d'une descendance à qui enseigner mon savoir. Ils ont probablement pensé que Wandéline serait une remplaçante acceptable...

Ce fut au tour de Yodlas de l'interrompre, la voix lourde de mécontentement, alors que des murmures réprobateurs se multipliaient dans le cercle des campeurs.

– Sauf votre respect, je doute que les dieux aient pu s'abaisser au niveau de cette femme instable. Du moins, je l'espère. Ses connaissances tiennent davantage de la magie noire que le contraire : cela ne peut qu'être un obstacle à sa possible promotion.

– Tu devrais pourtant savoir, depuis le temps que tu protèges cette montagne mystique, qu'il faut un savant mélange des deux formes de magie pour pouvoir exercer un certain contrôle sur la Terre des Anciens et les mondes qui se cachent dans son sillage. Tu ne peux nier que Wandéline a suffisamment d'expérience et de connaissances pour espérer me succéder à la tête des Gardiennes des Passages, même si elle fut autrefois déchue. Nul n'ignore qu'elle en rêve depuis un certain temps.

– S'il n'en tient qu'au peuple des chinorks, elle peut continuer d'espérer pour l'éternité ! Jamais nous n'approuverons sa nomination, quoi qu'en disent les rares Sages qui restent. Ils ne devraient pas oublier que nous avons un certain droit de regard, puisque nous veillons sur la Montagne aux Sacrifices depuis plus de mille ans. Devrais-je leur rappeler que nous sommes libres d'en interdire l'accès à quiconque ne nous convient pas ?

– Prends bien garde de ne pas déchaîner la colère de celle qui me succédera. Vous devez faire montre d'une grande prudence, Yodlas. On ne sait jamais jusqu'où quelqu'un est prêt à aller pour assouvir ses instincts ou accomplir ce qui lui paraît juste. Je serais peinée d'apprendre, par les voix célestes, que votre race a été exterminée simplement parce que certains de ses représentants ont fait preuve d'obstination. Votre rôle est primordial et votre mission trop importante pour la mettre en péril.

Yodlas la dévisagea avec des yeux surpris, mais surtout inquiets.

– Vous êtes donc si certaine de ne pas revenir ?

– Oh ! Je ne crois pas que mes vieux os pourront supporter de redescendre après m'être entretenue avec l'oracle. Mes forces avaient mis plusieurs jours à se régénérer lors de mon dernier voyage. Et cela remonte à près de cinquante ans...

– Qu'espérez-vous tant trouver dans cet endroit sinistre que vous ne pouvez obtenir par d'autres moyens ?

Maxandre se montra plus évasive dans sa réponse. Je compris qu'elle ne voulait pas que le but réel de ce voyage soit connu d'un autre qu'elle. Devant sa réticence évidente, Yodlas n'insista pas et réitéra plutôt son offre de l'accompagner, espérant la convaincre.

– Non ! Vous n'auriez peut-être pas le temps de tous vous réunir avant que la nouvelle de ma disparition ne parvienne à des oreilles indiscrètes. Il vaut mieux que vous soyez prêts à défendre l'accès à la grotte pour quelque temps...

Yodlas dut saisir un sens caché à cette dernière phrase, car un sourire de contentement se dessina sur son visage poilu.

– Combien de temps ?

Maxandre lui rendit son sourire au centuple.

– Oh ! Le temps que tu jugeras nécessaire, quelques semaines, voire quelques mois, question de s'assurer que les Sages prendront la bonne décision concernant la passation des pouvoirs. Je laisse ces détails à ta discrétion. Tu as toute ma confiance, Yodlas...

Cette profession de foi toucha la créature. Elle bomba le torse, faisant ainsi ressortir son visage, et redressa les épaules d'un air important.

– Je saurai me montrer digne de la confiance que vous m'accordez, Maxandre.

– Je n'en ai jamais douté...

Puis la magicienne se releva péniblement et reprit le sac qu'elle avait posé à ses côtés.

– Je dois vous quitter si je veux atteindre la deuxième étape de mon ascension avant la nuit. Dommage que les Sages aient ensorcelé cette montagne, ajouta-t-elle en soupirant. Avec un peu de magie, je serais déjà là-haut depuis hier matin.

– Votre statut ne vous permet pas de déjouer cette protection du sanctuaire ? demanda timidement l'un des êtres à sa gauche.

– Il appert que mon rang n'est pas encore suffisamment élevé pour qu'on m'exempte de cette douloureuse montée. Il semblerait que cette longue marche soit propice à la réflexion et à l'introspection, question que je sois certaine, une fois sur place, que ma démarche est légitime et nécessaire. Comme si je pouvais avoir envie de me rendre dans ce lieu mystique pour le simple plaisir de souffrir et de geler mes vieux os !

Le ton n'était pas amer ni colérique ; il y perçait seulement une lassitude pleinement justifiée. Je me demandai pourquoi la gardienne venait de donner la permission à Yodlas de tenir tête à la personne qui lui succéderait tandis que, quelques minutes plus tôt, elle lui avait dit de faire preuve de prudence. Il y avait peut-être un passage que je n'avais pas bien saisi... Je regardai Maxandre s'éloigner d'un pas traînant ; cette marche lui coûtait visiblement beaucoup et j'en ressentis un pincement au cœur, sans savoir pourquoi. Juste avant qu'elle ne disparaisse au détour d'un rocher, elle s'adressa au chinork une dernière fois.

– Yodlas ?

L'inquiétude se reflétait dans les grands yeux sombres de celui-ci et une lueur de tristesse les traversa alors même qu'elle prononçait son nom.

– Si, un jour prochain, une Fille de Lune parvenait jusqu'ici, jure-moi de la conduire là-haut, peu importe qui dirigera cette terre. Par ma mort, j'y laisserai un présent qu'elle seule pourra récupérer.

Yodlas se leva et la rejoignit. Quand je vis qu'ils s'éloignaient du campement, je me levai à mon tour et les suivis. Ils s'étaient arrêtés un peu plus loin, à l'abri des oreilles et des regards indiscrets des autres membres du petit groupe. La conversation s'annonçait plus intéressante.

– Vous croyez donc toujours qu'il en reste au moins une quelque part ? demanda Yodlas, surpris.

– Il le faut. J'en suis même convaincue. Je n'ai plus la force d'aller moi-même vérifier dans les autres mondes et ma magie n'arrive pas à franchir seule les passages. Je ne peux cependant croire qu'elles aient toutes disparu à part Wandéline, Mélijna, la Recluse et moi. Ce serait vraiment trop injuste...

– Mélijna ? La Recluse ? Mais qui sont-elles ? Je croyais qu'il ne restait que Wandéline dans notre monde !

– La première est une femme cruelle et sans pitié, délibérément écartée de nos rangs il y a plus de quatre siècles, et qui cherche depuis à assouvir sa vengeance. Déjà, à l'époque, elle avait des dons exceptionnels pour une aussi jeune femme, mais elle en faisait un usage abusif et totalement incompatible avec les fonctions qu'elle désirait exercer. De plus, le fait qu'elle descende en ligne directe d'Acélia n'est pas étranger à sa mise à l'écart. Ces deux particularités combinées ont suffi pour qu'on assermente plutôt sa jumelle Séléna, même si ses pouvoirs étaient de beaucoup inférieurs. Malheureusement, cette dernière a disparu à peine quelques mois plus tard. Cardine, grande Gardienne des Passages à cette époque, l'a cherchée magiquement pendant des semaines, croyant qu'elle se terrait pour échapper à sa sœur, mais elle n'a pu la localiser. Acélia la Maudite a veillé, avant de mourir, à ce que ses descendantes soient libres de leurs mouvements et de leurs allégeances en rendant leur présence indécelable sur la Terre des Anciens. Elles ne peuvent que se retrouver entre elles et encore... Depuis toujours, Cardine se targuait de ne pas avoir de ce sang souillé dans les veines, même si je suis certaine que, pour une rare fois, elle aurait aimé que ce soit le cas. Pour ma part, j'ai toujours pensé que Mélijna était la réincarnation d'une autre Fille de Lune pour être aussi douée, mais je ne suis jamais parvenue à le prouver.

Un instant, Maxandre regarda au loin, comme si elle pouvait y voir évoluer des êtres qui avaient depuis longtemps quitté ce monde.

– Tous ont soupçonné Mélijna d'avoir fait disparaître sa jumelle pour occuper sa place, mais personne n'a pu le prouver. Ses efforts se sont pourtant révélés vains puisqu'elle ne fut jamais acceptée au sein de la communauté des Filles d'Alana, malgré ses demandes répétées. À ma connaissance, elle n'a pas eu d'enfants et s'est finalement ralliée aux Canac, qu'il m'est inutile de te présenter...

Une ombre douloureuse traversa le regard de Yodlas avant qu'il ne prenne la parole. Je ne serais guère surprise d'apprendre que le triste sire soit la cause de tourments pour ce chef de clan.

– Est-ce que la lignée maudite s'est éteinte sans avoir eu le temps de racheter sa faute ? Si c'est le cas, il reste donc peu d'espoir pour la Terre des Anciens...

– Honnêtement, je l'ignore. Il y a longtemps, une descendante maudite s'est réfugiée sur la terre de Brume, mais je n'ai jamais su ce qu'il était advenu d'elle. Peut-être a-t-elle réussi à donner la vie à une véritable Fille de Lune... Peut-être même est-elle revenue...

Maxandre haussa les épaules.

– C'est pour cette raison que vous entreprenez ce pèlerinage, n'est-ce pas ? questionna Yodlas. Vous voulez savoir avant de mourir, tout en ayant conscience que vous ne pourrez plus intervenir.

La vieille femme lui sourit, le regard pourtant empli d'une infinie tristesse.

– Oui. J'aimerais aussi apprendre pourquoi on a permis à la Recluse de se rendre au sanctuaire sans que vous la voyiez et de répandre ensuite la nouvelle d'une prophétie alors qu'elle devait normalement être confinée à son refuge pour le reste de ses jours. Les dieux me doivent bien cela.

– Qui est la Recluse ? insista Yodlas.

Maxandre soupira bruyamment et son regard devint soudain douloureux. Voyant que son interlocuteur attendait des précisions, elle confia :

– Il s'agit d'une femme au passé trouble dont on ne doit pas parler. Elle a commis une terrible faute qui lui a fait perdre ses privilèges et ses pouvoirs d'Élue en dehors du lieu où elle vit. Les dieux et les Sages l'y ont confinée à jamais. C'est une très longue histoire qu'elle seule a le droit de raconter. Pour ma part, je dois dire qu'elle me manque parfois cruellement.

Maxandre regarda au loin, les yeux brillants de larmes.

– Sans cette étourderie et l'intransigeance des dieux à son égard, elle aurait fait une remplaçante remarquable...

Puis elle marqua une pause.

– Tout cela doit rester entre toi et moi. Je ne désire inquiéter personne, ce qui serait sûrement le cas si l'on apprenait que je suis morte pour obtenir les faveurs de l'oracle. Comprends-moi... Je dois savoir et mes jours sont comptés. Même si une Fille de Lune se présentait ici, à ce moment précis, je n'aurais jamais assez de temps pour lui apprendre tout ce qu'elle aurait besoin de savoir. Tandis que, de là-haut, je pourrai exercer une forme de magie extrêmement puissante qui lui sera d'une utilité certaine, le jour venu. C'est de loin la meilleure solution pour cette terre, je te l'assure.

Peiné, Yodlas poussa un soupir résigné.

– Je me range à votre avis, même si ce n'est pas de gaieté de cœur. Ma fidélité envers vous m'a toujours servi et ne m'a jamais trompé ; puisse-t-il en être encore ainsi. Toutefois, je vous en conjure, s'il y a la moindre chance pour que vous puissiez revenir du sanctuaire, promettez-moi de le faire. C'est un ami qui vous le demande plus qu'un chinork qui craint de perdre votre protection. Vous me manquerez cruellement, Maxandre...

Cette dernière s'éloigna rapidement, sans répondre. De part et d'autre régnait une immense tristesse.

* *
*

Lorsque j'ouvris les yeux, la lune brillait, haut dans un ciel d'encre. J'étais transie ! Je cherchai ma couverture, qui avait glissé au cours de mon sommeil agité. Je mis un certain temps à reconnaître l'endroit où je me trouvais. Le songe dont je venais d'émerger me laissait une étrange impression, comme si sa signification allait au-delà du simple rêve. Le nom de Maxandre avait une résonance familière ; j'étais presque certaine de l'avoir entendu de la bouche de Madox quelques heures plus tôt. Cette femme avait dit qu'elle était la Gardienne des Passages ; ce devait donc être celle qui veillait sur les Filles de Lune, à l'époque. Comment pouvais-je rêver avec autant de réalisme de personnes que je savais avoir existé, mais que je n'avais pas connues ? Je me tournai vers Madox, espérant qu'il ne dormait pas. J'avais besoin de parler. Lui pourrait me dire s'il se pouvait que j'aie assisté, en spectatrice, à une scène appartenant depuis longtemps au passé. Cet épisode s'était-il déroulé avant ou après la venue de ma mère ? Je n'aurais su le dire. De toute façon, cela n'aurait rien changé. Je m'étais résignée au fait que je descendais de la lignée maudite, ce qui faisait en sorte que nous n'étions pas repérables, ma mère et moi. Encore une particularité qui risquait de me jouer de bien vilains tours, puisque les gens chargés de me protéger ne pouvaient me trouver, tandis que la sorcière d'Alejandre n'avait qu'à agiter ses longs doigts crochus pour connaître ma position exacte sur cette terre de misère. Je ne m'étonnais donc plus de ce que des hommes aient été si rapidement à mes trousses à mon arrivée, puis lors de la visite chez Wandéline. Savoir que cette Mélijna pouvait me suivre à la trace dans ce monde où je me sentais sans cesse perdue me déprima au plus haut point...

- 26 -

Le prix de la liberté

À flanc de montagne, quelque part sur le territoire des chinorks, de minuscules empreintes dans la neige, rappelant celles d'un rongeur, se dirigeaient vers une cavité rocheuse. Le plus étrange dans tout cela, c'était la forme que prenaient soudainement ces pas alors qu'ils pénétraient dans la grotte naturelle ; des traces de pieds prolongeaient le court sentier déjà tracé dans l'immensité blanche. La petite bête, qui avait réussi à échapper aux gnomes par un long et étroit couloir rocheux, venait enfin de reprendre forme humaine après de trop longues heures d'un cheminement épuisant et dangereux.

Plus effondrée qu'assise sur une roche plate, devant un feu magique allumé de peine et de misère, l'Insoumise Lunaire, toujours vêtue de haillons, ne voyait pas l'heure de réchauffer ses os transis par de trop longues années de captivité. Elle avait l'impression que l'humidité des souterrains avait à jamais pénétré son corps meurtri et amaigri par un régime draconien et inadéquat. Elle avait été nourrie seulement pour assurer sa survie. Ses geôliers savaient trop bien que la moindre parcelle d'énergie qui pourrait lui revenir serait utilisée dans le but de regagner l'air libre. Dix années s'étaient ainsi écoulées depuis sa capture sur les terres glaciales du territoire des Insoumises. Dix ans ! Elle n'oublierait jamais les quelques secondes d'inattention qui lui avaient valu ces longues années de captivité. Quel gâchis ! Elle ne devait pas penser à tout ce qu'elle avait perdu, sinon elle en pleurerait pendant des mois. Elle devait plutôt relever ses manches et tenter de reprendre des forces le plus rapidement possible. Elle ne se leurrait pas : la route serait longue avant qu'elle ne retrouve toutes ses capacités, celles qui lui avaient valu le bannissement et la marque des Insoumises de même qu'une renommée certaine. Elle rit doucement malgré l'amertume qui l'habitait. Croyaient-ils vraiment, tous autant qu'ils étaient, que le fait de la bannir et de l'isoler du reste du monde suffirait à lui faire oublier qui elle était et ce dont elle était capable ?

Lentement, elle se remémora les derniers mois de sa captivité, les rares moments heureux qu'elle avait connus à la suite des récents événements survenus sur la Terre des Anciens, puis à l'arrivée de Mévor. Elle repensa au ravel, à sa surprise quand elle avait compris la valeur de ce qui était attaché à sa patte gauche : une fiole d'Anibal. Elle avait contemplé la potion un certain temps avant de la boire, comme si elle désirait fixer à jamais les courants argentés dans sa mémoire. Pourtant, avec ce souvenir vinrent aussi la colère et le ressentiment. Elle n'avait toujours pas pardonné sa trahison d'autrefois à Wandéline. Si cette sorcière croyait aujourd'hui que son aide suffirait à effacer la douleur causée par la perte d'un être cher, elle se trompait lourdement. Rien ne pourrait jamais la racheter aux yeux de l'Insoumise, rien ni personne.

Un courant glacé s'engouffra à l'intérieur de la grotte, la faisant frissonner. Si elle ne trouvait pas bientôt de quoi se vêtir convenablement, elle pourrait certainement dire adieu à cette existence qu'elle avait si chèrement défendue au cours des dernières années. Mais comment faire pour reprendre rapidement un semblant de vie normale ? Elle ne pourrait utiliser le dixième de ses pouvoirs avant longtemps et il ne restait personne avec qui elle pouvait communiquer par télépathie, enfin personne qui puisse lui venir en aide en ce moment même... La seule et unique bonne nouvelle dans sa situation actuelle résidait dans le fait que d'avoir été bannie et marquée du Sceau des Insoumises la rendait indétectable, pour tous sans exception et quelle que soit la lignée d'origine, un effet surprenant, mais aussi une bénédiction dans le contexte actuel.

Son ventre cria famine, dans une plainte déchirante qui lui noua douloureusement l'estomac. La faim était devenue, avec le temps, un état permanent pour elle. La tête lui tourna bientôt et les nausées s'ajoutèrent à sa torture. Avant même qu'elle ne trouve une solution à son problème, elle s'évanouit, autant de fatigue que de faim et de soif. Les flammes magiques s'éteignirent en même temps que son regard.

* *
*

Contrairement à ce que l'Insoumise croyait, sa présence était toujours décelable pour deux êtres. L'un d'eux arriva quelques minutes à peine après qu'elle eut perdu connaissance. Même s'il était conscient de l'urgence de la situation, il ne put s'empêcher de prendre quelques secondes pour contempler le visage de celle qu'il avait crue à jamais perdue. Une douzaine d'années s'étaient écoulées depuis leur dernier contact, trop éphémère ; des années au cours desquelles il n'avait eu de cesse de penser à elle, sachant qu'elle était nécessairement quelque part puisqu'il vivait toujours. La délivrance de son état n'avait pas totalement annulé le sort qui les liait, il le savait.

Sans effort apparent, l'homme prit la femme dans ses bras et s'éclipsa, sans un bruit, pour reparaître aux confins des Terres Intérieures, où il avait trouvé refuge depuis trop longtemps déjà. S'amorça alors une longue et difficile réhabilitation. Un nouvel espoir naissait.

- 27 -

Réunion

Je dormis par intermittence durant les heures qui suivirent, observant la trajectoire de la lune dans l'attente que le soleil se lève enfin. Aux premières lueurs de l'aube, n'en pouvant plus, je me levai et sortis de la grotte. Ayant jeté un œil sur les plaines en contrebas, je fus momentanément rassurée. Personne ne venait dans notre direction, d'aussi loin que je puisse voir. Je regagnai notre abri de fortune et ranimai le feu à l'aide des braises qui couvaient toujours sous la cendre chaude. Madox me rejoignit quelques minutes plus tard, s'étirant paresseusement.

– Eh bien ! Tu es matinale ! Aurais-je ronflé au point de t'empêcher de dormir ?

– Pour être franche, j'ai très mal dormi, mais tu n'y es pour rien.

Je lui racontai le rêve qui avait écourté ma période de repos, pourtant bien mérité. Il m'écouta jusqu'à la fin, sans m'interrompre. Lorsque j'eus enfin terminé, j'attendis sa réaction. Il ne parla pas tout de suite, passant une main dans la barbe qu'il n'avait pu raser depuis plusieurs jours déjà, réfléchissant. Comme cet état se prolongeait un peu trop à mon goût – j'avais déjà attendu une bonne partie de la nuit –, je me permis de couper court à sa réflexion.

– Il doit bien y avoir quelque chose que tu puisses me dire sans avoir à réfléchir jusqu'à demain, dis-je, un peu bourrue.

Visiblement, il ne s'attendait pas à cette brusque réaction de ma part. Je ne lui laissai pas le temps de dire quoi que ce soit, mais j'adoucis tout de même le ton.

– Je sais que je ne suis pas très patiente, mais j'en ai un peu marre de toujours devoir demander des explications chaque fois qu'il m'arrive quelque chose qui dépasse mon entendement. Inutile de te dire, d'ailleurs, que j'ai l'impression qu'il ne m'arrive que ça ! Aussi, je pense que je suis en droit d'être sur les nerfs. Désolée que mon ras-le-bol tombe sur toi...

Il retrouva son éternel sourire.

– Oh ! ça va. Je me disais juste qu'il aurait été préférable que cette exaspération se déchaîne en présence d'Alix, puisqu'il est en grande partie responsable de cet état de choses. Mais comme vous semblez incapables de vous décider, à savoir si vous vous plaisez ou non...

L'atmosphère se détendit complètement après cette boutade. Force m'était d'admettre qu'il n'y était pour rien, mais le souvenir d'Alexis s'accompagna tout de même d'un pincement au cœur. Je ne pouvais pas dire s'il me plaisait vraiment, mais je savais une chose : le fait d'avoir un protecteur, même récalcitrant, me rassurait.

– Ce n'est pas que je ne veuille pas te répondre, c'est juste que je cherche la meilleure façon de m'exprimer sans qu'on s'embrouille trop. J'essaie également de voir ce qu'il serait préférable de faire. Nous ne disposons pas d'une grande marge de manœuvre, car Mélijna doit déjà savoir où tu as refait surface. La seule chose qui puisse jouer en notre faveur, c'est que les hommes envoyés à tes trousses par le sire de Canac ne peuvent nous rejoindre que par les voies terrestres ; il n'y a pas de magie possible puisqu'Alejandre ne veut surtout pas leur confirmer ton importance. Si certains d'entre eux apprenaient qu'ils pourchassent une véritable Fille de Lune, ils ne te ramèneraient jamais au château ; ils trouveraient plutôt le moyen de te vendre au plus offrant dans les Terres Intérieures.

– Comment se fait-il que Mélijna n'ait envoyé personne nous cueillir à notre sortie ? Elle devait bien pouvoir suivre ma trace dans les couloirs souterrains, non ?

– Justement, non. Les gnomes protègent leurs territoires des sorcières et des mages depuis des millénaires. Chaque entrée est ensorcelée pour qu'aucune forme de magie ne puisse y pénétrer, sauf celle provenant de leur propre communauté. C'est pour cette raison que Wandéline souhaitait qu'ils acceptent de nous cacher. Elle espérait nous faire ainsi gagner un temps précieux sur nos poursuivants.

– Alors comment Wandéline a-t-elle pu se rendre magiquement dans les souterrains ?

Madox me regarda, surpris. Vraisemblablement, il n'avait pas pensé à cela. Il haussa les épaules.

– Je serais bien embêté de te répondre. Je présume qu'elle a dû, un jour, obtenir une espèce de laissez-passer de la part des gnomes, uniquement pour se déplacer, et qu'elle a été assez futée pour trouver le moyen de le conserver à long terme. Cette femme laisse rarement échapper un privilège qu'elle a chèrement acquis. Il m'arrive parfois de l'admirer, même si je ne suis pas d'accord avec la plupart de ses agissements.

– Est-ce que tu crois qu'elle est au courant de la mort de Maxandre ?

– Bien sûr ! Elle a toutefois été assez sage pour utiliser ses pouvoirs et ses connaissances autrement qu'en revendiquant au grand jour un titre qu'elle savait lui être fortement contesté. Je la soupçonne de mieux tirer son épingle du jeu dans la position où elle se trouve actuellement que si elle était à la tête de femmes quasi inexistantes. Par contre, je serais curieux de connaître ses véritables intentions pour l'avenir...

– Et tu ne trouves pas étrange qu'elle ait demandé aux gnomes de nous conduire à la Montagne aux Sacrifices ?

– Pas du tout. En fait, elle souhaitait déjà que je te conduise au sanctuaire pour qu'une partie des pouvoirs que tu portes en toi se réveille. C'est une des particularités de cet endroit mystique. Il permet de libérer des forces intérieures et des dons qui refuseraient de se révéler autrement, bien qu'il ne donne malheureusement ni la liste des pouvoirs ainsi libérés ni leur mode d'emploi. Wandéline savait pertinemment qu'Uleric voulait te rencontrer avant que tu n'ailles là-bas, question de vérifier s'il n'était pas préférable de restreindre tes capacités. À tort ou à raison, il craint que les ambitions d'Acélia la Maudite et de certaines de ses descendantes ne soient toujours présentes dans ta petite personne. Wandéline a jugé qu'il n'était pas du ressort d'Uleric, qu'elle estime fort peu comme tu le sais, de décider de ton destin, de tes connaissances et de tes talents. Elle voulait que tu aies en main le plus d'atouts possible pour te défendre en cas de besoin. J'avoue que c'était ce qu'il y avait de mieux à faire dans les circonstances.

Je poussai un soupir exaspéré.

– Comment connais-tu les intentions de Wandéline alors que je n'ai pas eu connaissance que tu lui aies parlé ?

– Tout simplement parce qu'il n'y a pas que les Filles de Lune qui soient capables de télépathie. C'est à la portée de tous les êtres possédant des pouvoirs magiques ; il suffit d'un peu de pratique, me répondit Madox, avec un sourire toujours aussi resplendissant.

– Et c'est dans le but de me raisonner qu'on t'a envoyé à ma rencontre, je présume. Uleric espérait que je suivrais docilement mon petit frère, trop contente de me découvrir de la famille dans ce monde hostile. Je me trompe ?

– Oui et non. Il ne sait pas que tu es ma sœur. Je constate cependant avec plaisir que tu as compris que les méthodes des « bons », sur cette terre étrange, sont souvent identiques à celles des plus mauvais joueurs. La seule différence étant que ces derniers ne peuvent prétendre agir pour le bien de tous, tandis que les premiers ne s'en privent pas !

– Pour ma part, je constate surtout que, peu importe l'univers dans lequel on se trouve, les gens agissent toujours de la même façon. C'est pathétique, ajoutai-je, dégoûtée. Et quelle peine encourras-tu pour avoir désobéi à l'ordre de me ramener à ce cher Uleric ?

– Aucune ! Tu sembles oublier que nous avons tous les deux la même mère. Il est donc tout aussi impossible de me suivre sur ce continent, cette particularité s'étendant indifféremment aux deux sexes chez les descendants des Filles de Lune maudites. La seule condition est que la personne possède certains dons hors du commun. Uleric ne peut donc compter que sur ma bonne foi et ma volonté à suivre ses directives.

– Et, à ce que je vois, tu fais preuve d'une mauvaise foi évidente et d'une volonté défaillante, dis-je, le sourire aux lèvres.

– Je te rappelle que j'ai bien essayé de te convaincre hier soir, mais que tu n'as pas voulu accéder à ma demande...

– J'aurais pourtant cru qu'on s'obstinerait à envoyer Alexis à ma rencontre, répliquai-je, soudain caustique, puisqu'il semble obligé de me coller aux fesses à cause de je ne sais quel sortilège...

– Sois certaine que si Alix avait eu envie de continuer, après votre bras de fer verbal dans l'écurie, ce n'est pas moi qui te ferais la causette en ce moment. Mais il avait besoin de s'éloigner de toi pendant quelque temps, autant pour son bien que pour le tien, et j'étais la seule personne qui pouvait véritablement le remplacer. Il n'a pas encore tout à fait accepté son rôle de Cyldias désigné, situation dont Uleric n'est d'ailleurs pas au courant. Ce dernier soupçonne plutôt Alix de ne pas faire les efforts nécessaires pour te conduire jusqu'à lui.

J'eus un ricanement amer.

– Dieu sait pourtant que c'est ce qu'Alexis essaie de faire depuis le début, ne serait-ce que pour être enfin débarrassé de mon encombrante personne. Je n'aurais jamais cru, avant de le connaître, pouvoir devenir une telle source d'ennuis pour quelqu'un que je connais si peu. À l'entendre, je suis une catastrophe ambulante qui menace sa vie et son avenir, bien que je ne comprenne pas encore exactement pourquoi ni comment...

Madox avait l'air de prendre plaisir à me voir exprimer mon exaspération face à la conduite de son ami, ce qui eut le don de me mettre davantage hors de moi. Je ne voyais pas ce qu'il pouvait y avoir de drôle dans ce que je vivais en ce moment.

– Et toi, qu'est-ce que tu penses de lui ?

Cette question me prit au dépourvu. Mon exaspération tomba à plat d'un seul coup. Je restai silencieuse durant quelques secondes avant de répondre :

– En toute honnêteté, je l'ignore. Il a quelque chose de mystérieux à mes yeux, mais comment pourrais-je t'expliquer ce que j'éprouve, toi qui viens d'un monde aussi différent du mien ?

– Essaie tout de même...

– C'est le rêve de toutes les femmes d'avoir un homme pour les protéger quoi qu'il advienne, un homme qui sache se défendre à l'épée, comme les chevaliers du Moyen Âge, un homme qui...

Je m'interrompis, me sentant soudain tellement idiote ! C'était effectivement le Moyen Âge et ma situation n'avait rien d'un film romantique ou d'un conte de fées. Mon protecteur m'avait en horreur et je risquais de ne jamais rentrer chez moi vivante. Rien à voir avec le prince charmant sur son cheval blanc ! Je hochai la tête à plusieurs reprises, me forçant à revenir à la réalité.

– J'ai parfois l'impression que je suis en train de tomber amoureuse de la seule personne qui ne recherche pas désespérément ma présence dans ce monde de fous. Et à d'autres occasions, je n'ai qu'une envie : lui tordre le cou parce qu'il refuse de comprendre ce que je me tue à lui expliquer... C'est pathétique ! Et terriblement enfantin comme comportement. En plus, je ne saurais même pas te dire pour quelles raisons il m'attire. À part sa belle gueule, bien sûr...

Je m'ébrouai, avant de changer de sujet.

– Nous ferions bien de nous remettre en route si nous voulons que je puisse être un jour d'une quelconque efficacité pour cette terre.

Madox ne l'entendait toutefois pas ainsi.

– Il vaudrait mieux que je t'explique dès maintenant ce qu'est un Cyldias, *un vrai*. Pas ceux qu'Uleric a formés pour les remplacer et qui n'ont de Cyldias que le nom, mais ceux qui le sont de façon innée. Je t'avertis tout de suite : ce rôle n'a rien d'une sinécure.

Il m'expliqua longuement en quoi consistait la fonction d'un Cyldias désigné. Je n'eus ensuite aucune peine à comprendre pourquoi Alexis souhaitait, plus que tout au monde, se départir de cette obligation envers moi. J'avais moi-même l'impression que cette tâche avait un côté inhumain de par son lien quasi éternel et cette peine de mort pour mon protecteur résultant inévitablement de la mienne.

– Personne n'est en mesure de lever un sortilège comme celui-là ?

– Pas à ma connaissance. Il faudrait un Sage particulièrement puissant pour ça...

Il marqua une pause.

– Aussi, je persiste à croire qu'il vous serait plus facile de supporter cette situation si vous étiez plus près l'un de l'autre au lieu de vous chercher continuellement querelle. Je ne pourrai pas toujours remplacer Alix à tes côtés, je ne suis qu'une solution temporaire...

– Je veux bien faire des efforts, dis-je en soupirant, mais je ne suis pas certaine que mon Cyldias soit prêt à en faire autant. C'est bien beau de vouloir se rapprocher, mais je te signale, au cas où tu ne t'en souviendrais pas, qu'Alexis est marié. Je doute que ma présence, aussi précieuse soit-elle pour ce monde, ait la même importance aux yeux de Marianne...

Je laissai ma phrase en suspens. J'ignorais si quelqu'un était au courant que la femme d'Alexis était la première responsable de mon incarcération dans les donjons du château des Canac et je n'avais guère envie de m'étendre sur le sujet.

Madox eut un sourire sans joie.

– Marianne ne peut rien changer à la situation, quoi qu'elle puisse en penser.

– Ce qui ne l'empêchera sûrement pas d'essayer...

La remarque avait fusé derrière moi, mais je préférai ne pas me retourner. Depuis quand était-il là ? De toute manière, cela n'avait pas la moindre importance. Je ne savais tout simplement pas comment accueillir un homme pour qui je représentais un fardeau. Rien de ce que je pourrais dire ou faire ne changerait la situation à ses yeux... ou aux miens. Madox, pour sa part, s'était déjà levé pour donner l'accolade au nouveau venu, qui apparut soudainement dans mon champ de vision. Je restai clouée sur place, incapable d'articuler le moindre son. L'arrivée d'Alexis était la dernière chose à laquelle je m'attendais. J'eus tout de même l'honnêteté de m'avouer que cette brusque apparition me chavirait plus que je ne l'aurais voulu.

Après avoir salué mon compagnon, Alexis se tourna vers moi. J'eus au moins la satisfaction de constater qu'il n'était guère plus à l'aise que moi. Une première qui me changeait de ses sourires narquois et de son air suffisant.

– Il semble que nous nous retrouvions toujours dans des situations quelque peu... étranges tous les deux. Étant donné que vous êtes désormais au courant de la portée de mon rôle, je propose que nous remettions une fois de plus à une date ultérieure certaines euh... discussions. Il est plus urgent que nous parvenions là-haut avant d'être rattrapés par les sbires à la solde de mon cher frère.

Tout en parlant, il jeta un coup d'œil à Madox qui s'efforçait, tant bien que mal, de garder son sérieux.

– Si vous voulez mon avis, nous dit-il, l'air franchement insolent, vous avez l'air d'avoir...

– Merci, mais on n'a pas besoin de ton avis.

Alexis et moi avions parlé à l'unisson, ce qui nous arracha un faible sourire.

– De toute façon, je crois que ce n'est ni l'endroit ni le moment pour ce genre d'échanges, dis-je. Je suppose, bien que mon frère n'en ait pas fait mention, que vous êtes capable de me retrouver n'importe où sur cette terre, Alix...is ?

Je me rendis compte que je ne voulais pas l'appeler Alix, cette familiarité m'apparaissant comme une limite à ne pas franchir. Il ne se priva d'ailleurs pas de me faire remarquer que c'était effectivement le cas.

– Pour vous, c'est Alexis, me rembarra-t-il. J'ai beaucoup trop d'amitié pour les gens qui m'appellent Alix pour vous compter parmi eux...

Je ravalai une réplique acerbe, tout en me promettant de lui faire payer cette méchanceté gratuite. Il poursuivait, sans même se préoccuper de mon surprenant manque de réaction :

– Toujours savoir où vous êtes fait partie des *avantages* de ma situation.

La façon dont il avait prononcé le mot « avantage » ne me donna vraiment pas l'impression que c'en était effectivement un à ses yeux, si ce n'est pour savoir à quel endroit il ne voulait surtout pas être.

– Mais je ne peux pas vous suivre dans les couloirs des gnomes. Même la magie des Cyldias n'y opère pas. J'ai dû attendre que vous reveniez à l'air libre.

– Ce que j'aimerais savoir, c'est comment vous avez fait pour vous retrouver si rapidement ici ?

Il soupira de lassitude, levant les yeux au ciel, tandis que Madox lui rappelait qu'il devait faire preuve de patience devant mon ignorance.

– Je veux bien, répondit Alexis, luttant visiblement contre son irritation, mais essaie de comprendre à quel point c'est difficile pour quelqu'un comme moi. Je te rappelle que ce n'est pas ma sœur...

– Il n'en tient qu'à toi de faire en sorte qu'elle te soit plus proche, laissa tomber Madox, l'air faussement innocent.

J'aurais voulu protester devant cette remarque lourde de sous-entendus, mais le regard qu'Alexis lança à mon frère me donna à penser que je ne saisissais pas l'entière portée de la phrase. Mon protecteur ferma les yeux un instant et reprit, d'une voix où l'effort de patience était manifeste :

– Vous vous souvenez...

Madox jugea bon de l'interrompre une fois de plus.

– Si vous cessiez de vous vouvoyer, vous y gagneriez singulièrement tous les deux. Ça ne vous engage à rien, ajouta-t-il précipitamment, fusillé du regard par Alexis, si ce n'est que vous aurez peut-être moins l'impression d'entretenir une relation de travail...

– Mais *c'est* une relation de travail, fulmina l'autre, se passant une main dans les cheveux. Et c'est précisément ce que tu ne sembles pas comprendre ! Je ne désire pas de rapprochement entre nous. D'ailleurs, il me semble déjà t'avoir expliqué pourquoi ...

Sur ce, Alexis se tourna vers moi et reprit où il avait laissé.

– Vous vous souvenez que je vous ai déjà mentionné qu'il y avait des moyens de voyager plus rapides que d'autres ?

À ces mots, notre rencontre dans les cachots et le bref rapprochement qui l'avait terminée s'imposèrent si soudainement à mon esprit que je fermai les yeux. Je m'empressai de les rouvrir, décidée à ne plus y penser.

– Oui, et vous aviez aussi souligné qu'ils étaient plus désagréables...

Désagréables étaient aussi les souvenirs qui menaçaient de refaire surface en même temps que cette conversation. Je n'avais pas la moindre envie de raviver l'image d'Alejandre. Probablement pressé d'en finir avec mon ignorance, Alexis ne sembla pas remarquer mon trouble.

– C'est vrai. Toutefois, je n'ai pas voyagé par la volonté de Mélijna aujourd'hui, mais bien par la mienne, ce qui fait toute la différence.

M'obligeant à porter attention à ce qu'il disait, je demandai plus d'explications.

– Certaines personnes ont la possibilité de se déplacer par la seule force de leur volonté, mais tous ne peuvent pas le faire selon les mêmes règles. Ce don en est un qu'on doit développer et enrichir. Pour ma part, je ne peux me déplacer que vers des endroits que j'ai déjà visités par le passé. C'est aussi le cas de la plupart des gens qui partagent cette caractéristique. Par contre, quelques rares personnes parviennent à aller où elles veulent, quand elles le veulent, qu'elles y soient ou non allées auparavant. Comme Wandéline et Mélijna, par exemple. Ces dernières ont aussi la faculté d'amener à elles les gens qu'elles désirent voir, même sans leur consentement. C'est ce genre de voyage qui est le plus douloureux, parce qu'il se fait contre la volonté de la personne transportée. Lorsque l'esprit lutte contre cette magie, mais que le corps s'y plie, on se sent déchiré ; la sensation est atroce. Je sais qu'il est possible de résister à ces voyages forcés, mais j'en suis toujours incapable après des années d'essais infructueux.

Son ton amer trahissait combien devaient lui coûter ses échecs répétés. En ce qui me concernait, je comprenais enfin comment il avait pu se retrouver au château quelques jours avant moi.

– Pourquoi Mélijna ne se sert-elle pas de ce moyen pour me ramener à elle ? demandai-je bêtement.

– Parce que même si vous êtes toujours incapable d'utiliser le centième de vos pouvoirs, votre corps, de par votre naissance, refuse ce genre de traitement. Croyez-moi, je donnerais cher pour maîtriser ce pouvoir naturellement.

– Pour une fois que ma naissance sert à autre chose qu'à me causer des ennuis...

Ma remarque m'attira l'approbation de mes compagnons.

– Ne croyez-vous pas que nous devrions entreprendre notre ascension maintenant ? demanda Alexis, probablement las de répondre à mes interrogations. Il est grand temps que cette demoiselle apprenne à se servir de ses capacités au lieu d'attendre qu'on la tire sans cesse des mauvais pas dans lesquels elle a le don de se fourrer. Bien que je sois tenu de la protéger, qu'elle puisse le faire elle-même dans certaines occasions me simplifierait grandement la tâche...

Cette remarque fut lancée avec un effort de courtoisie évident, ce qui évita que je ne réplique de façon acerbe. Je ne pus m'empêcher de penser que le responsable du plus mauvais pas dans lequel je me retrouvais sans cesse voyagerait malheureusement à mes côtés pendant les jours suivants. Je m'abstins cependant d'en faire mention au principal intéressé. Il n'aurait probablement pas manqué l'occasion de me rappeler qu'il n'avait pas demandé à m'accompagner. Il ne se préoccupait d'ailleurs pas de ma réaction, fouillant dans le sac qu'il portait au dos quelques instants plus tôt.

– Je crois que ceci vous appartient, dit-il, en tendant la main vers moi.

La dague que j'avais apportée dans mes maigres bagages lors de mon départ du monde de Brume reposait dans sa paume ouverte. Je me rappelai l'avoir perdue durant ma courte lutte pour échapper aux hommes de Simon. Je la récupérai avec un certain soulagement, bien que je ne sache pas pourquoi exactement. Il me semblait préférable qu'elle soit entre mes mains plutôt que dans celles de quelqu'un d'autre. Je ne demandai pas à mon protecteur comment il avait pu la retrouver ; il ne m'en dit pas plus.

« Conservez-la précieusement » fut son seul commentaire.

* *
*

Dans les profondeurs du château des Canac, tandis que ses forces l'abandonnaient de plus en plus rapidement, Mélijna ne manqua pas de ressentir le contact de Naïla avec la dague d'Alana. La douleur fut si vive que la sorcière crut un instant que c'était la fin de sa longue vie.

« Heureusement qu'elle ne l'a pas tenue plus longtemps entre ses mains, pensa la vieille avec soulagement. Je n'aurais pas eu la force de résister... »

Si ses Traqueurs ne trouvaient pas bientôt une jeune Fille de Lune, Mélijna n'aurait d'autre choix que de quitter ce monde sans avoir assouvi sa vengeance.

– C'est Alexis qui serait heureux que je tire enfin ma révérence..., murmura la sorcière avec amertume.

* *
*

Après avoir ramassé nos couvertures et déjeuné sommairement, nous entreprîmes de gravir la montagne par des sentiers escarpés. Madox en profita pour mettre Alexis au courant du rêve que j'avais fait la nuit précédente. La fatigue qui se fit rapidement sentir dans tous mes membres se voulait un cruel rappel de mon séjour prolongé au château des Canac et me démoralisa quelque peu.

À mi-chemin de notre destination finale, la question de ma grossesse fut abordée dans un climat de malaise facilement compréhensible. Je n'avais guère envie d'en discuter, mais je dus admettre qu'il n'y aurait probablement jamais de moment propice pour le faire. Compte tenu des circonstances entourant la conception et des liens de parenté unissant le géniteur et Alexis, la situation risquait de rester indéfiniment explosive. Autant en finir tout de suite. Je doutais cependant qu'on puisse parvenir à un quelconque consensus. Je savais d'ores et déjà que je me montrerais intraitable.

* *
*

– Si je comprends bien, il est impossible de se débarrasser de cet encombrant fardeau par la magie ou les méthodes traditionnelles, répéta Alexis pour la dixième fois au moins, ce qui eut le don de m'exaspérer.

Il me fit face en m'entendant soupirer bruyamment.

– Désolé, je sais que je me répète, dit-il sur un ton d'excuse. Je suis parfois surpris de constater à quel point certains mages ou sorciers parviennent à exercer une magie qui surpasse celle de leurs semblables. Après plus de mille ans, ce sortilège se transmet toujours de mère en fille. Ça dépasse l'entendement ! À ma connaissance, personne n'a été à même de produire des formules aussi puissantes depuis l'époque de Darius.

– Ce Darius aurait été plus inspiré de foudroyer sur-le-champ celui qui se permettrait de violer ses instructions au lieu de m'obliger à porter des monstres qui n'ont pas demandé à voir le jour...

– Cet aspect de la question mérite en effet réflexion, approuva Alexis. Il est vrai que cela nous aurait diablement simplifié la vie.

Je passai sous silence ce que j'avais l'intention de faire après ma visite obligée là-haut et celle que je voulais faire à Morgana. Ils n'auraient certainement pas apprécié de m'entendre dire que je retournerais tout bonnement chez moi pour remédier, avec les méthodes modernes, à cet état contraignant. Si la magie n'avait pas empêché Miranda de mettre au monde une enfant sans pouvoirs mais normale, je ne voyais pas comment cette même magie pourrait interférer dans un avortement pur et simple. Maxandre avait elle-même mentionné qu'elle ne pouvait projeter sa puissance magique dans les autres mondes par sa seule volonté. Elle devait absolument se *rendre* dans ces univers pour que sa magie y opère. Je présumais qu'il en allait de même pour tout un chacun. Il ne me restait qu'à trouver le moyen de voyager comme Alexis et, surtout, réussir à revenir à l'époque que j'avais quittée. Pour cela, j'espérais que l'aïeule de Meagan pourrait me donner des éclaircissements. Devant l'impasse que représentait ma grossesse pour le moment, je ramenai la conversation vers mon rêve de la nuit précédente.

– Allons-nous bientôt rencontrer les créatures avec lesquelles Maxandre a parlé ?

Ce fut Alexis qui me répondit, Madox n'étant encore jamais venu sur cette montagne.

– Je n'en sais trop rien. Les chinorks n'accepteront pas de nous laisser traverser leur territoire aussi facilement. Leur réputation de gardiens des lieux n'est pas surfaite et ce n'est pas non plus un hasard si leur peuple est toujours en poste malgré le temps écoulé depuis la mort de Darius. Ils ne tolèrent aucun manquement aux lois et aux coutumes et respectent jusqu'à la mort les serments qu'ils font à ceux qui ont accès à ces lieux divins.

– Vous êtes déjà venu ? lui demandai-je.

Il opina du chef en silence.

– Dans ce cas, comment pouvez-vous ne pas savoir où ils vivent ?

– Ils n'habitent pas au niveau du sanctuaire, mais plus haut encore, près du sommet, là où les neiges sont éternelles. Personne ne s'est jamais risqué à cette altitude, l'air y étant plus rare. Ces créatures sont les seules à pouvoir y vivre en permanence sans crainte d'en mourir. Contrairement à nous, les chinorks peuvent se mouvoir par magie sur cette montagne, mais seulement dans les limites des territoires qu'ils protègent. C'est un pouvoir que leur a accordé Darius, au moment de leur venue dans les monts environnants.

– Ça signifie qu'ils peuvent faire leur apparition n'importe où, n'importe quand sur cette montagne immense ?

– En effet...

– Je vois..., dis-je simplement, me sentant soudain moins sûre de vouloir continuer.

Puis je fronçai les sourcils. Quelque chose me chicotait.

– Lorsqu'on voit ces êtres pour la première fois, ils donnent l'impression d'être des créatures primitives avec une intelligence qui l'est tout autant... Et pourtant, ils peuvent user de la magie et parlent comme...

Alexis m'interrompit :

– Les chinorks sont une création de Darius. Le grand homme les a délibérément conçus pour endormir la méfiance et susciter un sentiment de supériorité en leur présence. Croyez-moi, ça fonctionne à merveille. Beaucoup se sont fiés aux apparences et ont alors commis des fautes qui ont causé leur perte. Les chinorks ne respectent qu'une poignée d'humains, ceux qui détiennent des pouvoirs supérieurs aux leurs. Les autres sont purement et simplement considérés comme des ennemis à abattre.

– Les Êtres d'Exception ont-ils droit à ce respect ? questionnai-je.

– Pas tous, non. Les Déüs et certains enfants de mages seulement.

Je regardai Alexis, curieuse de savoir s'il faisait partie de l'une ou l'autre des catégories puisque Madox m'avait dit qu'on ne savait pas d'où provenaient les jumeaux ramenés à Nathias comme étant ses fils.

– Je présume que j'ai des origines plus nobles que certains ne le croient puisqu'ils ne m'ont pas mis en pièces la dernière fois que je les ai rencontrés. Mais je le répète : je ne sais pas quelle sera leur réaction en votre présence. Rien ne prouve que votre rêve soit une vision authentique, même si je conviens que c'est fort possible.

À peine Alexis finissait-il sa phrase que cinq gigantesques silhouettes se matérialisèrent devant nous. Je n'eus aucune peine à reconnaître Yodlas parmi les nouveaux arrivants. Nous serions bientôt fixés sur leurs intentions, amicales ou non.

- 28 -

Alejandre et le Traqueur

Faisant les cent pas dans ses appartements, le sire de Canac ne décolérait pas. Il y avait maintenant plus d'une semaine que la Fille de Lune s'était enfuie du château et elle ne semblait toujours pas en voie d'y revenir bientôt. Rien ne se déroulait comme prévu et sa patience était depuis longtemps épuisée. Il ne comprenait pas encore comment Mélijna n'avait pu prévoir que cette garce réussirait à leur fausser compagnie en leur absence. Alejandre avait eu beau faire exécuter tous les archers présents ce jour-là, de même que l'un des gardiens de la « suite » où était détenue Naïla – l'autre était parvenu à s'enfuir –, le fond de l'histoire restait nébuleux.

Son projet d'expédition dans les Terres Intérieures risquait également d'être mis en veilleuse. Le recrutement ne se déroulait pas comme il l'avait espéré ; à ce jour, seulement mille hommes s'étaient enrôlés, même si ses recruteurs se rendaient loin dans les terres habitées et parcouraient sur les domaines des autres seigneurs. Les radotages des vieux sur les légendes de la Terre des Anciens alimentaient la réticence des jeunes face à l'enrôlement. Le sire de Canac soupçonnait également la Quintius de recruter pour son propre compte plutôt que de dissuader les hommes d'embrasser la cause de la guerre. L'influence de l'organisation se faisait de plus en plus sentir au fil des années et le but poursuivi semblait se modifier, ainsi que Mélijna l'avait prédit. Beaucoup s'attendaient à voir un jour la Quintius se lancer sur les traces des trônes perdus avec l'aide de sorciers qu'elle aurait elle-même formés avec les enfants doués supposément morts alors qu'elle tentait de les exorciser.

Personne ne pouvait plus s'approcher de l'Orphelinat des Sages, où l'on gardait les enfants magiques dont les parents ne savaient que faire. Mélijna en avait découvert l'emplacement, une dizaine d'années plus tôt, grâce à une mère éplorée qui était venue demander de l'aide au château. Elle avait changé d'avis et voulait reprendre son enfant, qu'elle avait elle-même conduit là-bas. La sorcière avait rompu le sortilège d'amnésie pour fouiller sa mémoire, avant de la tuer pour éviter qu'elle ne révèle à d'autres ce qu'elle savait.

Certes, penser à Mélijna n'aidait pas Alejandre à apaiser sa colère. Depuis deux jours maintenant, la sorcière refusait obstinément de le recevoir dans ses quartiers, mais sans lui donner la moindre explication. Il se demandait si elle n'était tout simplement pas en train de mourir. Il n'avait pas été sans remarquer que sa santé déclinait depuis leur rencontre avec les mancius. Se pouvait-il, contrairement à ce qu'il croyait, que la vieille ne soit pas immortelle ?

Avec un soupir, le sire de Canac jeta un œil par la fenêtre de la tour où se trouvaient ses appartements. Le paysage et le lac, en contrebas, ne lui apportèrent pas l'apaisement habituel. Il y vit plutôt renaître le souvenir des créatures que Vigor donnait en pâture à Ylas, le serpent marin qui habitait le plan d'eau ; les nymphes ne vivaient pas éternellement au château et le monstre appréciait particulièrement leur chair. Alejandre était chaque fois surpris de voir apparaître une nymphe dans les cachots, peu importe à quelle espèce elle appartenait. Mélijna réussissait toujours à repérer celles qui s'aventuraient sur la péninsule et à les conduire jusqu'au domaine, à l'aide de sa magie. Elle se servait ensuite de leurs pouvoirs et de leurs caractéristiques uniques pour accroître ses propres facultés et réaliser des filtres et des potions qui nécessitaient une part de leur sang si particulier. En effet, chacune des espèces de nymphe avait une couleur de sang spécifique de même que des dons et des pouvoirs s'y rattachant. Jusqu'à présent, il savait que Mélijna avait réussi à recueillir le sang vert foncé d'une hamadryade, espèce qui veillait sur les forêts, celui, d'un bleu limpide, d'une océanide, la nymphe qui protégeait les océans, de même que celui, gris terne, d'une oréade, protectrice des montagnes, et d'une névéide au sang pourpre, qui assurait auparavant la garde du lac au pied du château. Toutes avaient vécu pendant plusieurs années dans les profondeurs de la forteresse avant de rendre l'âme, incapables de rééquilibrer leur organisme aussi souvent que le demandaient les prélèvements de la sorcière et les tortures qu'elle leur infligeait pour les obliger à livrer leurs secrets. Étrangement, deux des nymphes avaient vu leurs forces les abandonner au cours des semaines de captivité de la Fille de Lune. Était-ce un signe du destin ?

Voilà que ses pensées le ramenaient inévitablement à la jeune femme qu'il était censé épouser dans moins d'une semaine. Encore et toujours, il en revenait à la Fille de Lune, celle par qui sa vie entière pourrait prendre un nouveau tournant, mais qui refusait de l'aider dans la poursuite de ses projets. Elle ne comprenait donc pas que la gloire et la richesse l'attendaient nécessairement si elle mettait au monde l'héritier de la prophétie ?

Avec un nouveau soupir, plus profond encore que les précédents, Alejandre sortit dans les couloirs de sa vaste demeure pour tenter, une fois de plus, de rejoindre sa sorcière, sous le château. Mélijna ne pouvait pas le tenir dans l'ignorance plus longtemps. Elle lui devait une explication et le jeune homme était bien décidé à l'obtenir. Une surprise de taille l'attendait, cependant.

Arrivé au pied de l'escalier qui menait au repaire de Mélijna, Alejandre ne se buta pas à une porte fermée, comme il s'y attendait, mais à une porte grande ouverte. Avec une certaine appréhension, il pénétra dans la pièce, mais il ne vit rien d'anormal, si ce n'est que la sorcière brillait par son absence. Le feu brûlait toujours, récemment alimenté, l'éternel chaudron plein de mixtures étranges encore suspendu à la crémaillère. Nulle trace, toutefois, du ravel et de sa propriétaire... La colère d'Alejandre atteignit de nouveaux sommets face à cet affront. D'un geste rageur, il balaya de la main la table de travail de Mélijna, envoyant valdinguer fioles, grimoires et instruments magiques sans le moindre remords. Satisfait, il regarda les potions se répandre sur le sol, les longues traînées multicolores se mélangeant parfois dans un grésillement. Des odeurs entêtantes se propagèrent rapidement. Les pages de deux grimoires s'imbibèrent, l'encre se délavant lentement, emportant avec elle les formules qui les noircissaient précédemment.

Le sire de Canac s'apprêtait à quitter les lieux quand un miroitement étrange, sur l'une des flaques de potions, lui fit lever les yeux vers la voûte. Ce qu'il y vit lui fit instantanément oublier sa colère et ses humeurs de la journée. L'image en suspension montrait clairement le visage de deux femmes aux traits semblables ; seul l'âge les différenciait. Mais c'est leurs yeux dissemblables qui attirèrent l'attention du seigneur. Ainsi, Mélijna avait repéré de nouvelles Filles de Lune, mais elle n'avait pas jugé bon de le lui dire. Dans quel but ?

* *
*

Mélijna avait ingurgité à la hâte une potion lui redonnant forces et énergie, puis elle avait quitté son antre. Les effets de la mixture étant éphémères, elle devait se presser. Ce n'est qu'une fois sur le territoire de Sagan, à l'extrémité sud du continent, que la sorcière réalisa qu'elle avait oublié de faire disparaître l'image de sa découverte. Il était trop tard pour revenir en arrière. Il ne lui restait plus qu'à souhaiter qu'Alejandre ne descende pas pour lui rendre visite une fois de plus. Elle avait de bonnes raisons d'espérer que le jeune homme ne soit jamais au courant de la venue de deux nouvelles Filles de Lune, une mère et sa fille. Elle voulait garder cette arrivée secrète parce qu'elle savait que ces femmes ne vivraient pas assez longtemps pour que quiconque l'apprenne. Mélijna se servirait d'elles pour reprendre des forces – deux fois plutôt qu'une – et accroître sa longévité une fois de plus. Son Traqueur n'aurait pu choisir meilleur moment pour lui faire parvenir la grande nouvelle ; la sorcière était pratiquement arrivée à la fin de sa vie quand la vision lui était apparue. Elle avait voulu voir, dans cette traversée, le signe que ses rêves les plus chers se réaliseraient enfin dans un proche avenir. De fait, elle fit bientôt connaissance avec les deux femmes, à quelques mètres du passage qui les avait amenées sur la Terre des Anciens. Celui-ci était une porte ouverte sur Golia, monde des géants. Elle venait de faire d'une pierre deux coups.

*   *
*

Contrairement à ce que croyait Mélijna, la venue des deux nouvelles Filles de Lune fut également perçue par une autre personne. Du fond de son refuge, à flanc de montagne, la Recluse sut immédiatement qu'un passage vers la Terre des Anciens avait enfin servi, après quelques centaines d'années de dormance. Elle allait devoir jouer serré si elle voulait venir en aide à ces femmes avant que quelqu'un de malveillant ne les retrouve...

- 29 -

La faute de Yodlas

Je n'aurais su dire si le regard des chinorks était hospitalier ou non. Consciente que les humains n'étaient pas leurs plus grands amis, je ne savais pas non plus comment entreprendre avec eux un dialogue que je désirais amical. J'espérais que ma prodigieuse faculté à pouvoir parler n'importe quelle langue, sans l'avoir apprise, me serait une fois de plus utile. Toutes ces pensées se bousculèrent dans ma tête en l'espace de quelques secondes seulement, le temps qu'Alexis brise la glace.

Il s'adressa à Yodlas d'une voix grave, dans un dialecte dont les sonorités s'apparentaient aux grondements sourds du tonnerre. Quelques instants me suffirent pour que ce dialogue trouve encore une fois aisément le chemin de la traduction ; j'avais oublié que je l'avais précédemment compris en rêve. L'accueil ne me parut cependant pas des plus cordiaux ; je sentais poindre une franche hostilité sous les propos.

– Que nous vaut ta présence cette fois, sire de Canac ? Il y a maintenant bien longtemps que tu ne t'es déplacé aussi loin à l'extérieur des terres sans la protection de ta sorcière. Serions-nous enfin débarrassés de sa fort désagréable gouverne ou viens-tu nous donner une fois de plus, comme ton père avant toi, des directives que nous n'aurons nulle envie de suivre ? Si tel est le cas, nous ne te retenons pas. Notre patience a des limites, que vous avez tous les deux outrepassées depuis un certain temps déjà. Tâchez de vous en souvenir, cela vaudrait mieux pour vous. Et maintenant, si tu n'y vois pas d'inconvénients, nous aimerions regagner nos monts enneigés sans avoir besoin de t'expulser au préalable.

Yodlas jeta un rapide coup d'œil dans notre direction. De toute évidence, c'est Mélijna qui avait hérité de la place de Maxandre, ou l'avait usurpée, ce qui était beaucoup plus probable... Je n'eus pas le temps de poursuivre ma réflexion ni de voir comment Alexis allait rétablir les faits puisqu'une vague de froid me submergea. En l'espace de quelques secondes, mes membres s'engourdirent comme si le sang n'y circulait plus et je me sentis sombrer doucement dans l'inconscience. Puis la tendance s'inversa aussi soudainement qu'elle était apparue ; j'eus l'impression de me blottir dans un cocon de chaleur alors que mes membres retrouvaient leur entière mobilité. Lorsque j'ouvris les yeux, ce fut pour me retrouver flottant doucement dans ce qui avait l'apparence d'une bulle de verre, à une trentaine de centimètres du sol. Je regardai autour de moi et croisai des regards extrêmement surpris, mais surtout étrangement respectueux, dans les rangs des chinorks. Quoi que je venais de faire sans en être consciente, j'étais convaincue d'avoir gagné à jamais la confiance de ce peuple.

Aussi rapidement qu'elle avait dû se former, la bulle de protection disparut, sans doute parce que toute forme de danger était désormais écartée.

Avant que je n'aie ouvert la bouche, Yodlas fit face à Alexis. La colère qui assourdissait sa voix ne présageait rien de bon.

– Où l'as-tu trouvée, cette fois ? Tu espères peut-être que nous serons à nouveau les complices de tes manigances ?

– Yodlas, attends...

Je mis quelques secondes à réaliser que c'était moi qui venais de parler. Lorsque tous les regards se tournèrent dans ma direction, je compris que cette requête avait franchi mes propres lèvres. Ayant obtenu l'attention générale, j'aurais dû en profiter, mais je ne savais plus que dire. Depuis mon arrivée dans ce monde, je cultivais avec brio l'art d'avoir l'air d'une sombre idiote. Alexis se réveilla soudainement et reprit les rênes de la conversation, à mon grand soulagement.

– C'est un malentendu, Yodlas, je ne suis pas l'homme que tu crois. Je...

Mais ce dernier semblait peu enclin à écouter celui qu'il prenait toujours pour le sire de Canac. Les chinorks resserrèrent sensiblement leurs rangs autour de nous. Si je croyais être protégée, je n'étais pas du tout certaine que ce fut le cas de mes deux compagnons. Et si ces créatures pensaient que j'étais sous l'emprise du frère d'Alexis, ils risquaient de ne pas se montrer des plus tendres envers mon Cyldias. Je tentai donc, encore une fois, la voie de la communication.

– Je suis venue parce que Maxandre me l'a demandé.

Je n'ajoutai rien de plus et attendis leur réaction, le cœur battant. Yodlas arrêta son mouvement vers Alexis, dont je préférais ignorer la nature, pour s'approcher de moi et m'observer. Ne pouvant tourner la tête – il n'en avait pas ! –, c'est son corps en entier qu'il bougea. Je soutins son regard scrutateur sans ciller. La méfiance que je lisais dans ses yeux ne me rassura guère.

– Maxandre ne croyait pas qu'il restât des Filles de Lune vivantes et inconnues en ce monde lorsqu'elle l'a quitté. Vous ne pouvez donc pas venir à sa demande. De toute façon, vous êtes beaucoup trop jeune pour avoir connu la grande Gardienne.

Le ton de Yodlas m'avertissait clairement de ne pas le prendre pour un imbécile. Il se tenait juste devant moi et devait mesurer environ cinquante centimètres de plus que ma petite personne. Rien pour me mettre en confiance. Il pouvait aisément me casser en deux si l'envie lui en prenait. Je souhaitai soudain ardemment qu'une forme de magie me protège effectivement des éventuelles sautes d'humeur de ce géant. Je nuançai prudemment mes propos.

– Je ne l'ai pas rencontrée, c'est vrai, mais c'est tout de même son souhait que je me rende au sanctuaire. Pouvez-vous simplement me permettre de m'expliquer et laisser également parler l'homme qui m'accompagne, que vous prenez vraisemblablement pour un autre ? Si nos arguments ne vous satisfont pas, vous pourrez toujours vous débarrasser de nous, dis-je avec plus de gentillesse que je ne m'en croyais capable, vu mon état d'énervement.

Surpris par mon brusque changement de ton, Yodlas accepta. Je traçai brièvement un portrait de la situation, histoire de ne pas abuser de la bonne volonté de nos hôtes. Mon songe de la dernière rencontre de Yodlas avec Maxandre se révéla exact. Quant à Alexis, il se contenta de soulever sa chemise et montrer au chef des chinorks quelque chose que je ne vis pas. Cela eut un effet immédiat. Tout malentendu se dissipa sur-le-champ et la petite troupe de gardiens proposa de nous guider vers notre destination finale.

Nous avancions lentement, n'ayant pas l'endurance physique des chinorks ni l'habitude des montagnes. Nos guides firent montre d'une grande patience à notre égard, acceptant de faire de nombreuses pauses pour nous permettre de les suivre sans trop de peine. De longues heures plus tard, nous nous arrêtâmes pour la nuit. La montée ardue vers le sommet se prêtant difficilement à la conversation, Alexis profita de cet arrêt pour clarifier davantage la situation. Les explications sommaires de la matinée firent place à plus de détails me concernant. Il en profita également pour demander à quand remontait la dernière visite de son frère.

Yodlas manifesta une certaine réticence à répondre à cette question. Un de ses compagnons lui dit alors que ce ne pouvait qu'être une bonne chose que des étrangers au clan sachent ce qui se passait réellement depuis une vingtaine d'années. Yodlas ne semblait pas d'accord, arguant que cela risquait de nuire encore plus à son peuple et qu'il hésitait toujours à faire totalement confiance à des humains, aussi bons puissent-ils paraître. La discussion dégénéra rapidement. Finalement, Yodlas se leva, la mine sombre. Il quitta le cercle que les marcheurs formaient autour d'un feu et reprit son ascension, malgré l'heure tardive. Alexis fit mine de le suivre, mais le jeune chinork à l'origine de la discussion le retint.

– Laissez-le. Il sait que vous devez être informé de ce qui se passe, mais son orgueil lui commande de ne pas rester pour l'entendre. Il se sent responsable de ce qui est arrivé la première fois qu'une Fille de Lune est venue jusqu'ici, quelques années après le décès de Maxandre, même si personne ne l'en a jamais blâmé. Il a l'impression d'avoir failli à ses obligations et se remet constamment en question depuis. Les visites de Mélijna et du sire de Canac n'apportent chaque fois que des ennuis.

Il soupira avant d'en revenir à Yodlas.

– Il reviendra, ne vous en faites pas. Je crois qu'il s'en veut également de ne pas avoir compris que vous aviez un jumeau. Il a longtemps ruminé votre supposée trahison, il y a quelques années, croyant que vous aviez d'abord choisi de nous respecter lors d'une première visite pour mieux profiter de notre position de gardiens au cours de vos visites suivantes. Personne, dans nos rangs, ne s'est jamais douté qu'il existait deux sires de Canac identiques. Les informations que nous avions recueillies parlaient seulement d'un frère avec lequel Alejandre ne s'entendait pas, rien de plus...

– Il n'y a qu'un seul sire de Canac et c'est mon frère, mentionna Alexis avec amertume. Mais je comprends fort bien la position de votre chef, puisque j'ai moi-même contribué à ce que vous ayez cette impression.

Le chinork fixa Alexis d'un air surpris.

– Je me suis effectivement présenté à Yodlas comme étant le sire de Canac. J'ai délibérément usurpé l'identité de mon frère pour me rendre jusqu'ici. Je savais que Yodlas connaissait son existence par le biais de Mélijna. Cette dernière s'était empressée de revendiquer le titre de grande Gardienne des Passages, avant que Wandéline ne puisse le faire. Je voulais voir comment vous réagissiez à ce bouleversement. Je soupçonne d'ailleurs cette prise partielle de pouvoir d'être à l'origine du dernier changement d'allégeance de Wandéline. Cette dernière a dû se dire qu'il valait mieux être dans le clan opposé à celui de sa consœur pour réussir à lui reprendre ce semblant de position. De toute façon, comme il n'y avait plus d'Élues à gouverner, ce titre perdait beaucoup de valeur.

Le chinork enchaîna à la place d'Alexis.

– Sans oublier que Maxandre n'a pas fait de passation des pouvoirs, comme l'exige la tradition. Elle a pratiquement laissé à Yodlas le soin de lui trouver une véritable remplaçante, possédant non seulement les capacités et la volonté, mais aussi un cœur exempt de méchanceté et de convoitise. C'est surtout pour cette dernière raison que Yodlas s'en veut autant et ne peut tourner la page. Le talisman de Maxandre est désormais perdu et tant que nous ne parviendrons pas à le retrouver, il y a peu d'espoir que les gardiennes aient un jour à leur tête une dirigeante digne de ce nom. Il est également ardu de retrouver les Filles de Lune restantes, puisque sans le savoir et les pouvoirs de Maxandre, il est pratiquement impossible de se rendre dans les autres mondes. Le seul espoir qu'il nous reste, c'est que ces femmes reviennent par leurs propres moyens. Malheureusement, elles sont beaucoup trop craintives pour le faire, sachant qu'elles seront traquées et probablement éliminées si elles refusent de coopérer. Tout ça sans compter celles qui ne savent tout simplement pas qui elles sont...

Je jetai un œil à Madox et à Alexis pour me rendre compte qu'ils semblaient presque aussi perdus que moi devant ce déluge d'informations. Je décidai donc de sortir de mon mutisme et de poser les questions qui s'accumulaient dans mon pauvre crâne sur le point d'exploser. Je m'aperçus soudain que je ne connaissais même pas le nom de notre interlocuteur.

– Euh... Monsieur..., fut tout ce que je trouvai à dire pour m'introduire dans la conversation.

Le principal intéressé éclata de rire devant mon air gêné.

– Je m'appelle Mélus.

– Eh bien, Mélus... J'avoue que je suis un peu perdue...

Le retour de Yodlas ne lui donna pas le temps d'éclaircir ses propos. Le jeune chinork céda la parole à son chef de bonne grâce, vraisemblablement heureux de ce revirement.

– Je vous offre mes excuses les plus sincères. Mon comportement est indigne d'un hôte envers des invités. Je...

Alexis ne le laissa pas se torturer inutilement.

– Reprenez plutôt le récit de Mélus...

Yodlas esquissa un sourire contrit.

– D'accord... Je vais tenter de résumer clairement ce que vous devez absolument savoir.

Son regard se perdait dans le lointain, faisant renaître ses souvenirs.

– Bien avant que vous ne voyiez le jour tous les trois, les Filles de Lune appartenaient déjà aux légendes, au même titre que les Êtres d'Exception. Quand Maxandre nous a quittés, elle était triste de savoir que les femmes dont elle avait théoriquement la garde n'existaient vraisemblablement plus que dans les mondes parallèles au nôtre. Sa consolation, c'était de les savoir ainsi en sécurité, loin de la convoitise des descendants de Mévérick, puisque sans l'une d'elles, ils ne pouvaient franchir les passages sans en subir les terribles conséquences. Vous me suivez jusqu'ici ?

J'acquiesçai en même temps que mes compagnons.

– C'est plutôt la succession de Maxandre qui nous intrigue, précisa Madox. Nous pensions qu'elle se faisait automatiquement entre les Filles de Lune restantes, même si elles n'avaient pas été assermentées. Nous...

Yodlas intervint sans prévenir.

– Maxandre savait que ni Wandéline ni Mélijna ne pourraient accomplir la tâche sans succomber à l'appel du camp adverse et que la Recluse n'avait tout simplement pas le droit d'être nommée. Voilà pourquoi elle n'a pas passé les pouvoirs avant de monter au sanctuaire. Elle savait que, si elle mourait sans faire le nécessaire, c'est Alana qui devrait trancher et lui trouver un successeur, ou encore, attendre qu'une véritable

Fille de Lune apte à lui succéder revienne sur cette terre. Contre toute attente, la déesse se rangea à l'opinion de Maxandre selon laquelle personne sur la Terre des Anciens ne pouvait décemment prendre sa place. La protectrice des gardiennes scella donc l'essence même de Maxandre dans un talisman qu'elle laissa dans la grotte, attendant patiemment qu'une femme digne de ces pouvoirs vienne en prendre possession. Il s'écoula une dizaine d'années au cours desquelles Wandéline et Mélijna se disputèrent la succession de la vieille femme, bien que certains aient cru que Wandéline avait tout de suite renoncé à prendre le relais de Maxandre.

Je me souvins que c'était effectivement ce que Madox m'avait raconté le matin même. Je n'étais guère étonnée que ces deux femmes aient réussi à si peu attirer l'attention. Ce monde semblait porter des œillères perpétuelles...

– À tour de rôle, elles montèrent au sanctuaire à plusieurs reprises. Jamais elles ne purent mettre la main sur le précieux talisman, incapables, semble-t-il, de franchir le seuil de cet endroit sacré. Un jour, Mélijna vint accompagnée d'une autre jeune femme aux yeux dissemblables.

Le regard de Yodlas se voila de tristesse en même temps que le mien et celui de Madox. Je ne connaissais pas encore la raison de la mélancolie du chinork, mais pour Madox et moi, le souvenir de notre mère flotta un instant.

– Aujourd'hui, je sais que cette jeune femme obéissait aveuglément à Mélijna, qui la tenait sous son emprise, mais à l'époque, j'ai sous-estimé les pouvoirs de cette sorcière. Surtout, je ne croyais pas qu'on puisse utiliser ce genre de magie sur une Fille de Lune, compte tenu que les capacités de ces dernières sont beaucoup plus grandes que celles de simples sorcières, aussi noirs puissent être leurs desseins et leur magie.

– Mélijna est une Fille de Lune, non ? Elle doit posséder les mêmes facultés que celles qui gardent les passages ? demandai-je alors.

C'est Madox qui me répondit.

– Même si Mélijna a reçu des dons à sa naissance, elle doit trouver seule le moyen de les faire progresser. Les Sages, de même qu'Alana, n'octroyaient de grands pouvoirs qu'aux femmes assermentées, qui réussissaient les épreuves et qui obtenaient la garde d'un passage en particulier, en plus de veiller sur tous les autres. Les très rares Filles de Lune rejetées ne pouvaient compter que sur elles-mêmes si elles voulaient progresser. Comme il était pratiquement impossible de trouver quelqu'un qui ne soit pas un Déüs ou un Sage pour leur enseigner, elles devaient nécessairement se tourner vers les forces des ténèbres pour parvenir à leurs fins. Inutile de te dire qu'après les avoir formées, les véritables sorciers n'avaient aucune peine à les convaincre de se joindre à eux pour se venger d'avoir été rejetées.

– Pourquoi ne les gardait-on pas dans nos rangs ? questionnai-je. Elles auraient pu nous être utiles, même sans avoir la garde des passages. Surtout que les Sages et les Déüs devenaient de plus en plus rares.

– Parce qu'il fut décidé, au tout début, qu'il n'y aurait qu'une gardienne par génération, le savoir se transmettant de mère en fille. Pendant plusieurs siècles, la situation ne posa aucun problème puisque les gardiennes parvenaient à enfanter au moins une fois avant de se consacrer à la garde du passage qui leur était assigné. Au moment où sa fille prenait la relève, la femme en poste se voyait confier diverses missions d'enseignement et d'aide dans les mondes parallèles alors que sa petite-fille commençait déjà son apprentissage pour un jour remplacer sa mère. C'est l'origine de celles qu'on traquait et accusait de sorcellerie dans ton monde. C'est du moins ce que croyait Andréa.

Je saisis ce que ma mère avait compris, autrefois. Dans l'histoire de Brume, les herboristes, les guérisseuses, les femmes qu'on disait vouer un culte au diable ou propager la maladie et la mort étaient presque toujours des femmes seules et sans enfant, quel que soit leur âge. Il était plus que probable que certaines d'entre elles aient effectivement été des Filles de Lune. Il est parfois étrange de découvrir la source de certains préjugés ou comportements qui persistent à travers le temps.

– Mais n'avez-vous pas dit qu'il n'y avait que quelques femmes à l'origine des Filles de Lune ? C'est bien peu comparativement au nombre de sorcières que mon monde semble avoir accueillies par le passé.

Madox répondit une fois de plus.

– Les Filles de Lune ne vieillissent pas au même rythme que le reste de la population, à l'instar des Êtres d'Exception, des Déüs et des Sages. Leur espérance de vie se situe autour des deux à trois cents ans, parfois même plus...

Je classai cette nouvelle révélation dans un recoin de mon cerveau, de peur de ne plus pouvoir me concentrer sur ce que disait mon frère. La perspective de devoir affronter des problèmes comme ceux que j'avais actuellement pendant plus de deux siècles encore risquait de me rendre folle si je m'y attardais.

– Mais même avec la possibilité de vivre aussi longtemps, cela n'explique pas leur nombre élevé, insistai-je.

– Pour répondre aux besoins des différents mondes sans avoir trop de femmes sur qui garder un œil, les Sages choisirent la plus simple des solutions : le sortilège de Murial. Ils créaient ainsi plusieurs copies d'une même Fille de Lune.

– Tu veux dire qu'ils multipliaient plusieurs fois la même femme ?

– Exactement ! Sachant que chaque copie ressemblait en tous points à l'originale, qui avait déjà fait preuve de dévouement et de loyauté, ils étaient tranquilles.

Voilà qui expliquerait les nombreux témoignages de gens qui disaient avoir vu des femmes parfaitement identiques – presque toujours des sorcières, en l'occurrence – à plus d'un endroit à la fois.

– Elles étaient aussi très faciles à reconnaître si, pour une raison ou une autre, quelqu'un avait pour mission d'en retrouver une. Chacune portait en effet un tatouage sur la hanche droite : noir pour les Élues, vert pour les copies. Nos Sages avaient pensé à tout.

– Avaient-elles toutes la même espérance de vie ?

– Non ! Seule la véritable Fille Lunaire avait le privilège de vivre beaucoup plus longtemps.

– Et si l'une d'elles voulait fonder une famille de l'autre côté ?

– Chacune n'avait le droit d'enfanter qu'une seule Fille de Lune – la première à naître –, pour assurer la relève. Il lui revenait ensuite de décider si elle avait envie d'avoir d'autres enfants, filles ou garçons.

– Maman a bien eu Laédia sur la Terre des Anciens ! ripostai-je, comme si je voulais le prendre en défaut.

En entendant le mot « maman », Yodlas plissa les yeux pour m'examiner attentivement. Personne n'avait pensé à l'informer que Madox et moi étions les enfants de la Fille de Lune qu'il avait rencontrée dans ces montagnes quelques dizaines d'années plus tôt. Alexis, à qui jamais rien ne semblait échapper, s'empressa de dresser un bref portrait de la situation pour le bénéfice des chinorks. Ces derniers se tournèrent vers Madox et moi avec curiosité, mais s'attardèrent surtout sur moi. Je les soupçonnais de chercher des ressemblances. Je leur souris, ne voyant pas ce que je pouvais faire d'autre, avant d'enjoindre Madox à continuer.

– Personne n'a dit qu'elle ne pouvait plus enfanter de fille, mais bien que seule la première d'entre elles aurait des pouvoirs hors du commun et des yeux comme les tiens. Les Sages ignoraient que tu avais déjà vu le jour sur la terre de Brume et que ton père était issu de l'élite. Ils croyaient plutôt que notre mère mettrait enfin au monde une Fille de Lune pour assurer la survie de la lignée. Ce n'est qu'à la naissance de Laédia, qui n'avait aucune particularité, qu'ils ont compris que maman avait déjà engendré l'héritière qu'ils espéraient...

– C'est pourquoi ils ont envoyé quelqu'un par le passage maudit pour me retrouver..., supputai-je.

Alexis me regarda avec étonnement tandis que Madox détournait les yeux un instant.

– Nathaël n'est jamais revenu, dit mon protecteur. Que lui est-il arrivé ?

– Il est mort, fis-je platement. Il n'a survécu que quelques minutes à la traversée. C'est le hasard qui a fait que j'étais là, rien de plus. J'ai compris le sens de ce qu'il avait dit quelques semaines seulement avant de venir ici, alors que je l'ai vu mourir il y a plus de dix ans.

– Même si j'étais très jeune à l'époque, je me souviens que maman a fait une crise épouvantable quand les Sages ont voulu envoyer quelqu'un te chercher, énonça Madox, le regard perdu dans le vague et la voix soudainement nostalgique. Plus tard, elle m'a raconté qu'elle ne voulait surtout pas que tu viennes sur la Terre des Anciens si jeune. Face à l'intransigeance des Sages, elle a donc fait mine d'accepter l'inévitable pour mieux te protéger. Elle s'était toutefois juré que Nathaël n'arriverait pas à la bonne époque ou qu'il ne survivrait pas au voyage. J'ignore comment elle s'y est prise, mais il semble qu'elle ait réussi l'un comme l'autre...

Un long silence accueillit ce récit. Ainsi, ma mère avait délibérément envoyé quelqu'un à la mort pour m'éviter les problèmes dans lesquels j'allais moi-même m'enfoncer plus tard.

– Ta mère t'avait donc laissée à la garde de ton père, qui ne savait rien de tes origines, je suppose ? me demanda Alexis, me faisant sursauter et brisant par la même occasion le malaise qui s'était installé.

– Je ne sais pas qui est mon père, dis-je dans un haussement d'épaules. Je l'ai déjà mentionné à Madox.

Il me lança un regard incrédule avant de dévisager mon frère, qui haussa les épaules lui aussi, l'air de dire : « Désolé, j'ai oublié de t'en parler. » Il remédia sur-le-champ à cette lacune, expliquant ce qu'il avait découvert : mon père devait vraisemblablement faire partie de l'élite de la Terre des Anciens.

Les épaules d'Alexis s'affaissèrent sensiblement à cette révélation.

– Comme si nous avions besoin d'un problème de plus...

Yodlas toussota alors discrètement. Cela nous ramena au sujet premier de notre conversation.

– Vous avez demandé pourquoi les pouvoirs de Mélijna étaient moins grands que ceux des Filles de Lune assermentées, me rappela-t-il, tournant ensuite son torse vers Madox pour que ce dernier poursuive son explication.

– Pour éviter de m'égarer à nouveau dans les nombreux dédales de l'histoire de la lignée maudite, j'irai à l'essentiel. Les problèmes sont apparus le jour où une Fille de Lune a mis au monde des jumelles identiques. Celles-ci ont vite compris, en vieillissant, qu'il n'y aurait de place que pour l'une d'elles, puisque les Sages refusaient de modifier nos lois ancestrales. La suite était prévisible. La rancœur de celle qui fut mise à l'écart n'eut de cesse de grandir. La situation se serait rétablie d'elle-même avec la mort de la jumelle évincée, cette dernière n'ayant pas la longévité de sa sœur, mais c'était sans compter sa détermination et sa soif de vengeance. Dans les profondeurs de la magie noire, elle sembla avoir trouvé le moyen de vivre indéfiniment. Elle a aujourd'hui plus de quatre cent cinquante ans, et son savoir et sa magie ne cessent de grandir au fil du temps.

– Comment peut-elle avoir vécu si longtemps si elle n'est pas assermentée ? ne puis-je m'empêcher de demander.

– Personne ne connaît la véritable histoire de Mélijna, à part elle-même. La seule certitude, c'est qu'elle disparaît quand elle sent la vie la quitter, probablement le temps de refaire ses forces. Et nous ignorons toujours comment elle s'y prend. Elle refait ensuite surface au sein d'une famille descendante de Mévérick afin d'utiliser leur quête du trône d'Ulphydius, et la nécessité qu'ils ont de trouver une Fille de Lune pour accomplir la prophétie, pour atteindre le but qu'elle s'est fixé : la destruction pure et simple des Filles d'Alana... Puisque la lignée maudite existe toujours, c'est donc que Séléna a eu une fille et qu'elle est parvenue à la soustraire à la vindicte de sa sœur. Il a dû en être ainsi jusqu'à ce que nous arrivions à... toi.

Madox s'était tourné vers moi, espérant peut-être que je pourrais les éclairer sur le cheminement de ma lignée, depuis Séléna jusqu'à mon retour. Force me fut d'admettre que si je connaissais une partie de l'histoire, soit celle débutant avec Miranda, je n'avais aucune idée de ce qui avait précédé la venue de cette dernière sur la terre de Brume.

Incapables de joindre les deux tronçons de généalogie, nous revînmes à Mélijna.

– Voilà pourquoi elle convoitait tant le talisman de Maxandre ! comprit Yodlas. Il lui aurait permis de retrouver les Filles de Lune dispersées dans les différents mondes parallèles.

– C'est forcément ça ! approuva Alexis. Mais son plan ne s'est pas déroulé comme elle le prévoyait, puisque tu dis que le talisman est perdu et que les gardiennes n'ont toujours personne pour veiller sur elles depuis le décès de Maxandre.

– Oui... Et c'est malheureusement de ma faute.

Le débit du chinork s'accéléra sensiblement, comme s'il était pressé d'en finir avec le récit de son erreur.

– Lorsque Mélijna est apparue avec une véritable Fille de Lune, j'ai respecté le souhait de cette dernière de se rendre là-haut, espérant que ce serait celle que Maxandre attendait.

Je leur ai proposé de les accompagner, comme je l'ai fait pour vous. Mais Mélijna m'a fait comprendre qu'elle n'avait pas besoin de créatures toujours fidèles à Maxandre. Je me suis opposé à ce qu'elles se rendent seules au sanctuaire. C'est à ce moment que la jeune femme s'est interposée. Elle assurait qu'elle avait toute confiance en Mélijna pour la protéger et qu'elle préférait ne pas avoir d'escorte.

Yodlas soupira bruyamment.

– Je ne vois pas en quoi vous êtes responsable de la perte du talisman si vous êtes resté ici. Vous n'avez fait que respecter les demandes d'une gardienne, releva Alexis avec justesse.

– Ce n'est malheureusement pas si simple. La jeune femme qui accompagnait Mélijna n'était pas encore une gardienne ; je pouvais donc lui imposer la présence d'un de nos représentants. Toutefois, j'ai choisi de lui faire confiance, de même qu'aux forces qui gardent l'entrée du sanctuaire. Je savais que celles-ci empêcheraient Mélijna d'y entrer : seules les Filles de Lune assermentées ou sur le point de l'être y ont accès, de même que de rares Sages...

Le chef de clan s'arrêta un instant. Il prit une grande inspiration avant de poursuivre.

– À peine étaient-elles parties que je regrettais ma faiblesse. Je profitai du fait que mon peuple est seul autorisé à se déplacer par magie sur la montagne pour les attendre près de l'entrée du sanctuaire.

Yodlas m'observa un moment, en silence. Je ressemblais probablement davantage à ma mère que je ne le croyais...

– Elles arrivèrent deux jours plus tard, en début d'après-midi. Il ne fallut que quelques minutes pour que mes doutes soient justifiés. Mélijna s'est mise à parler dans la langue sacrée des gardiennes. La jeune femme a hoché plusieurs fois la tête en signe d'assentiment, avant de tourner les talons et de pénétrer dans la grotte. Elle en est ressortie un peu plus tard, serrant un petit objet dans sa main droite. Mélijna a tendu la main vers elle, une lueur d'avidité au fond des yeux. Elle allait enfin mettre la main sur le talisman qu'elle convoitait depuis de nombreuses années.

– Comment pouvait-elle espérer entrer en possession du savoir et des pouvoirs qu'il contenait puisqu'elle n'est pas une Fille de Lune reconnue ? Le sanctuaire lui refusait l'accès, non ?

– Il le lui refusait, en effet, parce que je l'ai vue rebrousser chemin à plus d'une reprise, fortement mécontente et profondément humiliée. Par contre, rien ne pouvait me garantir qu'elle ne possédait pas la magie nécessaire pour extraire du talisman les informations dont elle avait besoin. Au lieu de faire confiance à Maxandre pour la protection de l'amulette, j'ai commis l'erreur de douter.

– Et tu as voulu l'empêcher de la prendre, n'est-ce pas ? demanda Madox. Ta présence n'a pas dû lui plaire, hein ?

– Ça, pour ne pas lui plaire... Elle est entrée dans une colère terrible en découvrant que je les espionnais. Elle m'a menacé de je ne sais combien de sortilèges horribles et de mises à mort atroces si elle croisait mon chemin en dehors de la montagne qui m'accorde sa protection. Mais le pire, c'est que pendant qu'elle hurlait, elle a perdu le contact nécessaire à la possession de l'esprit de la jeune femme. Cette dernière est alors sortie de sa transe et est entrée dans une colère toute aussi terrible que celle de la sorcière en comprenant ce qu'elle s'apprêtait à faire. Craignant qu'elle ne se réfugie dans le sanctuaire, Mélijna a voulu l'en empêcher en créant un champ de force autour d'elle. Elle avait oublié que la montagne ne permet pas ce genre de magie contre une Élue. Les forces qui s'opposaient ont donc créé une tempête d'énergie qui a duré quelques minutes. Lorsque le calme est revenu, Mélijna ne s'est pas immédiatement rendu compte que l'objet sacré avait disparu des mains de la Fille de Lune. En rompant la détention psychologique, la jeune femme avait récupéré suffisamment de facultés pour pouvoir mettre le talisman en lieu sûr. Ensuite, je ne sais plus...

Le regard de Yodlas se porta au-delà des flammes. Il revoyait probablement une scène dont nous ne serions jamais témoins.

– Quand les miens m'ont retrouvé, il faisait déjà nuit. Nulle part, il n'y avait de trace des deux femmes. S'il est impossible d'arriver là-haut par magie, il est par contre possible d'en repartir. Il était inutile d'essayer de les retrouver...

– Et je présume que ma mère a emporté le secret de l'amulette avec elle ?

– Sûrement. Pratiquement personne ne connaissait l'existence de ce pendentif. Il est donc peu probable qu'on se soit inquiété de sa disparition, mentionna Madox. Et comme notre mère n'avait personne à qui le léguer dans ce monde-ci...

– Il est tout de même possible qu'elle ait laissé un indice quelque part, quelque chose qui ne soit compréhensible que pour moi ou une autre Fille de Lune, dis-je avec espoir.

Madox esquissa une moue dubitative. Pas besoin qu'il le dise clairement pour comprendre qu'il n'y croyait pas du tout !

– Alors cette ascension devient inutile..., dis-je, en proie au découragement.

L'idée de m'être imposé cet exercice pour rien, dans mon état physique actuel, me fit grimacer de dépit.

– Je te rappelle, me dit Madox, que nous y allions d'abord pour que tu puisses jouir d'une partie de tes pouvoirs. Je crois que ça vaut toujours la peine de s'y rendre...

– ... compte tenu de vos piètres performances jusqu'à maintenant, ajouta Alexis avec un sourire insolent.

Question de retenir une réplique assassine, je me concentrai sur le pendentif.

– Savez-vous à quoi ressemble ce talisman, Yodlas ?

Le chinork haussa les sourcils avant de les froncer, mais sans piper mot. J'attendis, pensant qu'il réfléchissait à la meilleure façon de le décrire.

– C'est étrange que vous me posiez cette question parce que je me rappelle me l'être moi-même posée, longtemps après les événements. J'ai le regret de vous dire que je n'en ai pas la moindre idée. Pourtant, je suis certain de l'avoir vu dans les mains de votre mère. Je suis désolé...

– Oh ! Ce n'est pas grave, m'efforçai-je de le rassurer, tâchant de ne pas avoir l'air trop déçu. Je me demandais simplement...

Je ne terminai pas ma phrase, plongée dans mes pensées. Le souvenir qui avait jailli de ma mémoire se précisait. Je plissai les yeux, cherchant à en capter les détails.

– Tu te demandais quoi, au juste ?

La question venait de mon frère, mais Alexis semblait tout aussi intéressé à connaître la réponse.

– Avant de traverser vers la Terre des Anciens, je me suis rendue à deux reprises près de la pierre de voyage, en plein jour, et je l'ai touchée, juste pour voir s'il se passerait quelque chose.

Une lueur de compréhension traversa le regard de mon Cyldias, mais je négligeai de lui en demander la raison, obnubilée par les images qui se bousculaient dans ma tête.

– La première fois, le visage d'une vieille femme s'est imposé à mon esprit ; je sais aujourd'hui que c'était Mélijna. La deuxième fois, la sorcière s'est à nouveau imposée, mais un jeune homme l'a rapidement remplacée – je pense que c'était vous, dis-je en m'adressant à Alexis. En fait, la vision fut si courte que je n'en suis pas certaine. Finalement, c'est un homme dans la quarantaine que j'ai vu. C'est cette dernière image qui a refait surface tout à l'heure, quand Yodlas parlait du talisman. L'homme était grand, vêtu d'une ample tunique bourgogne ceinturée ; ses cheveux, châtains, étaient longs et bouclés, et ses oreilles se terminaient légèrement en pointe. Il avait six doigts à la main gauche et je me souviens très bien qu'il tenait une cordelette de cuir au bout de laquelle pendait un étrange médaillon semblable à du bronze. On aurait dit un cercle, mais l'une des moitiés était hérissée de pointes. Je ne...

– C'est l'emblème de Maxandre ! me coupa Yodlas, d'une voix où perçait l'excitation. Un soleil enchâssé dans un croissant de lune. La grande Gardienne était née au moment même où le soleil cédait sa place à la lune, un soir d'hiver. Les derniers Sages disaient que c'était pour cette raison que ses pouvoirs s'étaient développés davantage, et surtout plus rapidement, que la majorité de ses consœurs. Ils croyaient que Maxandre avait hérité de certains dons de l'astre du jour en plus de ceux typiques aux femmes de la nuit.

Pendant que j'écoutais Yodlas, je remarquai que Madox et Alexis conversaient à voix basse, en m'observant. Mon frère fit non de la tête à plusieurs reprises, tandis qu'Alexis parlait toujours.

– Je peux savoir ce que vous complotez tous les deux ? lançai-je, un peu acerbe.

Soudainement songeur, Yodlas demanda à son tour :

– Se pourrait-il que vous ayez reconnu le métis porteur du talisman ? Est-ce un membre de la famille de Maxandre ?

J'intervins à nouveau.

– Pourquoi dites-vous que c'est un métis, Yodlas ?

Alexis répondit promptement à la place du chinork.

– Parce que malgré ses traits humains, cet être a six doigts et des oreilles pointues, caractéristiques propres aux elfes. La mère de Maxandre était une elfe de haut rang.

Il se tourna ensuite vers le chef de clan, répondant indirectement à sa première question.

– Il nous a effectivement semblé que la personne décrite par Naïla – l'entendre prononcer mon nom me procura une étrange sensation, peut-être parce qu'il prenait toujours bien soin de s'abstenir de le faire – ne nous était pas inconnue. Mais comme nous croyons peu probable que cet être soit toujours en vie, il vaut mieux que nous gardions cette hypothèse pour nous jusqu'à ce que nous soyons en mesure de la confirmer ou non.

Yodlas hocha la tête en signe d'assentiment, sans insister davantage. Je le trouvai beaucoup plus compréhensif que moi, qui bouillais littéralement de curiosité. Après tout, c'était *mon* souvenir et je jugeais que j'avais le droit de savoir qui était ce métis et pourquoi il m'était apparu si clairement. Je me promis de les interroger aussitôt que nous serions à nouveau seuls. Les deux hommes ne m'accordèrent même pas un regard quand ils se levèrent, vraisemblablement pour aller poursuivre leur conversation à l'abri des oreilles indiscrètes, y compris les miennes...

La lune était déjà haute lorsque nous nous couchâmes enfin. Je n'étais pas certaine d'avoir hâte au lendemain et, pour la millième fois au moins depuis mon arrivée, je me pris à espérer émerger bientôt de ce cauchemar, tranquillement étendue dans une chambre de la maison de Tatie.

- 30 -

La rencontre de Mévor

Wandéline oublia totalement le manuscrit d'Ulphydius et le sortilège de Vidas quand elle constata la gravité de l'état de son ravel. Un examen rapide mit au jour de nombreuses blessures. Cependant, aucune ne paraissait mortelle à court terme. Merci Alana ! Mévor représentait toute sa famille dans ce monde où ses ennemis se comptaient par dizaines et ses amis sur les doigts d'une seule main. Et c'était sans tenir compte des incommensurables services qu'il lui rendait, sans jamais faillir. Elle refusait de penser à ce que serait la vie sans lui.

Pendant plus de deux heures, elle se concentra sur les plaies de l'oiseau avec l'aide périodique de la magie ; elle ne reprit contact avec la réalité que lorsqu'elle fut intimement convaincue qu'elle ne pouvait rien faire de plus. Avec beaucoup de délicatesse, elle déposa l'hybride ailé sur un coussin improvisé et attendit patiemment qu'il ouvre les yeux. Comprenant fort bien ce qu'elle devait ressentir, Foch était resté à l'écart, continuant d'étudier avec application l'épais grimoire d'Ulphydius. Il avait fini par trouver une façon de tourner les pages sans que le volume magique s'y oppose.

Au bout de ce qui sembla une éternité à la sorcière, Mévor reprit conscience et croassa faiblement. Wandéline soupira d'aise et la tension des dernières heures se relâcha quelque peu. Même si elle savait que son fidèle compagnon aurait encore besoin de plusieurs jours de repos, elle voulait l'interroger dès maintenant sur ce qui lui était arrivé. Le ravel se remit à croasser ; ce qu'elle entendit la fit littéralement bouillir de colère. C'était l'oiseau de Mélijna qui avait attaqué Mévor, quelques minutes seulement avant que ce dernier ne parvienne à la cabane de sa maîtresse. Mais pourquoi ? Griöl n'avait aucune raison d'agir ainsi ; c'était même contraire à sa nature. De fait, les ravels ne devaient pas s'opposer les uns aux autres, à moins que leurs maîtres ne le fassent en leur présence. Cette règle très simple avait toujours été respectée depuis les tout premiers signes de vie sur la Terre des Anciens, alors que l'espèce était nombreuse et florissante. Pourquoi l'instinct de ces oiseaux aurait-il soudain changé ?

Quelqu'un qui ne connaissait pas les ravels aurait pu croire que la présence d'une femelle pouvait avoir une quelconque influence sur leur comportement, mais Wandéline savait pertinemment qu'il n'en était rien. Ces oiseaux hybrides et stériles naissaient d'œufs de poule sans coquille. Si l'on réussissait à recueillir l'œuf sans qu'il éclate, il suffisait ensuite de le laisser glisser dans un contenant rempli d'eau à laquelle on avait préalablement ajouté une pincée de poudre d'os humain, quelques gouttes de sang de grenouille et une dent de loup. On déposait ensuite le tout près de l'âtre qui chauffait doucement et en permanence. Avec un peu de chance, un ravel naissait enfin au bout de soixante-quinze jours...

Wandéline fut tirée de sa réflexion par une résonance particulière dans les croassements de Mévor. Un instant, elle douta d'avoir bien compris et elle demanda à l'oiseau de répéter.

– Tu es bien certain que c'est le prénom que tu as entendu ? demanda la femme en croassant elle aussi.

La sorcière ferma les yeux, comprenant enfin pourquoi le ravel de Mélijna avait attaqué Mévor avec autant d'acharnement. Celui-ci avait entendu son semblable répéter le nom de l'homme qu'il était chargé de retrouver sur le vaste territoire de la Terre des Anciens. Bien que ce prénom n'ait aucun sens pour Wandéline dans le contexte actuel, elle ne mit pas en doute la parole de son compagnon, considérant surtout la réaction de Griöl. Mélijna devait avoir d'excellentes raisons de rechercher quelqu'un portant ce prénom, à moins que... Mais cela n'avait tout simplement pas de sens...

– Est-ce que, par hasard, tu aurais perçu une image de la personne que devait retrouver Griöl ?

Les croassements de la sorcière reçurent une réponse affirmative presque instantanément. Wandéline demanda alors à Mévor de lui transmettre cette image en pensée, ce que l'hybride fit sur-le-champ. Elle regretta presque de voir son hypothèse la plus folle ainsi confirmée. Dans son esprit, un visage auréolé de longs cheveux roux s'imposa avec tellement de force qu'elle en fut secouée. Pour la première fois depuis que Mévor était à son service, elle osa mettre en doute ce qu'il avait vu et entendu. Elle ne voulait tout simplement pas croire qu'il fut possible que cet homme ait réussi à défier le temps et le vieillissement aussi longtemps.

Pendant de longues minutes, elle demeura silencieuse, réfléchissant à ce qu'il convenait de faire. Elle ne pouvait envoyer Mévor se charger de la même mission que Griöl, car il devait se reposer. Si seulement il était possible de savoir ce que Mélijna avait appris pour croire que Griöl ne chercherait pas en vain. Wandéline décida de ne pas informer Foch de la situation, voulant d'abord s'assurer de ce qu'elle avançait. Préoccupée, elle reprit la recherche des ingrédients nécessaires à la création de la complexe potion de Vidas.

Du coin de l'œil, le mage regarda Wandéline retourner à ses fioles ; il choisit de ne pas poser de questions. Il avait suffisamment vécu pour pressentir quand quelqu'un désirait s'épancher ou quand il valait mieux ne rien dire. Ce que Wandéline ignorait, toutefois, c'est qu'il avait perçu en même temps qu'elle la vision que Mévor avait transmise. Contrairement à la sorcière, il ne fut ni inquiet ni surpris. Par deux fois au cours de sa longue absence, il avait eu l'occasion d'être en contact avec le jeune homme dont le visage venait de lui apparaître. Néanmoins, pour autant qu'il ait pu en juger, celui-ci n'avait que bien peu de choses en commun avec son lointain ancêtre, même s'il lui ressemblait effectivement beaucoup. Le vieil homme avait choisi de ne pas ébruiter sa découverte pour deux raisons, la première étant que lui-même tenait à conserver un anonymat difficilement acquis. La seconde résidait dans le fait que l'homme en question ne recherchait pas les trônes perdus, mais plutôt une Fille de Lune que tous croyaient morte depuis plus de cinquante ans... Peut-être aurait-il dû tenter d'en savoir davantage quant aux raisons qui motivaient une telle recherche, mais il n'en avait rien fait. Dans ce monde, il avait rapidement compris que si l'on ne voulait pas entendre de réponses qui risquaient de nous déplaire, il valait mieux ne pas poser les questions qui les entraîneraient nécessairement. D'un haussement d'épaules, le vieil homme préféra chasser de ses pensées la dérangeante vision et reprendre sa lecture.

* *
*

Beaucoup plus tard, alors que la nuit avait depuis longtemps étalé son manteau de noirceur, Foch et Wandéline relirent, pour la centième fois au moins, les détails de la formule du sortilège de Vidas, de même que la liste complexe des ingrédients. Contrairement à ce qu'on aurait pu penser en les voyant, les deux mages ne désiraient pas réussir ce tour de force pour prolonger leur propre vie, mais bien pour mettre un terme à celle de Mélijna.

Ils avaient d'abord espéré trouver le moyen d'inverser les effets de la concoction à l'intérieur même du grimoire, mais ils avaient vite abandonné l'idée. Cette potion, aussi puissante que pratique, avait des effets irréversibles sur sa victime – la mort – et sur son utilisateur – une prolongation substantielle de la vie. De tous les sortilèges et maléfices connus, aucun ne permettait de ramener un mort à la vie, du moins pas encore, et l'on ne pouvait enlever à quelqu'un des années durant lesquelles il avait vécu. La seule option qui restait donc à Foch et à Wandéline était d'annihiler les effets de la potion sur Mélijna ; le temps reprendrait alors ses droits sur elle et la ferait mourir de vieillesse. C'était simple, mais dangereusement efficace. Pour arriver à ce résultat ultime, il leur fallait créer un contre-sortilège en travaillant à partir du sortilège lui-même.

Pour ce faire, les deux acolytes devaient d'abord réunir les ingrédients qui leur manquaient. Des trente-trois nécessaires, Wandéline disait en posséder exactement vingt et un. La moitié des douze autres ne posait pas de problème, car ils étaient seulement absents des réserves. Les six derniers, quant à eux, risquaient de considérablement allonger le délai de préparation, puisqu'il n'était pas évident de les débusquer. Le sang des nymphes était quasi impossible à trouver et il en fallait malheureusement trois fioles différentes : le sang vert foncé d'une hamadryade, le sang bleu limpide d'une océanide et le sang gris terne d'une oréade.

Il aurait été plus facile d'obtenir les écailles d'un mancius amphibie du temps où Foch les protégeait, mais il était mort pour eux désormais, et il ne croyait pas qu'il serait bon qu'il reparaisse pour les mutants. Enfin, pas tout de suite. « Peut-être pourrais-je revivre pour un seul d'entre eux, se dit-il, songeur. Frayard serait particulièrement fier s'il participait, même de loin, à la mort de Mélijna... » L'hybride n'avait jamais pu oublier le calvaire de cet humain, qui avait perdu sa principale raison de vivre par la faute de la sorcière des Canac.

Plus on progressait dans la liste, plus il y avait de chances que l'expérience ne voie jamais le jour. Mais Foch se consolait en pensant que les ingrédients devaient être tout aussi difficiles à trouver pour Mélijna que pour eux. À moins qu'elle n'ait depuis longtemps prévu le coup en préparant des dizaines de fioles à l'avance ? Il préférait ne pas y penser...

Le problème du cinquième élément de la liste n'était pas tant de le dénicher – il savait pertinemment où il y avait des griffes d'édnés à profusion – que de se rendre sur place. Il allait falloir jouer serré pour que Wandéline accepte de faire la traversée vers Bronan.

La dernière composante, une peau de serpent venant des cheveux d'une gorgone, s'avérait vraiment la pire à se procurer. Non seulement elle impliquait une traversée vers Dual, alors que personne ne connaissait plus le moindre passage pour se rendre là-bas, mais également l'approche de l'une de ces femmes dont un seul regard pouvait pétrifier. Charmante perspective !

En proie au découragement, Foch se demanda s'il n'aurait pas été plus avisé de rester caché plutôt que de ressusciter. Il se sentait soudain vieux et fatigué ; il avait passé l'âge des quêtes de ce genre depuis de nombreuses années déjà. Il regretta amèrement que le jeune Alix n'ait pas davantage de temps libre à cause de son rôle de Cyldias désigné. C'était le genre de mission qu'il aurait adorée : longue, compliquée, dangereuse et quasi impossible à mener à bien...

- 31 -

Dissension

Plus tard dans la nuit, je me réveillai avec l'étrange sensation d'être observée. Un coup d'œil aux alentours me confirma que cela avait dû être le cas, mais je n'en éprouvai aucune crainte. Alexis ne dormait pas et fixait les flammes, le regard vide. Instinctivement, je me levai pour le rejoindre, enjambant Madox. Profondément plongé dans ses pensées, mon Cyldias ne se rendit pas immédiatement compte de ma présence. Ce n'est que lorsque je m'installai à ses côtés qu'il se tourna dans ma direction. Il me regarda de la tête aux pieds. Las, il ferma brièvement les yeux, puis reporta finalement son attention vers le brasier. Force me fut de constater, sarcastique, qu'il retirait toujours autant de plaisir à ma présence...

Nostalgique, je pensai que la scène aurait pu se dérouler autour d'un feu de camp, après une fête de famille, dans mon monde civilisé. Les gens auraient probablement cru à un début d'histoire d'amour et nous auraient laissés seuls, nous observant à la dérobée, sourire complice aux lèvres. Mais nous nous trouvions plutôt dans un monde étrange, poursuivis par des hommes cruels et recherchant désormais un hypothétique talisman pour sauver des univers qui me laissaient pourtant indifférente. Et pour compléter l'idyllique tableau, l'homme assis à mes côtés était marié, inaccessible et, surtout, contraint de remplir une fonction de protection qui ne lui plaisait pas le moins du monde.

Je poussai un soupir résigné, cherchant une façon de briser la glace maintenant que j'avais imposé ma présence sans réfléchir. Alexis ne bougeait pas, les jambes relevées, les bras croisés sur les genoux.

– Vous m'en voulez toujours ?

Je sursautai au son de sa voix rauque. Sa question me prenait au dépourvu ; il n'avait pas l'habitude de se montrer aussi compréhensif. Je haussai les sourcils, ne sachant que répondre. Il se tourna à nouveau vers moi, l'air soucieux. La lueur des flammes dansait dans ses étranges yeux étoilés, qui rencontrèrent bientôt les miens. Je perdis la notion du temps un court instant, avant de me secouer pour me ressaisir.

– Aussi étrange que cela puisse paraître, je ne sais pas, dis-je dans un mouvement d'épaules. Vous croyez que je devrais ? poursuivis-je quelques minutes plus tard, comme le silence planait toujours entre nous.

Ce fut à son tour de hausser les épaules. Ma question eut au moins le mérite de lui arracher un sourire.

– Sincèrement ? Non. Mais pour être honnête, peu importe la réponse, je ne crois pas que cela changerait la dynamique entre nous...

– Je suis et resterai une corvée, conclus-je platement. C'est ce que vous voulez dire, n'est-ce pas ?

– Oh que oui !

Il marqua un temps d'arrêt, expirant bruyamment. Il passa nerveusement une main dans ses cheveux avant de poursuivre.

– C'est beaucoup plus facile, pour le bien de ce monde mais surtout le mien, de vous percevoir de cette façon...

Je soupirai à mon tour. J'admirais sa franchise même si je savais qu'elle ne nous mènerait nulle part.

– Ce qui ne veut pas dire que ce soit réellement la perception que vous ayez de moi.

Je refusais obstinément d'accepter le fait que je puisse lui être totalement indifférente. Non pas parce que je ne voulais pas y croire, mais bien parce que ce n'était pas toujours l'impression que j'avais. Il eut un sourire sans joie, fixant le brasier avec une attention soutenue, fuyant ainsi mon regard.

– Je n'ai pas de temps à perdre à me demander si vous me plaisez ou non. Il y a trop de vies et d'intérêts en jeu sur cette terre pour que je m'attarde à quelque chose d'aussi futile...

Il marqua une pause, puis continua.

– De toute façon, vous ne pouvez pas comprendre à quel point j'ai besoin que vous me soyez indifférente. C'est une question de survie...

Ses propos étaient teintés d'une certaine amertume, mais je n'aurais su dire si c'était parce qu'il aurait effectivement pu y avoir quelque chose entre nous ou si c'était le seul fait de son exaspération face à sa situation. Les minutes s'égrenèrent, longues et silencieuses. Sa présence me troublait et m'empêchait de réfléchir. J'en étais à me demander pourquoi je n'étais pas restée sagement couchée quand Alexis retrouva l'usage de la parole.

– Que comptez-vous faire après votre passage là-haut ?

Étonnamment, j'optai pour la franchise.

– D'abord, me rendre chez Morgana. J'espère qu'elle sera plus encline à répondre à mes nombreuses questions que vous ne l'êtes, dis-je, un peu abrupte. Après...

Le silence meubla l'espace quelques minutes avant que je laisse tomber :

– ... j'ai l'intention de rentrer chez moi, pour me débarrasser du cadeau empoisonné de votre frère...

J'utilisai délibérément le mot « frère » plutôt qu'Alejandre, guettant sa réaction. Contre toute attente, j'éprouvai une pointe de plaisir malsain à le voir tiquer. Je dus alors m'avouer que je lui en voulais de ne pas avoir su m'éviter le calvaire de mon séjour au château. Il en vint vraisemblablement à la même conclusion.

– Croyez-vous sincèrement que je n'ai pas tout fait pour vous éviter le pire ?

Son ton était à la fois étonné et choqué. Je répliquai, contente de le prendre en défaut.

– Considérant que vous avez disparu sans donner à quiconque d'instructions pour me conduire en lieu sûr, me disant simplement par télépathie d'attendre votre retour et me laissant par le fait même en compagnie d'une femme – *votre* femme – qui n'a pas hésité une seconde à me livrer aux hommes du sire de Canac, dis-je d'une traite, je suis en droit de penser que vous n'avez effectivement pas tout fait... Et c'est sans compter le nombre de fois où vous m'avez clairement dit que vous ne pourriez être plus heureux que débarrassé de moi...

Même si je savais que je m'étais moi-même précipité dans la gueule du loup en traversant vers ce monde de fous, que ma mort entraînerait vraisemblablement la sienne et que mon absence à ses côtés ne pouvait que lui causer de graves problèmes dans l'utilisation de ses pouvoirs – donc qu'il aurait été bien imbécile de ne pas tout faire pour me garder près de lui –, je ne pouvais m'empêcher d'être de mauvaise foi. Il n'eut pas un comportement plus charitable que le mien, énonçant même l'un des arguments qui venait de me traverser l'esprit.

– S'il y a quelqu'un qui devrait reprocher à l'autre son comportement, ce serait plutôt moi. Si vous n'étiez pas venue sur la Terre des Anciens en croyant bêtement qu'on vous accueillerait comme une princesse, rien de tout ça ne serait arrivé. Et si vous étiez sagement restée dans votre chambre au domaine au lieu d'aller fouiner dans mon bureau, j'aurais pu m'opposer à la magie de Mélijna. Mais voilà, trop occupé à vous surveiller, je n'ai pas senti son approche et...

– Et que vouliez-vous qu'il puisse m'arriver de si grave dans ce bureau pour que vous ayez besoin de me surveiller ? le coupai-je. Pourquoi ne pas avouer que vous m'observiez par pur plaisir ? dis-je méchamment.

Ses yeux se plissèrent et il serra les dents avant de contre-attaquer.

– Cessez de prendre vos rêves pour la réalité. Je vous ai déjà dit que vous ne m'intéressiez pas. Je ne vous ferai certainement pas le plaisir de m'attacher à vous de la façon dont vous le souhaitez...

Sa voix était sûre, sans la moindre trace d'hésitation. Piquée au vif, je répliquai d'un ton amer :

– Que pouvez-vous bien savoir de la façon dont je souhaite vous voir vous attacher à moi ? Je ne me rappelle pas vous avoir vu essayer de comprendre ce que j'étais, d'où je venais et ce que je ressentais à la suite de mon arrivée dans votre monde de fous. C'est vous qui vous êtes précipité à ma rencontre, prétextant votre rôle de Cyldias, pas l'inverse. Depuis ce temps, vous n'avez de cesse de me reprocher votre fonction ingrate et les responsabilités qu'elle implique sans jamais prendre le temps de m'expliquer quoi que ce soit, pour ensuite me reprocher mon ignorance et mon incompétence magique. Comment voulez-vous que nous puissions un jour nous comprendre dans un contexte comme celui-là ?

– Justement ! Je suis depuis longtemps convaincu qu'il est impossible qu'on s'entende, compte tenu que vous êtes loin de ce qu'une Fille de Lune digne de ce nom devrait être, dit-il caustique. Et je ne trouverai de repos que le jour où je serai relevé de mon rôle de Cyldias. Vous persistez pourtant à ne pas vouloir me suivre chez Uleric...

– Probablement parce que personne, à part vous, ne croit que c'est une bonne idée. Wandéline est d'ailleurs convaincue qu'il n'est qu'un imposteur...

Il s'empressa de répliquer, soudainement en colère :

– Ce que pense Wandéline est le cadet de mes soucis ! Je règle mes problèmes comme je l'entends et cette vieille folle n'a pas à s'en mêler.

– Eh bien, le problème que je suis n'a pas envie d'être réglé de cette façon. Trouvez-en une autre ! Et vous feriez bien de me témoigner un peu plus de respect. Je ne suis peut-être pas à la hauteur de ce que vous attendez d'une Fille de Lune, mais je peux au moins me targuer de ne pas vendre à des mercenaires ceux qui me déplaisent, comme l'a fait votre femme...

C'était la deuxième fois que je faisais mention de la trahison de Marianne, espérant qu'il réagisse. Il inspira profondément et retint son souffle quelques instants. Quand il parla enfin, il n'y avait plus la moindre trace de colère dans sa voix, juste une profonde lassitude.

– Qu'une chose soit claire : je n'ai pas fait un mariage d'amour, mais bien un arrangement qui servait mes intérêts. Je ne suis donc pas responsable des agissements de ma... femme – le mot sembla lui écorcher les lèvres. Je suis désolé que son manque de jugement ait entraîné des conséquences aussi tragiques pour vous, mais...

J'explosai.

– J'ai été capturée, ligotée, trimballée comme une vulgaire catin, enfermée dans un cachot froid et humide, agressée par une sorcière tout droit sortie d'un cauchemar, violée à répétition pendant des semaines par un homme qui vous ressemble trait pour trait et tout ce que vous trouvez à dire, c'est que vous êtes *désolé*...

Je le regardais d'un air ahuri, incapable d'accepter qu'il parle de mon calvaire avec si peu de sensibilité. Pour ma part, le seul fait de l'évoquer faisait jaillir de ma mémoire des visions d'horreur.

– Mais que voudriez-vous que je fasse ? cria-t-il, excédé, détachant chaque mot. Je vous rappelle que c'est mon *frère* qui vous a fait rechercher, capturer et enfermer dans un cachot, que c'est *lui* qui s'est montré cruel et sans pitié, que c'est *sa* sorcière qui vous a agressée, que c'est pour assouvir *sa* soif de pouvoir qu'il vous a violée pendant des semaines... Mais c'est *à moi* que vous en voulez.

Il inclina la tête vers le sol et ferma les yeux un instant. Je fixai un point au loin, ne sachant que répondre. Il reprit, d'une voix dure :

– Qu'est-ce que vous croyez ? Que mon séjour là-bas a été une partie de plaisir ? Que je suis reparti sans une écorchure ? Qu'on a seulement bavardé entre amis, Mélijna, Alejandre et moi ?

Il marqua une courte pause avant d'ajouter :

– Vous n'êtes pas la seule à avoir souffert, Naïla...

La vision d'Alexis, dont s'était servi Alejandre pour obtenir ma soumission lors de ma captivité, s'imposa à mon esprit avec une netteté perverse. Mais contrairement à ce que j'avais ressenti à cette époque, je fus incapable de compatir avec ce qu'il avait vécu, obnubilée par ma propre souffrance. Pire, je regrettais presque de m'être pliée à la demande d'un frère pour sauver l'autre. Je le forçai à me regarder avant de rétorquer, incisive :

– Contrairement à ce que vous pensez, je sais très bien que vous en avez bavé. Je doute cependant que vous ayez cessé de résister aux traitements qu'on vous infligeait simplement pour sauver la vie de quelqu'un que vous connaissiez à peine... Ce que moi j'ai fait...

Je n'ajoutai rien, le dévisageant d'un air de défi. Il fronça les sourcils, puis une lueur de compréhension traversa ses yeux singuliers. Je n'attendis pas qu'il réagisse pour tourner les talons et regagner ma couche. Je n'éprouvais aucune satisfaction à avoir eu le dernier mot. J'espérais simplement qu'il se remémorerait les circonstances entourant sa libération et qu'il comprendrait un tant soit peu ce que cette dernière m'avait coûté.

Je contemplai longuement les étoiles cette nuit-là, les yeux brouillés par des larmes de rage et de désespoir. Le sommeil me fuyant, je ressassais les séquences de notre conversation, hésitant toujours entre deux formes contradictoires de regret : celle qui voulait que je m'excuse pour mes propos et celle qui trouvait que je n'en avais pas assez dit... Nous étions deux écorchés vifs par la vie sur cette terre de misère, mais nous étions incapables de tirer parti de ce qui nous unissait, préférant nous entre-déchirer alors que tant d'autres souhaitaient notre perte...

* *
*

À peine Naïla avait-elle tourné le dos qu'Alix dut réfréner une irrépressible envie de la rappeler. Il savait qu'il avait été injuste envers elle et qu'il n'avait pas montré suffisamment de compassion pour ce qu'elle avait vécu. Il n'ignorait pas que la jeune femme n'avait aucune idée de ce dans quoi elle s'embarquait en traversant vers la Terre des Anciens, alors que lui avait depuis longtemps accepté de vivre avec ce qu'impliquait son désir de sauver ce monde étrange. Mais c'était plus fort que lui : dès qu'elle était près de lui, il ressentait un besoin viscéral d'être arrogant, hautain, condescendant et borné. Il ne voyait pas meilleur moyen pour tenter de maintenir, sinon agrandir, la distance qui existait entre eux. Il espérait que son comportement susciterait du mépris de la part de Naïla, facilitant ainsi son propre détachement. Mais c'était loin d'être aussi simple. Plus le temps passait, plus il devait lutter contre l'attirance qu'exerçait sur lui cette fichue Fille de Lune...

- 32 -

Duel de Filles de Lune

Dans une épaisse forêt centenaire, à la limite est des Terres Intérieures, là où personne ne se rendait jamais, un Cyldias veillait sans relâche, depuis près de trois semaines, sur l'Insoumise Lunaire qu'il avait ramenée des montagnes de la péninsule. Dans une cellule temporelle tout juste assez grande pour les contenir tous les deux, il répétait *ad nauseam* la formule qui lui permettait, au prix d'efforts surhumains, de maintenir l'espace-temps en suspension jour après jour. Toutefois, il devait parfois laisser le temps s'écouler normalement afin qu'il puisse lui-même reprendre des forces. Même s'il avait continué de pratiquer la magie au cours de ses trop longues années de solitude, Derek savait que ses dons n'étaient pas encore suffisamment développés pour lui permettre de faire progresser rapidement sa protégée d'autrefois.

Il soupira. Il n'avait jamais été un Être d'Exception particulièrement doué. Il avait certains pouvoirs, certes, mais rien qui sortait de l'ordinaire. Bien qu'il se fût amplement exercé dans sa jeunesse, il n'avait jamais atteint de hauts niveaux, à son grand désespoir d'ailleurs. Ironiquement, il avait été chargé de protéger l'une des femmes les plus puissantes que cette terre ait portée depuis l'époque de Darius. Personne, à sa connaissance du moins, n'avait jamais su qu'il avait hérité d'une mission aussi importante et il ne s'en était pas plaint.

Il n'avait pas envie d'avouer à qui que ce soit qu'il n'avait pas été à la hauteur. La seule chose qu'il ait réussie à merveille, dans toute cette aventure, ce fut de tomber amoureux de celle sur qui il devait veiller. « Pour ça, je n'ai pas raté mon coup », pensa-t-il avec amertume. Plus de vingt ans après leur première rencontre et quinze depuis qu'elle avait réussi le tour de force de le relever de ses fonctions pour qu'il ne perde pas la vie dans des batailles trop dangereuses pour lui, ses sentiments envers cette femme exceptionnelle étaient toujours aussi forts. Bien sûr, il savait que cette passion n'était pas réciproque, mais il l'avait accepté... Comme tout le reste...

Une fois de plus, il contempla Andréa qui dormait paisiblement d'un sommeil artificiel, ses Âmes régénératrices œuvrant sans relâche pour lui redonner sa santé et ses pouvoirs. Le Cyldias ne pouvait qu'admirer ces entités magiques, propres aux Filles d'Alana. Elles vivaient en permanence dans le corps de ces dernières, en latence, attendant que leur hôtesse ait besoin d'elles. Elles avaient pour unique fonction de maintenir la vie à tout prix ; pour ce faire, elles avaient la capacité de guérir, nourrir, endormir et réchauffer. Malheureusement, au début de la longue captivité de l'Insoumise Lunaire, Oglore était parvenue, grâce à une potion de son cru, à les rendormir. Andréa n'avait jamais réussi à les ranimer par la suite ; elles lui étaient devenues inaccessibles. Ironiquement, malgré ses capacités limitées, Derek n'avait mis que quelques minutes à réveiller les Âmes si essentielles. Par télépathie, une voix d'homme lui avait dicté chacune des étapes nécessaires à la remise en fonction de la magie qui devait sauver la vie de la Fille de Lune. Il ne connaissait pas l'identité de celui qui s'était ainsi porté à son secours, mais il ne l'en remerciait pas moins. Sans son aide, il aurait été incapable de réussir. Il ne restait maintenant qu'à attendre que le temps fasse son œuvre.

Plongé dans ses réflexions, Derek mit un certain temps à remarquer l'agitation qui s'emparait lentement du sommeil d'Andréa. Ses yeux bougeaient sans cesse sous ses paupières closes, ses mains s'ouvraient et se refermaient, ses doigts s'agitaient, recréant certains mouvements propres au lancement de sortilèges. Bientôt, son corps entier fut agité de tremblements et semblait sous l'emprise d'un puissant cauchemar. Derek tenta de la calmer à l'aide d'une incantation, mais il n'obtint pas le résultat escompté. Au lieu de s'apaiser, la Fille de Lune se cambra et ouvrit les yeux. Elle regarda autour d'elle, croisa le regard de son Cyldias, mais sans vraiment remarquer sa présence. Derek comprit qu'elle n'était pas consciente de ce qu'elle faisait. Elle continua de tourner frénétiquement la tête dans tous les sens pendant de longues minutes, avant de finalement s'adresser à lui :

– Où est-elle ? Où est la Fille de Lune de Golia ? Pourquoi n'est-elle pas encore en sécurité ? Il faut la protéger, ainsi que sa mère. MAINTENANT !

Il y avait une telle urgence dans la voix de l'Insoumise que Derek s'inquiéta. Il ne savait pas comment la rassurer.

– Il faut prévenir la Recluse de son arrivée, il le faut absolument. Elle seule peut empêcher Mélijna de la tuer pour lui voler sa vie. Il faut qu'elle sache qu'une Fille de Lune est en danger. Ces deux femmes ne doivent pas mourir ! Il ne faut surtout pas qu'elles meurent parce qu'elles sont porteuses d'un message pour Kaïn. Mélijna ne doit pas pouvoir reprendre une nouvelle vie, c'est elle qui doit mourir, c'est elle qui doit mourir...

La Fille de Lune criait maintenant ; ses yeux roulaient dans leur orbite. Avant que Derek ne puisse faire quoi que ce soit, elle s'apaisa subitement. Ses yeux se remplirent de larmes et elle murmura :

– La Recluse a réussi à sauver la jeune femme, mais il était déjà trop tard pour la mère. Trop tard pour la mère...

Sans un mot de plus, elle se rendormit, son corps à nouveau calme. Derek hochait la tête de gauche à droite, incrédule. Non seulement Andréa croyait que deux nouvelles Filles de Lune avaient fait leur apparition, mais elle semblait aussi certaine qu'elles venaient de Golia et que Kaïn était vivant. Tout cela ne pouvait être possible...

* *
*

Dans les terres de Sagan, Mélijna s'acharnait avec une haine indescriptible sur le corps de la Fille de Lune dont elle venait de voler l'existence. Les traces de coups et les blessures multiples rendaient la pauvre victime méconnaissable. La sorcière n'en avait cure. Elle avait besoin de passer sa colère et son ressentiment sur quelque chose de tangible, de réel. Elle avait lamentablement échoué dans sa tentative de capturer l'autre Fille de Lune ; celle-ci avait filé juste sous son nez. Mélijna n'y comprenait d'ailleurs strictement rien. Elle avait pourtant sondé la jeune femme à son arrivée et elle n'avait décelé qu'une infime part de magie en elle, même pas de quoi faire du mal à un animal sans défense. Comment cette Fille de Lune avait-elle pu réussir à s'échapper ainsi ?

Dans les minutes qui avaient suivi le départ de Maëlle, Mélijna avait eu beau sonder les environs à une dizaine de reprises, elle n'avait pas été capable de repérer la forme d'énergie qui la caractérisait. Comme si elle avait tout simplement quitté la Terre des Anciens. Ce qui n'avait aucun sens.

Avec un soupir, la sorcière se résigna à envoyer trois de ses cinq Traqueurs sur les traces de la jeune femme en espérant qu'ils arrivent rapidement à la retrouver. Pour sa part, le temps lui était toujours compté. La Fille de Lune qui gisait à ses pieds avait déjà passé le cap de la quarantaine, et le fait qu'elle n'ait jamais été assermentée ne lui conférait qu'une espérance de vie des plus ordinaires, ce dont Mélijna n'avait que faire. Elle voulait une nouvelle vie, longue, très longue, pour pouvoir se consacrer sans inquiétude à ses projets. Voilà pourquoi elle n'avait apporté qu'une seule ration de la potion de Vidas et qu'elle n'avait pas fait attention à la façon de prononcer la formule. C'était une grave erreur. Elle croyait que la vie de la mère ne serait que transitoire, servant simplement à lui redonner des forces, le temps de conduire Maëlle, sous contrôle magique, à la Montagne aux Sacrifices afin qu'elle y reçoive son assermentation et ses pouvoirs par la même occasion. Ensuite, Mélijna aurait simplement pris sa vie alors que la longévité de celle-ci aurait été considérablement augmentée. Mais rien n'avait fonctionné comme prévu. Elle allait devoir rentrer au château pour attendre des nouvelles de ses Traqueurs. Il valait mieux ne pas trop faire parler d'elle, tant et aussi longtemps qu'elle n'aurait pas une véritable vie à s'offrir. Pourvu que les hommes du sire de Canac soient capables de ramener Naïla sans qu'elle soit obligée de s'en mêler...

* *
*

Dans la montagne qui servait de refuge à la Recluse depuis près de deux cents ans, Maëlle racontait son histoire à l'occupante des lieux, mais elle oublia de parler du message qu'elle était censée transmettre à Kaïn. Inconsolable, elle se reprochait d'avoir voulu revenir sur la terre de ses ancêtres et d'y avoir entraîné sa mère alors que cette dernière était contre cette traversée risquée. Morgana la prit dans ses bras et la berça doucement. Elle ne pouvait rien faire de plus pour le moment ; aucune magie, aussi puissante soit-elle, ne ramènerait Valinia, la mère de la jeune fille. Seul le temps apaisait ce genre de blessure. Beaucoup de temps, parfois trop...

* *
*

Dans son sommeil, Alix fut le témoin impuissant, comme il lui arrivait souvent, du drame qui s'était joué à Sagan. Contrairement à son habitude, il ne pensa pas que ce pouvait être une vision de la triste réalité, et ce, malgré la présence de la jeune fille à ses côtés. Il y avait tellement d'éléments incroyables dans ce rêve qu'il était impossible, à ses yeux, que ce fût vrai. Il ne se doutait pas que le jour viendrait où il regretterait amèrement s'être trompé...

- 33 -

Le sanctuaire

Le lendemain matin, lorsque je me réveillai, je n'étais pas d'humeur à discuter avec qui que ce soit. En silence, j'avalai un déjeuner léger, les nausées matinales semblant me laisser un certain répit, puis je ramassai mes affaires et repris le chemin du sanctuaire. J'avertis seulement Madox de mon départ. Il haussa un sourcil interrogateur et ouvrit la bouche avant de baisser les bras, résigné devant mon air renfrogné. Je ne vis Alexis nulle part et ne pus que m'en réjouir. Je ne voyais pas ce que j'aurais pu lui dire de toute façon ; ce n'était pas un fossé qui s'était creusé entre nous au cours de la nuit, mais plutôt un ravin aux parois particulièrement abruptes. Même si je savais depuis un certain temps déjà que notre ébauche de rapprochement – deux simples baisers, en fait – ne pouvait être le prélude à une véritable relation, il n'en demeurait pas moins qu'une partie de moi avait espéré. Un peu de chaleur humaine, dans ce monde hostile, aurait été bienvenue.

« Pourvu qu'ils me laissent prendre une bonne longueur d'avance », pensai-je. Cette période, seule et sans escorte, m'était nécessaire pour tenter de faire le vide dans mon esprit où trop d'images se superposaient.

Je me concentrai sur l'étroit sentier. Autour de moi, il n'y avait que du roc, quelques pousses vertes et de la mousse, çà et là. En levant les yeux vers le sommet, je pouvais apercevoir le pic enneigé. Yodlas avait mentionné, la veille, que la grotte que nous cherchions se situait vers le centre de la montagne, à une journée de marche, peut-être un peu plus. Résolue, je poursuivis mon ascension, obligeant mes réflexions à s'orienter vers le sanctuaire des Filles de Lune. Je ne savais pas vraiment quoi penser de cette histoire de magie et de pouvoirs qu'il me serait possible d'utiliser une fois sur place. Je n'avais jamais rien perçu en moi qui m'incitait à croire que je sois capable de faire quelque chose autrement que par les bonnes vieilles méthodes apprises dans le monde de Brume. Bien que je sois chaque jour témoin, depuis quelque temps, d'événements plus ou moins explicables de façon logique, j'étais peu encline à croire que j'appartenais à cette élite qui se permettait d'agir par de seuls mouvements des doigts, de la tête ou de la pensée. De mauvaise foi, je refusais de voir une quelconque influence magique dans ma résistance surprenante face à Rufus – tout juste avant mon arrivée au château – ou dans la bulle de protection opposée à la magie de Yodlas, la veille.

Ma mère s'imposa aussi à mes pensées. Presque chaque jour, j'en apprenais un peu plus sur elle et son séjour dans ce monde étrange, qui avait fait de nous des femmes si recherchées. Je me demandais comment elle s'était sentie, ainsi traquée, séparée de certains de ses enfants, ayant vécu un temps avec d'autres. Madox n'avait pu poursuivre son récit. Je n'avais entendu dans son entier que celui des trois premières années passées ici, avant qu'elle ne revienne enceinte. Qui était mon père ? Comment ma mère avait-elle disparu ? Où était ma demi-sœur à présent ? Ce n'était là que quelques-unes des questions qui me venaient en tête.

J'avais peu conscience de la vitesse à laquelle je progressais, entièrement absorbée par mes réflexions. Il me fallut un long moment avant de me rendre compte que je n'étais pas la seule à avoir quitté le camp avant les autres. Je compris trop tard que j'aurais peut-être mieux fait d'écouter ce que mon frère avait essayé de me dire avant mon départ.

À quelques mètres devant moi, Alexis gravissait le sentier d'un pas décidé. Un instant, je pensai rebrousser chemin ou simplement attendre que les autres me rejoignent. Puis je me dis que je ne pourrais pas le fuir bien longtemps de toute façon. Tôt ou tard, je devrais lui adresser la parole à nouveau, ne serait-ce que pour éviter les questions des autres membres de cette curieuse expédition.

À ma grande surprise, je le rejoignis sans peine malgré mon manque d'endurance physique. Il ne fit rien pour me retenir lorsque je passai devant lui, à la faveur d'un court élargissement du sentier. Je ne me retournai pas, question d'être certaine de ne pas avoir envie de céder lorsque mes yeux rencontreraient les siens. Mon corps avait une fâcheuse propension à trahir sans remords mon esprit pratique lorsqu'Alexis était dans les parages.

– Vous avez l'intention de m'ignorer longtemps ?

Je ne répondis pas, continuant comme si je n'avais pas entendu. Il me rattrapa bientôt, m'agrippant par un bras. Je tentai vainement de me dégager, en évitant toujours son regard. N'ayant pas le quart de sa force, je fus bien obligée de capituler. Je cessai de me débattre, mais m'obstinai à regarder le sol avec hostilité. Je n'avais pas envie de faire le moindre effort pour me montrer aimable.

– Naïla... Vous devez comprendre que...

Une fois de plus, je tâchai d'oublier l'effet qu'avait sur moi le fait de l'entendre prononcer mon prénom. Je devais réagir ;

je ne pouvais pas faire autrement. Il pourrait bien s'imaginer que je regrettais mon comportement de la nuit précédente, alors que je ne savais pas moi-même si c'était le cas.

– Comprendre quoi au juste ? le coupai-je. Que parce que je suis une Fille de Lune, je me dois d'être plus forte, de tout supporter sans broncher, même le viol et la cruauté ? Que quoi qu'il advienne, je dois continuer sans jamais faiblir, pour le bien de mondes lointains dont je ne sais toujours rien et qui ignorent même que je suis en vie ?

J'avais brusquement relevé la tête et débité tout ça d'une voix dure et sèche où la colère grondait. Les bras croisés sur la poitrine, la tête haute et mes yeux plantés dans les siens, je savais qu'à cet instant précis, il n'y avait pas la moindre chance que je lui trouve du charme. Jambes écartées, bras croisés lui aussi, il ne tenta même pas de détourner son regard ; à peine haussa-t-il un sourcil. Son sang-froid face à ma frustration ne fit qu'attiser mon ressentiment. Quand je repris, je criais presque.

– Mais qu'est-ce que vous croyez ? Que je suis une chose, un pantin dont on use à sa guise ? Que je suis dépourvue de sentiments et d'émotions, que je ne peux avoir mal, ni aimer ni haïr ? Que...

– Ce n'est pas..., commença-t-il.

Je ne voulais pas l'écouter. Sa voix était rauque, mais sans animosité, et je craignis soudain de m'être emportée pour rien.

– Il y a un monde qui nous sépare, dis-je, plus calme, mais toujours aussi abrupte, et ce sera toujours le cas. Jamais je ne pourrai être à la hauteur de ce que vous attendez de moi... Jamais...

Sur ce, je tournai les talons et repris l'ascension, des larmes de désespoir me piquant les yeux. Alors même que je l'avais énoncé, je m'étais rendu compte que c'était ce qui me frustrait tant : cette certitude que je ne pourrais jamais être aussi douée, aussi intelligente et aussi puissante qu'il le souhaitait...

* *
*

Dès que Naïla disparut de son champ de vision, Alix envoya un court message à Madox, lui disant de ne pas s'inquiéter, qu'il veillerait sur sa sœur. Puis le guerrier se rendit invisible et entreprit de rattraper la jeune femme. Même si la montagne était sûre pour elle, il répugnait à la laisser aller seule. Peut-être parce que la nécessité de sa présence dépassait maintenant le seul fait d'être son Cyldias...

* *
*

Lorsque le soleil atteignit son zénith, je grignotai simplement quelques fruits séchés en chemin. Malgré l'effort que mon corps devait fournir, je n'avais aucun appétit et nulle envie de ralentir. Personne ne m'ayant rejointe depuis le matin, je soupçonnais Alexis de les tenir à l'écart. C'était pour le mieux ; j'aurais été de très mauvaise compagnie. Je repensai à Nancy et au protecteur qu'elle avait vu dans son jeu de tarot. La relation destructrice qu'elle annonçait ne pouvait pas mieux s'appliquer qu'à Alexis et à son rôle de Cyldias désigné.

Plus d'une fois, au cours de l'après-midi, je me demandai comment j'arrivais à ne pas me perdre alors que le chemin que je devais suivre était à peine visible. J'avais l'impression d'avancer par instinct, comme si mon âme savait où je me rendais et dirigeait mon corps sans que j'aie à faire d'efforts en ce sens.

Vers la fin de la journée, j'atteignis un plateau rocheux. Je l'aurais traversé sans m'attarder, n'eut été de ce qui se trouvait en son centre : un autel de pierre, entouré de multiples ossements. Curieuse, je montai les trois marches qui y menaient. La large pierre plate avait une étonnante teinte bourgogne fanée par endroits, et des attaches aux quatre coins. Avec horreur, je réalisai que j'avais atteint le Plateau des Sacrifiés que Yodlas avait mentionné dans mon rêve.

Je crus alors que, si sacrifices il y avait réellement eu, c'était d'animaux. Mais la disposition des chaînes et la forme de certains os me donnèrent à penser que ce n'était pas toujours le cas. Le vent sifflait en une longue plainte déchirante entre les rochers environnants. Je frissonnai. Sans un regard en arrière, je me hâtai de quitter cet endroit lugubre dont je ne voulais surtout pas connaître l'histoire. Je repris la route au son de rafales qui me donnaient l'impression que les victimes criaient toujours leur détresse, des siècles après leur mort imposée.

Tandis que le soleil descendait sur l'horizon et que je songeais qu'il me faudrait bientôt faire halte pour la nuit, je perçus distinctement une voix me demandant de ne pas m'arrêter. Cette fois, je n'en cherchai pas la provenance, comprenant tout de suite que je devrais mener cette conversation par télépathie. Avant que la voix n'ait le temps d'ajouter quoi que ce soit, je lui demandai de s'identifier. J'avais capté quelque chose de troublant dans les intonations et je voulais en avoir le cœur net avant de continuer.

– *Je ne peux pas... Fais-moi confiance, s'il te plaît...*

Il y avait une urgence dans la dernière phrase et j'acceptai inconsciemment. Je ne pus toutefois m'empêcher de penser que cette voix appartenait à ma mère. Même si je ne l'avais pas entendue depuis près de vingt ans, j'étais presque convaincue qu'elle ne pouvait être que la sienne. J'aurais voulu m'attarder sur la question, mais la voix résonnant dans ma tête requérait toute mon attention.

– Je ne veux pas que tu t'arrêtes pour la nuit. Les hommes d'Alejandre sont beaucoup plus près que les chinorks ne le croient, grâce à la magie de Mélijna. Ils ne prendront pas le temps de se reposer cette nuit, espérant vous surprendre pendant votre sommeil. S'ils parviennent à mettre leur plan à exécution, tu ne pourras jamais rejoindre le sanctuaire. Il faut donc que tu parviennes là-haut avant l'aube ; les pouvoirs ne sont transmis que sous la bénédiction de la lune. Je sais que tu es fatiguée, mais je t'en conjure, Naïla, ne t'arrête surtout pas...

Je poursuivis donc mon chemin, obéissant à cette voix surgie de nulle part simplement parce qu'elle me rappelait ma mère. La nuit tomba bientôt. Je craignais de devoir continuer à l'aveuglette si la lune venait à se perdre derrière les nuages. Mais celle-ci m'accompagna fidèlement, comme si elle savait que je ne pouvais me permettre d'échouer. Bientôt, je ne sentis plus mes jambes ; l'ascension se faisait de plus en plus abrupte. Les cailloux roulaient sous mes bottes et je trébuchais sans cesse, me rattrapant de justesse pour ne pas tomber. Les nausées revinrent soudain me tenir compagnie, m'obligeant à prendre de grandes inspirations. Trop vite, les couleurs de l'aube se profilèrent timidement au loin, menaçant dangereusement ma réussite.

J'avais beau regarder tout autour de moi, je ne voyais pas la moindre trace de grotte. Je ne savais même pas quoi chercher exactement et je regrettais de ne pas avoir demandé aux chinorks ou à Madox de m'accompagner. Je n'avais plus la force de continuer et la voix qui m'avait demandé de fournir cet effort quasi surhumain ne se manifestait plus depuis un certain temps déjà. Au moment où je croyais devoir renoncer, j'aperçus un rocher à la forme particulière, quelques mètres plus haut. Je rassemblai mes dernières forces pour me hisser péniblement jusque-là.

Haletante, je contemplai un bref instant la pierre. Cette dernière n'avait pas été sculptée, mais j'aurais juré qu'elle représentait un être étrange que je n'avais pas eu la chance de rencontrer encore. Malgré la fatigue, j'aurais voulu m'attarder, mais je n'en avais pas le temps. Je cherchai plutôt l'entrée du sanctuaire, persuadée que cette pierre en indiquait la proximité. Je distinguai bientôt une ouverture dans la pénombre et me hâtai de m'y engouffrer, les premières lueurs de l'aube nimbant l'horizon.

* *
*

Dès que Naïla pénétra dans le sanctuaire, Alix se matérialisa en poussant un soupir de soulagement. Il s'adossa ensuite à une paroi rocheuse et se laissa glisser au sol, épuisé. Maudite soit cette montagne où l'on ne pouvait faire usage de magie pour se déplacer ! Au moins, il lui était toujours possible d'utiliser ses pouvoirs pour se créer une cellule temporelle, question de refaire le plein d'énergie avant que les hommes d'Alejandre ne rejoignent à leur tour le sanctuaire. Il ne doutait pas que les mercenaires seraient bientôt là, puisqu'il percevait déjà leur présence sur la montagne.

Au moment même où la cellule du temps prenait forme, une image traversa son esprit et, pour la première fois de sa vie, il hésita à défier la loi de Darius concernant la modification du temps. Sa conscience le tiraillait, lui rappelant l'existence envisageable d'une sœur. Il eut l'impression que la voix de femme lui revenait en mémoire, répétant inlassablement : « Le mal qui ronge ta sœur de sang par ta seule faute, le mal qui... » Alix s'ébroua, rompant le sortilège par la même occasion. Il se sentit ensuite incapable de le recréer. Exaspéré par ce brusque excès de raison qui ne lui ressemblait pas, il se leva et s'éloigna du sanctuaire. Rageur, il se rendit à nouveau invisible et s'endormit finalement. Au moins, Simon et ses hommes ne le verraient pas en arrivant, ce qui lui donnerait le temps de réagir...

* *
*

Sur Bronan, la mère de Delphie poussa un soupir de soulagement : la jeune fille venait enfin de sortir de la maison. Quelques minutes plus tôt, elle s'était soudain immobilisée dans l'embrasure de la porte, alors qu'elle sortait chercher des œufs pour le déjeuner des hommes. Elle avait cessé de bouger instantanément, un pied en l'air, figée dans son mouvement, puis tout était redevenu normal. Même si la situation n'avait duré que bien peu de temps, la mère en avait été inquiétée. « Pourvu que ce ne soit pas le début d'une nouvelle forme de problème pour Delphie, se dit-elle. Sa vie est déjà suffisamment compliquée... »

* *
*

M'attendant à me retrouver dans la noirceur la plus totale, je constatai que l'endroit était faiblement éclairé – probablement grâce au même phénomène qui permettait de voir dans les souterrains des gnomes. Je regardai autour de moi, ne sachant trop que faire. Mes jambes ne demandaient qu'à se reposer, ma tête semblait sur le point d'exploser et les nausées se firent plus agressives ; je dus vomir pour retrouver un semblant de bien-être. Le manque de sommeil et l'effort intense que j'avais dû fournir pour parvenir jusqu'ici eurent raison de ma volonté de rester éveillée. Alors que je ne voulais que m'asseoir quelques instants, je sombrai dans un sommeil agité. Je ne vis pas la silhouette lumineuse qui m'observait depuis la source, au fond de la pièce, pas plus que je ne perçus la douce chaleur qui m'enveloppa en même temps qu'une aveuglante lumière bleutée.

Lorsque je repris contact avec le monde des vivants, je me sentis mieux que jamais depuis mon arrivée sur cette terre. Je n'eus pas le temps d'analyser cette sensation, soudain paniquée par la lumière qui provenait de l'entrée du sanctuaire. Le soleil devait maintenant être levé depuis des heures ! J'avais lamentablement échoué ! Les pouvoirs que j'étais venue chercher resteraient désormais inaccessibles. Je me levai lentement, regardant autour de moi avec appréhension. Je m'attendais à ce que des voix résonnent dans ma tête d'un instant à l'autre, me reprochant mon échec, mais il n'en fut rien. Il n'y avait qu'un long silence pesant et accusateur, uniquement troublé par le glissement de l'eau dans un petit bassin, au fond, à droite. Refusant d'affronter ce qui m'attendait peut-être à l'extérieur, si les hommes du sire de Canac avaient réellement rejoint les chinorks, je me dirigeai vers le bassin. Me sachant protégée aussi longtemps que je ne quitterais pas ces lieux, mieux valait en profiter.

Le bassin était plus grand que je l'avais d'abord cru. Il mesurait environ deux mètres sur quatre, et l'eau y était claire et limpide ; je distinguais sans peine le fond rocailleux. J'estimai qu'il ne devait pas y avoir plus d'un mètre d'eau en son centre. Je me penchai, irrésistiblement attirée, constatant avec stupeur que je n'y voyais pas mon reflet. Avant que je ne le réalise vraiment, j'avais enlevé mes vêtements et je pénétrais avec assurance dans l'eau froide, guidée par un instinct probablement millénaire. J'avançai lentement jusqu'au centre, avant de continuer en ligne droite vers la source qui jaillissait de la paroi, à hauteur d'homme. Je me glissai dessous et y restai jusqu'à ce que je ne sente plus mes membres, transie par l'élément liquide et l'air humide de la caverne. Tandis qu'une partie de moi voulait que je m'accroche à la réalité, une autre me disait de patienter encore un peu, que cette folle démarche avait un sens que je ne tarderais pas à comprendre. Mes efforts furent finalement récompensés quand l'eau prit une superbe teinte ambrée, qui s'accompagna de l'apparition d'une magnifique silhouette féminine, mi-lumière, mi-brouillard. Cette dernière me sourit. Je crus un instant que j'hallucinais, sous l'effet de la morsure du froid et de l'engourdissement. Ajoutant encore à la sensation d'irréel, elle s'adressa à moi.

– Sois la bienvenue en ces lieux, Fille de la Nuit, Fille de Lune. Une matérialisation en plein jour exige beaucoup d'efforts, surtout pour une déesse nocturne ; je serai donc brève. Je m'appelle Alana, protectrice des Gardiennes des Passages. Je suis consciente que les dieux ne t'ont pas été des plus cléments depuis ton arrivée et je crains que la situation ne perdure. Tu dois cependant accepter ta destinée, même si elle te semble cruelle et injuste, et mener à bien les missions qui te seront confiées. Il ne reste plus que toi comme véritable espoir pour ces mondes meurtris. Si je n'ai pas l'autorisation de te révéler ton avenir ni d'influencer tes choix et ta conduite, sache toutefois que ton instinct te guidera, que ton chemin croisera toujours la route ou la voix de celles et ceux qui pourront te venir en aide. Connaissant ton destin, je me permettrai tout de même de te rappeler que l'amour et la famille sont des valeurs essentielles et des éléments sans lesquels toute quête restera vaine. Il te faut donc retrouver ton père et ta mère et faire la paix avec l'amour ; la route à parcourir te semblera ensuite beaucoup moins ardue.

Elle marqua une courte pause, comme pour s'assurer que je comprenais ce qu'elle me disait. J'acquiesçai machinalement, incapable de détacher mes yeux de cette douce apparition.

– La nuit prochaine, tu recevras, exceptionnellement en une unique occasion, l'enseignement nécessaire afin de pouvoir utiliser la partie essentielle des pouvoirs qui t'habitent depuis ta naissance. Par la suite, pour que ta magie atteigne des niveaux dignes de ton rang, il te faudra rechercher le talisman de Maxandre et faire toi-même les apprentissages que nécessite sa possession. La rencontre avec Morgana sera ta prochaine étape, mais tu devras d'abord réussir à te frayer un chemin parmi les hommes du sire de Canac qui attendent ta sortie de ces parois de pierre protectrices. Puisse ta vie, *et celle de ton Cyldias*, se prolonger aussi longtemps que survivra l'espoir pour la Terre des Anciens et les mondes en périphérie.

La silhouette s'estompait déjà. Je n'avais pas ouvert la bouche une seule fois, trop occupée à assimiler les précieuses informations que me donnait cette étrange vision. La voyant disparaître lentement, je m'empressai de lui demander pourquoi elle ne me disait pas, tout simplement, où trouver ma mère, puisqu'elle semblait la croire toujours vivante. Sa réplique ne fut pas celle que j'attendais.

– Je ne pourrai répondre à tes questions tant et aussi longtemps que tes capacités ne seront pas les mêmes que celles de la majorité des femmes qui t'ont précédée en ces lieux et que tu seras incapable d'accomplir les rites sacrés te permettant de consulter l'oracle. Jusqu'à ce que ce jour vienne, je ne peux que te guider occasionnellement...

La déesse disparut, me laissant frigorifiée et guère plus avancée qu'avant sa venue. S'il m'était désormais permis de croire à la possibilité de retrouver ma mère – donc de savoir qui était mon père et où se trouvait le talisman de Maxandre –, j'ignorais toujours comment je parviendrais à accomplir ce tour de force. Une chose était cependant certaine à mes yeux : c'était la voix de ma mère que j'avais entendue la nuit dernière. Il me tardait maintenant de l'entendre à nouveau...

Tout en réfléchissant, j'émergeai de l'eau. Je m'ébrouai, tentant d'essorer mes cheveux de mon mieux. Encore mouillée, je me rhabillai, souhaitant ne pas mourir bêtement d'hypothermie. Contrairement à Madox, j'étais incapable d'allumer un feu par ma seule volonté dans cette caverne humide. Je cherchai ma couverture dans mon sac et l'enroulai autour de moi. Puis je m'assis, m'adossant à la paroi rocheuse, près de l'entrée. Je ne voulais pas regarder à l'extérieur, craignant ce que je pourrais y découvrir. Alana avait dit que les hommes du sire de Canac guettaient ma sortie du sanctuaire. Je me demandai, un peu inquiète, ce qu'il était advenu de Yodlas et de ses compagnons, de même que de Madox et d'Alexis. Je regrettai soudain de ne pas avoir quitté ce dernier en bons termes... Je doutais fortement de la clémence d'Alejandre envers son frère. Je n'avais aucune peine à l'imaginer faire à nouveau preuve de cruauté à son égard, s'il était capturé. Les paroles de la déesse concernant ma relation avec l'amour me revinrent en mémoire. Je me pris à espérer qu'il me soit un jour possible de faire la paix, non pas avec ce sentiment, mais bien avec l'homme qui me l'inspirait. Force m'était d'admettre que je souhaitais encore plus que ce que je croyais éprouver pour Alexis soit payé de retour.

Je poussai un soupir, le cœur lourd. Je ne savais toujours pas de quelle façon m'y prendre pour accomplir même le dixième des tâches qu'on rêvait de me confier. Je m'efforçai de me concentrer uniquement sur ma mère, dans l'espoir que mes récents souvenirs me permettent de déterminer où je devrais la chercher. Peine perdue ! J'eus beau me creuser les méninges, tournant et retournant les événements dans mon esprit, je ne découvris aucun indice. Personne, à part Alejandre, Madox et Yodlas, ne m'avait réellement parlé de ma mère, et tous les trois étaient convaincus de sa disparition déjà lointaine. Même si mon frère n'avait pu me faire le récit de la vie d'Andréa après son retour, jamais il n'avait été question qu'elle puisse être encore en vie aujourd'hui. Des frissons parcouraient chaque centimètre de mon corps quand je pensais à la perspective de serrer ma mère dans mes bras, après ces longues années d'absence et de séparation.

Alors que je réfléchissais toujours, mes yeux errant sur la voûte rocailleuse, un bruit sourd me ramena brutalement à la réalité. Je me tournai vers l'entrée, juste à temps pour voir une forme humaine étendue sur le sol, à quelques pas de l'ouverture. Une lumière dorée emplissait entièrement l'orifice, bloquant ainsi l'accès à l'intérieur. Si j'avais douté des mécanismes de protection du sanctuaire, j'avais sous les yeux un exemple probant de leur efficacité. Les hommes d'Alejandre n'avaient pas dû y prêter foi plus que moi puisque l'un d'eux avait tenté d'entrer.

Je m'approchai lentement, ne ressentant aucune crainte. L'énergie lumineuse se dissipa aussi rapidement qu'elle était apparue, me laissant une vue imprenable sur une douzaine d'hommes sales, fatigués et de fort mauvaise humeur. L'ascension, probablement plus rapide encore que la mienne, et la désagréable surprise de ne pas pouvoir me mettre la main au collet leur donnaient l'air franchement rébarbatif et la mine sombre. Lorsqu'ils m'aperçurent dans l'ouverture, les narguant presque, un long murmure se répandit dans le groupe. Je cherchai mes compagnons de voyage, mais je ne les vis point, ce qui me fit espérer qu'ils étaient toujours en liberté. Les chinorks devaient avoir regagné le sommet, puisqu'ils pouvaient se déplacer magiquement, mais je m'inquiétais davantage pour Madox et Alexis, qui n'avaient pas cette possibilité. Un tour d'horizon rapide me permit cependant de reconnaître quelques visages. Simon et Rufus faisaient partie de mes poursuivants, de même que les autres membres de la première bande avec laquelle j'avais déjà voyagé, exception faite de Zevin.

Mes chances de sortir indemne de ce merdier étaient plus minces qu'une feuille de papier de soie. Le dénommé Rufus s'avança vers l'ouverture. Simon le retint par le bras, lui montrant la silhouette toujours étendue sur le sol. C'est à ce moment que je reconnus Madox, recroquevillé sur lui-même, les traits crispés par la douleur. Mieux que n'importe lequel des hommes ici présents, il devait connaître les dangers que représentait cet endroit. J'en conclus qu'on l'avait forcé à tester le passage. Je ne pouvais même pas lui porter secours. Si je quittais les limites de la grotte, je deviendrais vulnérable. Je préférai donc m'éloigner de cette scène douloureuse pour ne pas risquer de commettre une bêtise. J'adressai une courte prière à Alana afin qu'elle veille sur mon frère, espérant de tout cœur être entendue.

Comme je me dirigeais vers la source avec l'intention de m'y désaltérer, je remarquai un cercle tracé sur le sol, de même qu'une étrange marque en son centre. Elle était composée d'un quartier de lune dans lequel étaient gravés sept symboles différents. Je présumai qu'il y en avait un pour chacun des mondes parallèles, de même qu'un autre pour la Terre des Anciens. En levant les yeux vers la voûte, j'y découvris le même dessin dans la pierre. Je devrais probablement me tenir précisément là, à la tombée de la nuit, si je voulais recevoir la bénédiction des forces qui occupaient cet endroit. N'ayant aucune idée de l'heure qu'il pouvait être, je ne savais pas non plus dans combien de temps la nuit tomberait sur cette montagne aux étranges pouvoirs.

En attendant, je fis le tour de ce vaste espace, cherchant je ne sais quoi, mais mes attentes se révélèrent vaines. Je m'apprêtais à me rasseoir quand la lumière extérieure attira mon attention sur une section du roc, près de l'entrée. Je n'y étais pas retournée lors de ma fouille, craignant ce que je pourrais voir à l'extérieur. Je traversai la cavité rocheuse et longeai le mur opposé jusqu'à l'endroit que j'avais repéré.

Dans la pierre du mur, une très longue liste était écrite sur deux colonnes. Les caractères n'étaient cependant pas gravés. Je passai lentement les doigts le long des signes, sachant avec certitude, sans même les déchiffrer, que ce devait être les noms de celles qui avaient visité ces lieux depuis de nombreuses années, peut-être même depuis leur création. La langue utilisée était propre aux Filles de Lune. Certaines des inscriptions comportaient plusieurs petites encoches à la fin, d'autres, une seule. Je supposai que ce devait être le nombre de fois où la femme inscrite avait fait le voyage jusqu'ici.

Je fixai sans ciller une inscription, jusqu'à ce que les signes deviennent lisibles. Je n'eus alors aucune peine à lire les noms. Certains ne m'étaient pas inconnus, mais la plupart n'éveillaient aucun souvenir. Je vis le nom de Morgana. Ainsi l'histoire que m'avait racontée Meagan n'était pas une invention ; son aïeule était bel et bien venue en ces lieux. Je vis également l'inscription de Maxandre, celle dont je devais retrouver le talisman et, par le fait même, les pouvoirs et les connaissances qu'il était censé renfermer. Il y avait un nombre impressionnant d'encoches à la suite de son prénom, plus de vingt-cinq, en fait.

Toutes les marques n'étaient cependant pas identiques ; certaines n'étaient qu'un trait banal alors que d'autres ressemblaient plutôt à un astérisque, une croix ou un croissant de lune. Je regardai s'il y avait d'autres inscriptions avec autant de signes diversifiés et j'en trouvai finalement six : Hémélinie, Cardine, Ségolène, Félixie, Judiane ainsi qu'une dénommée Acélia. Je fouillai ma mémoire, puis me rappelai qu'elle était la première représentante de la lignée maudite, celle qui avait trahi ses consœurs. Elle avait donc dû occuper la plus haute position dans la hiérarchie de notre petite communauté, avant de perdre ce poste au profit des autres, jusqu'à ce que nous arrivions à Maxandre.

Je comptai également trente-deux noms précédés d'un croissant de lune barré d'un trait. J'eus un choc en lisant le nom de ma mère, même si je m'y attendais un peu. Surprise, je constatai qu'il y avait trois marques à la suite de son nom, alors que je croyais qu'elle n'était venue ici qu'une seule fois, avec Mélijna. Bien sûr, cette hypothèse ne reposait sur rien, à part le récit de Yodlas. Elle pouvait fort bien être revenue après ma naissance. Il n'y avait plus que trois noms à la suite de celui d'Andréa : une dénommée Ariane, une femme du nom de Mélicis, et... le mien. Chacun était suivi d'un seul signe. Mon prénom était toutefois précédé de la marque que je présumais être celle de la lignée maudite. Ce n'était donc pas les visiteuses qui immortalisaient leurs venues, mais les forces occultes qui habitaient les lieux.

Je pouvais constater que le sire de Canac, Madox et Alexis ne m'avaient pas menti lorsqu'ils avaient affirmé que d'autres Filles de Lune étaient venues sur la Terre des Anciens entre ma mère et moi. Mélancolique, je me demandais ce qu'il était advenu d'elles, mais je m'efforçai rapidement de penser à autre chose. Le fait qu'Alejandre ait croisé leur route ne pouvait qu'être très mauvais signe. Il me revint soudain en mémoire qu'Alexis avait mentionné que les Filles de Lune précédant ma venue étaient toutes décédées en raison de leur ignorance et de leur incompétence. Préférant oublier que j'étais tout aussi ignorante et incompétente, je m'adossai à la paroi et me laissai glisser jusqu'à ce que je sois assise. J'encerclai mes genoux de mes bras et y appuyai mon front. Je fermai les yeux et repris ma réflexion concernant ma mère. Je m'endormis avant même d'avoir trouvé le moindre indice la concernant.

Je me réveillai en sursaut, comme toujours depuis un certain temps. La pénombre dans la grotte était plus oppressante. Je compris que le soleil devait avoir cédé sa place à la lune, astre plus bienveillant pour moi. Je me rendis à la limite de l'entrée et constatai que les hommes avaient fait un feu. Je ne sais s'ils me virent ou non et c'était le cadet de mes soucis. Je remarquai avec soulagement que Madox ne se trouvait plus sur le sol, devant le sanctuaire, mais ma sensation de bien-être céda rapidement la place à la peur qu'il ne soit dans un état précaire, sans personne pour lui venir en aide. Je m'efforçai de ne pas y penser pour le moment. Je devais plutôt concentrer mon énergie sur ce qui m'attendait dans les heures à venir.

Mes « gardiens » devaient souhaiter que je n'aie pas les vivres nécessaires pour tenir le siège bien longtemps. Ils devaient également croire que je n'avais nulle façon de communiquer avec l'extérieur. J'espérais que les événements de la nuit me permettraient d'utiliser la télépathie, à l'image de ce que j'avais expérimenté à deux reprises depuis mon arrivée. Dans le cas où je réussirais, il me resterait ensuite à trouver avec qui communiquer. À la pensée que ma mère réponde, une vague d'émotion s'empara de moi. Cet espoir fut de courte durée, rapidement éclipsé par la crainte que mes appels restent indéfiniment vains.

Alors que je retournais vers la source, des images se formèrent lentement dans mon esprit, comme un film. Je compris que c'était la marche à suivre pour accéder aux pouvoirs dont on ne cessait de me bassiner depuis quelque temps. Je fermai brièvement les yeux, histoire de bien visualiser ce que je devais faire, puis les rouvris avant d'enlever mes vêtements, une fois de plus. Je me purifiai dans le petit bassin, puis m'agenouillai, nue, dans le cercle déjà tracé sur le sol. Dans ma main droite, j'empoignai étroitement la dague qu'Alexis m'avait remise deux jours plus tôt. L'obscurité s'étalant sur le monde extérieur, je levai les yeux vers la voûte. Des images de femmes que je ne connaissais pas se succédèrent dans ma tête à une vitesse vertigineuse, comme un kaléidoscope. Je ne pouvais qu'entrevoir des silhouettes, de longs cheveux ou des yeux dissemblables, avant qu'une nouvelle image vienne remplacer la précédente. Une sensation de vertige s'empara de moi ; je vacillai sur mes genoux, le froid me pénétrant de plus en plus profondément. Je n'eus même pas conscience d'avoir levé la dague au-dessus de ma tête avant que ma main gauche ne se referme sur la lame effilée. Je retirai rapidement cette dernière de mon poing fermé, puis serrai de toutes mes forces jusqu'à ce que des gouttes de sang chaud tombent sur le sol couvert de poussière. Je versai une goutte pour chacun des mondes sur lesquels je devrais supposément veiller, de même que cinq pour la Terre des Anciens. Je ne desserrai ma main qu'au compte de onze, sans regarder la coupure qui me brûlait la paume.

Lentement, je récitai à voix haute une série de phrases que je n'avais jamais lues, mais que je connaissais étrangement par cœur. À mesure que les mots se répercutaient sur les murs, un léger tremblement monta du sol, me faisant vibrer. Dans chaque parcelle de mon corps se répandit doucement une chaleur bienvenue qui me donna l'impression d'être soudain entrée dans un sauna. Une série de chocs ressemblant à de petites décharges électriques me traversa. Je n'aurais su dire combien de temps cela dura, mais j'eus le sentiment que ma litanie ne finirait jamais. Les paroles suivaient le même rythme que la vague d'électricité qui traversait mon corps de façon continue. Brusquement, la sensation de chaleur céda la place à un froid glacial, s'accompagnant d'une onde de choc plus forte que les autres. Je me cambrai comme un arc, rejetant la tête en arrière, et poussai un cri strident avant de m'effondrer, inconsciente.

* *
*

Le cri de Naïla se répercuta dans les montagnes environnantes comme un avertissement. Les hommes du sire de Canac échangèrent des regards à la fois surpris et craintifs, mais personne n'osa commenter ce qu'ils venaient d'entendre. À l'écart du brasier, adossé à un rocher, Madox soupira de soulagement ; sa sœur pourrait enfin se défendre convenablement à partir de ce jour, même s'il savait que la route serait longue avant qu'elle ne soit en pleine possession de ses pouvoirs. Plus loin encore, Alix contemplait le ciel, tournant le dos au feu des hommes de Simon, comme s'il cherchait dans les étoiles les réponses que les humains et les dieux de cette terre refusaient de lui donner. Il ne savait pas s'il devait se réjouir des nouvelles aptitudes acquises par sa protégée ou s'en méfier. Pour une des très rares fois de sa vie, une certaine crainte l'habitait. Oh ! mais pas une crainte ordinaire et primitive ! C'était beaucoup plus complexe que cela. Connaissant maintenant ses origines présumées, sa tâche de Cyldias désigné, une grande partie de ses dons et pouvoirs, et ayant une idée assez juste de ceux qui sommeillaient toujours en lui, il se demandait, connaissant également sa témérité, son goût de l'aventure et des combats, son manque parfois criant de compassion et le potentiel d'une Fille de Lune comme Naïla, s'il serait toujours convaincu, une fois les trônes de Darius et d'Ulphydius découverts, de ne pas s'asseoir lui-même sur le mauvais...

- 34 -

La colère d'Alejandre

Lorsque Mélijna revint de son court voyage à Sagan, elle apparut directement dans son antre. Elle n'avait pas prévu qu'Alejandre l'attendrait tranquillement, assis sur une chaise devant l'âtre. La froideur avec laquelle il lui souhaita la bienvenue chez elle n'augurait rien de bon. Un coup d'œil au plafond lui confirma ses craintes : elle avait oublié de faire disparaître l'image des deux Filles de Lune avant de partir. Sans attendre, elle sonda le jeune homme ; la colère qui couvait en lui atteignait des sommets inégalés à ce jour. Mais ce n'est pas tant la force de sa rancune qui dérouta Mélijna que la source de la puissance qui se cachait dessous. Pour la première fois depuis qu'elle connaissait Alejandre, elle perçut la trace d'un sortilège, probablement lancé à la naissance des jumeaux. Ce sortilège, créé par Darius et rarement utilisé, avait failli se fissurer sous la puissante poussée de colère, probablement parce qu'à l'origine, il n'avait pas été formulé dans les règles de l'art. Sa découverte la fit presque jubiler, mais elle savait qu'il valait mieux ne pas se réjouir trop vite. Peut-être les pouvoirs en latence n'étaient-ils pas aussi grands qu'elle l'espérait. Elle tenait toutefois la plus efficace façon de contenir la colère du seigneur. Elle se lança, tandis qu'il la fixait toujours avec des yeux assassins.

– J'avais d'excellentes raisons de passer sous silence l'arrivée de ces deux femmes et je ne me suis pas trompée. Elles n'ont pas survécu à la traversée ; elles étaient agonisantes à mon arrivée sur les lieux. La seule bonne nouvelle, c'est qu'elles nous ont tout de même indiqué un passage vers Golia.

– Qu'est-ce qui me prouve que vous dites vrai ? l'interrompit Alejandre.

L'ironie du ton avait quelque chose de choquant, comme une provocation. Cela ne troubla pas Mélijna. Au contraire, elle souhaitait ardemment que le sire de Canac devienne enfin un homme capable de mener à bien sa quête et la sienne. Pour cela, il devait éprouver davantage de confiance en lui et cesser de la craindre ouvertement. C'était primordial. Elle espérait également que cette nouvelle arrogance envers elle fasse éclater la protection du sort de Dissim, libérant ainsi les pouvoirs du jeune homme. Elle réfléchit à toute vitesse à une façon de lui expliquer de quoi il retournait et opta finalement pour la ligne directe, devant l'impatience grandissante du maître des lieux.

– J'ai aussi découvert que tu avais été soumis au sortilège de Dissim à ta naissance...

Mélijna laissa sa phrase en suspens. Elle voulait ainsi reprendre les rênes de la conversation ou obliger Alejandre à affronter la colère qui bouillait toujours en lui. Elle obtint finalement un mélange des deux.

– Pourquoi suis-je toujours prêt à croire les mensonges que vous ne cessez de proférer pour mieux dissimuler vos agissements ? aboya-t-il d'une voix chargée de ressentiment. Et qu'est-ce encore que cette histoire de sortilège ?

Tandis qu'il parlait, la sorcière se rendit compte qu'il était préférable que le jeune homme ne brise pas le sortilège avant qu'elle ne soit à même de pouvoir en juguler les conséquences ; du moins au début. Et puis, elle avait besoin de temps pour tenter de voir ce qui s'y cachait exactement. Elle pesa donc ses mots.

– Le sortilège de Dissim est une création de Darius pour éviter que des pouvoirs et des dons exceptionnels ne se perdent totalement après une naissance. Il arrive que, pour diverses raisons, un enfant qui aurait dû naître magique ne le soit pas du tout.

– Comme moi, si l'on tient compte de ce qu'est mon frère...

Le jappement ressemblait maintenant au grondement du tonnerre.

– Exactement. Le sortilège de Dissim fut inventé pour préserver, de façon latente, les capacités magiques d'une personne dans le corps de son descendant.

Fronçant les sourcils, Alejandre cherchait à comprendre ce que cela impliquait. Mélijna attendit pendant qu'il prenait plusieurs minutes de réflexion.

– Ce qui voudrait dire que la plupart des dons hérités par mon frère dorment probablement en moi, mais que je ne peux pas m'en servir.

Mélijna hocha la tête.

– Ils ne sont là que pour être un jour transmis à ton ou tes enfants, tout en restant dans ton propre corps.

Alejandre commençait à s'adoucir.

– Et vous croyez que je pourrais réveiller ces dons ?

– Les Anciens étaient convaincus qu'il y avait une raison expliquant qu'une personne n'avait pas reçu les dons et pouvoirs de ses parents, mais ils ne voulaient pas que la génération suivante soit également pénalisée. Voilà pourquoi le sortilège de Dissim existe. Cependant, si le sort est mal jeté, la carapace peut être fissurée et laisser échapper le bagage qu'elle contient...

Un éclair de méfiance traversa les yeux du jeune sire.

– Il faudra combien de temps pour arriver à fissurer cette carapace ?

– Je l'ignore, mentit Mélijna. Je dois faire des recherches et essayer de voir ce qui pourrait donner de bons résultats.

Elle ne voulait surtout pas avouer à Alejandre qu'il n'avait qu'à piquer une sainte colère, une vraie, sans craindre de représailles de sa part, et le tour serait probablement joué. Devant cette réponse insatisfaisante, la colère d'Alejandre se réveilla, mais il n'eut pas le loisir de la laisser exploser ; le ravel de Mélijna apparut soudainement dans la pièce en croassant à tue-tête.

La sorcière écouta attentivement son oiseau. Elle l'avait envoyé sur le territoire des mancius pour s'assurer de leur loyauté, mais également pour retrouver le jeune homme aux longs cheveux roux. Elle ne tenait pas à ce que les mutants se servent de leurs nouveaux pouvoirs pour se lier avec d'autres seigneurs qui poursuivaient le même but. Contrairement à ce que Mélijna avait dit à Alejandre, elle ne pourrait pas reprendre le pouvoir octroyé aux mancius si ces derniers décidaient de ne plus s'allier à eux ; sa magie ne lui permettait pas encore de le faire. Les nouvelles que son ravel lui apportait maintenant ne concernaient pas un changement d'allégeance – du moins, pas encore – mais une visite des plus étranges, de même qu'une rencontre peu banale à l'aller. Mélijna comprit sur-le-champ que l'Insoumise que Mévor avait supposément retrouvée ne pouvait être qu'Andréa. Immédiatement, elle renvoya son fidèle ami à sa recherche. En ce qui avait trait au jeune homme que les mancius avaient reçu chez eux, elle avait l'intention de se rendre sur place très bientôt. Même si elle s'était jurée de rester terrée dans son repaire jusqu'à ce qu'elle soit capable de repérer Maëlle ou une autre Fille de Lune digne de ce nom, elle savait qu'elle ne cesserait d'y penser tant qu'elle n'aurait pas percé le secret de l'inconnu à la chevelure rousse et aux yeux gris comme un ciel d'orage. Un instant, elle se prit même à croire au retour de Mévérick et envisagea la possibilité de modifier sa propre allégeance.

* *
*

Une journée entière passa. Mélijna s'était assoupie en espérant que les hommes d'Alejandre étaient parvenus à rejoindre Naïla avant qu'elle n'atteigne le sanctuaire. Elle n'avait eu d'autre choix que de les faire voyager magiquement jusqu'à la montagne pour qu'ils arrivent à temps. Au cours de la nuit suivante, Mélijna se réveilla brusquement. En sueur, elle posa une main sur son cœur battant la chamade, les yeux exorbités. La Fille de Lune maudite venait d'être assermentée, elle en était certaine ! Pour une rare fois dans sa vie, ses yeux se remplirent de larmes, la rage l'étouffant presque...

- 35 -

L'ultimatum

Je ne rouvris les yeux que le lendemain matin, alors que les rayons du soleil balayaient déjà l'entrée du sanctuaire. Confuse et à nouveau transie, je n'osais bouger. Les images de la nuit précédente me revinrent brusquement en mémoire et une douleur cuisante au creux de ma main gauche se rappela à mon souvenir. Je me levai péniblement, mes muscles engourdis rechignant à la tâche. Je m'habillai lentement, surprise de n'être pas morte d'hypothermie pendant ma léthargie. J'en profitai pour examiner chaque millimètre de mon corps, espérant bêtement déceler un quelconque signe de transformation après cette séance d'électrochocs à l'ancienne. Je ne trouvai rien de particulier. Déçue, je poussai un soupir résigné avant de me diriger vers le fond de la grotte, cherchant mon sac pour y pêcher de quoi manger. Je m'arrêtai net dans mon élan, observant ledit sac s'avancer doucement vers moi et se poser gentiment à mes pieds, inanimé. Je restai perplexe avant de réaliser que je venais d'utiliser mes pouvoirs, même si je n'avais pas la moindre idée de la façon dont je m'y étais prise.

Je mangeai avec appétit les derniers fruits séchés qui restaient dans mon bagage – étonnamment, les nausées ne se manifestaient pas ce matin – avant de me rendre près de l'ouverture. Les hommes semblaient s'ennuyer ferme. Un peu à droite, une vive discussion opposait Simon et... Alexis.

Ce dernier gesticulait, disant que la situation ne pouvait plus durer, mais ce fut tout ce que je pus saisir avant que d'autres n'interviennent. L'algarade dégénéra rapidement et, bientôt, une succession de mots indistincts se chevauchèrent péniblement. Je renonçai à comprendre quoi que ce soit à ce galimatias et cherchai Madox. Je le trouvai finalement en retrait, assis contre un rocher, les yeux fermés. Même à cette distance, je pouvais voir sa poitrine se soulever et s'abaisser. Au moins, il était toujours en vie. Cette constatation m'amena à penser que je devrais commencer à réfléchir si je voulais en dire autant de ma propre personne d'ici peu. Je devais trouver le moyen de m'éclipser pour rejoindre Morgana. Je ne savais pas encore si je tenterais aussi de sauver Madox et Alexis, en dépit de mon inexpérience, ou s'il valait mieux me préoccuper uniquement de moi pour le moment. Je dus m'avouer qu'ils avaient probablement beaucoup moins besoin de moi que moi d'eux et que leur présence ici n'était due qu'à la mienne.

Je n'eus pas le loisir de me pencher sur la question ; la voix désormais familière de Wandéline résonnait dans ma tête.

– *Fille de Lune et d'Alana, au coucher du soleil, tu joindras tes mains, à la limite entre l'ombre et la lumière, à l'instant même où le soleil cédera sa place à ta protectrice. Les yeux fermés, demande en langage lunaire de rejoindre Morgana. Tu n'auras que quelques secondes pour disparaître avant que les hommes d'Alejandre ne s'aperçoivent de ta position vulnérable. Puisses-tu réussir...*

Avant même que je ne tente de lui parler, je savais que le contact avait été rompu. J'eus un geste exaspéré. Personne ne pouvait donc jamais être clair et précis sur cette terre ? Pas étonnant qu'il soit si difficile de la sortir de sa misère si les choses étaient toujours aussi mal expliquées... Pour ce qui était de joindre les mains, ça irait probablement, quoique je connaissais quelques façons différentes de le faire. Le fait que je devienne vulnérable impliquait que la limite entre l'ombre et la lumière se situait à l'entrée de la grotte. Je devais me rendre chez Morgana, mais j'ignorais si le simple fait de le désirer ardemment suffirait à ma réussite. Ironiquement, je songeai qu'un mode d'emploi, ou un manuel de magie, n'aurait pas été un luxe en accompagnement de mes prétendus nouveaux pouvoirs, histoire de ne pas finir entre les mains d'Alejandre et de sa sorcière avant même de les avoir maîtrisés.

Je tournai en rond pendant un certain temps, nerveuse, incapable de savoir combien de temps exactement je devais patienter avant le moment fatidique. Un coup d'œil à l'extérieur me permit cependant de constater que je n'étais pas la seule à trouver le temps long ; les hommes d'Alejandre semblaient s'impatienter eux aussi. L'attente dans un château ou un village permettait au moins certaines distractions ; il n'en allait pas de même pour ces lieux-ci. Pas de jeux de hasard – si ce n'est des dés –, d'alcool ou de femmes à des kilomètres à la ronde, rien que de la caillasse, un temps frisquet et une Fille de Lune qui refusait de coopérer. Devant le manque d'enthousiasme des hommes, je ne pus réprimer un sourire. J'aurais bien aimé voir leur tête si je parvenais à m'évaporer juste sous leur nez.

N'ayant d'autre choix que l'attente, je continuai à les observer, à l'ombre de la paroi. Madox ne semblait toujours pas avoir repris conscience, ce qui me surprenait et m'inquiétait. Je semblais être la seule personne indisposée par cet état de choses ; nul ne se rendait jamais auprès de lui. Plus tard dans la journée, je compris pourquoi aux coups d'œil discrets, mais surtout légèrement apeurés, que certains hommes lui lançaient, de même qu'à mon repaire. Ceux-ci craignaient probablement de toucher ou d'approcher le jeune homme sans savoir si l'état dans lequel il se trouvait était contagieux. À l'idée de devoir l'abandonner, de même qu'Alexis, mon cœur se serra, mais aucune autre possibilité n'était envisageable. Je doutais toujours de pouvoir me sauver moi-même, alors pour ce qui était de secourir les autres...

*   *
*

Assis hors de vue du sanctuaire, Alix reçut une communication de la part de Madox. Celui-ci lui expliqua que Wandéline avait transmis des instructions à Naïla pour qu'elle quitte la grotte au coucher du soleil et se rende chez Morgana. La sorcière désirait qu'Alix l'accompagne.

« Comme si je pouvais faire autrement », pensa amèrement le guerrier. Il se rappela cependant que la vieille femme, au même titre que son frère et sa sorcière, ne savait sûrement pas encore qu'il était un Cyldias désigné. En fait, à peu près personne ne connaissait sa véritable situation par rapport à la Fille de Lune. Il n'en restait pas moins qu'il trouva un certain culot à Wandéline de le charger d'une pareille mission alors qu'elle vitupérait contre lui et s'ingéniait à l'ignorer depuis de si nombreuses années.

Le Cyldias communiqua ensuite par télépathie avec Yodlas ; il avait quelque chose à lui demander. Le chinork voulut d'abord avoir des nouvelles de Naïla et de son assermentation, avant de s'enquérir de Madox. Alix l'avait mis au courant, la veille, de son face-à-face avec les forces du sanctuaire.

– *Madox va relativement bien, compte tenu de ce qui aurait pu arriver s'il n'avait pas été un Déüs.*

Habituellement, pour une personne sans pouvoir, ou aux pouvoirs très limités, le châtiment encouru pour avoir tenté de pénétrer dans le sanctuaire des Filles de Lune n'était ni plus ni moins que la mort. En un sens, Madox avait eu de la chance d'être ce qu'il était.

– *Il aura tout de même besoin de quelques semaines de repos s'il ne veut pas que les blessures internes causées par les forces protectrices du sanctuaire ne causent plus de dommages à long terme*, reprit Alix, avant de passer à l'objet principal de son message. *Existe-t-il une quelconque façon d'empêcher Mélijna de déplacer magiquement les hommes d'Alejandre ? Ça ne sert à rien de quitter cette montagne pour reparaître ailleurs si ces imbéciles peuvent nous suivre instantanément.*

– *Rien de plus facile*, répondit Yodlas, au grand étonnement d'Alix. *Seuls les êtres présents sur cette montagne peuvent utiliser la magie pour la quitter. Mélijna doit donc attendre que Simon et ses acolytes soient redescendus pour les mouvoir...*

Réfléchissant rapidement, Alix demanda :

– *Et tu crois qu'il vous serait possible, disons, de compliquer la descente de ces hommes, question qu'ils mettent beaucoup plus de temps que nécessaire pour regagner la plaine ? Plus nous aurons de temps devant nous, plus nous serons à même de nous défendre quand ils nous retrouveront.*

Quand le chinork donna sa réponse, Alix savait qu'il souriait.

– *Je ne crois pas que la demande pose problème pour l'ensemble des chinorks ; ils ont bien besoin de se divertir de temps en temps. Le temps finit par être long sur cette montagne...*

Satisfait, Alix appuya sa tête contre le roc derrière lui et ferma les yeux. Il avait hâte de quitter cet endroit. Madox ne communiquait plus que par télépathie et le Cyldias n'était même pas certain qu'il serait capable de se mouvoir magiquement compte tenu de ses blessures.

Quel idée aussi d'avoir fait comme s'il était un humain tout ce qu'il y a de plus ordinaire quand les hommes de Simon s'étaient emparé de lui dans le but de l'envoyer tester les protections du sanctuaire ! Cet imbécile n'avait pas voulu utiliser ses pouvoirs pour s'opposer, prétextant que les forces de l'endroit ne lui feraient pas de mal et qu'il était protégé en étant le fils d'une Fille de Lune particulièrement puissante. Poussant l'audace jusqu'à croire qu'il pourrait entrer lui-même dans le sanctuaire, le jeune homme avait laissé Rufus le pousser dans l'ouverture. La suite tenait du cauchemar...

* *
*

Je n'avais pas revu Alexis depuis l'accrochage en début de journée, mais je doutais qu'il soit bien loin. Quant à Simon, il n'avait pas bougé depuis ce matin et regardait pratiquement toujours en direction de la grotte. Rufus se tenait à ses côtés en permanence, comme la première fois que je les avais rencontrés. Le chef et son second. Les autres possédaient peu de traits distinctifs, si ce n'était leur jeunesse.

Je me demandais combien leur offrait le sire de Canac pour leur peine ; des terres, des femmes, de l'argent ou la promesse de plus encore s'ils le suivaient jusqu'au bout de sa folie ? Et combien d'entre eux savaient exactement qui ils traquaient et pour quelles raisons ? Que leur avait-on raconté pour qu'ils acceptent de venir jusqu'ici ? Je ne croyais pas qu'on ait pu leur servir une fois de plus l'histoire de la jeune femme de mauvaise vie, surtout après l'escarmouche qui avait précédé mon arrivée au château. Seul Simon – et peut-être Rufus – connaissait la vérité à mon sujet. Les autres devaient probablement se contenter de leurs propres déductions, mélange de mythes et de légendes qui risquait de devenir explosif à long terme. J'en étais là dans ma réflexion quand je vis revenir Alexis sous bonne escorte, les mains liées dans le dos. Qu'est-ce que ça voulait dire ? Le petit groupe se rapprocha ensuite de l'entrée du sanctuaire. Je compris bien vite que c'était pour que je ne manque rien de la conversation.

– Mes hommes ne sont pas des plus patients et le combustible pour le feu se fait rare, *messire* Alexis. Il faut qu'elle sorte de sa tanière avant le coucher du soleil à tout prix. Il doit bien y avoir un moyen, non ?

Je fus certaine de discerner de l'amusement dans la voix de Simon et cela ne me disait rien qui vaille.

– Vous avez pu constater par vous-même que l'entrée est gardée par des forces qui dépassent les capacités des gens ordinaires, comme vous et moi, répliqua Alexis, sourire en coin.

« Tu parles ! pensai-je. Il n'y a pas moins ordinaire que toi, Alexis le Cyldias ! » Même si je ne savais toujours que peu de choses sur ce qu'il était vraiment et ce dont il était capable – à part son rôle de Cyldias, bien sûr –, je ne doutais pas un instant que cet homme ait des pouvoirs hors du commun. Son air suffisant, malgré ses mains liées, me conforta dans cette idée et je ne m'inquiétai pas outre mesure. Mais Simon n'avait pas dit son dernier mot.

– Je pourrais me servir de vous comme appât, puisque votre compagnon est déjà hors d'état de nuire. Mademoiselle serait peut-être plus encline à venir nous dire bonjour si elle sentait que votre vie est menacée. Alejandre semblait penser qu'elle n'était pas indifférente à vos charmes. Qu'en dites-vous ?

Alexis haussa les épaules.

– La dernière fois que nous avons discuté, elle et moi, elle aurait plutôt penché pour la pendaison haut et court. La mienne, bien entendu... Aussi, je doute que vos manigances puissent l'émouvoir. Je crains plutôt qu'elle ne vous encourage dans le cas où vous me menaceriez de mort ou de sévices quelconques...

Simon regarda Alexis un moment, comme s'il voulait juger de la véracité de ses dires. Puis, sur son ordre, on détacha les mains de mon Cyldias avant de les rattacher à un anneau, ancré à même un énorme roc devant la grotte. Les hommes avaient pris soin de lui enlever sa chemise durant cette préparation. Je les observais avec attention, tiraillée par une soudaine appréhension. Simon les rejoignit et prit la parole, s'adressant d'abord à Alexis.

– Comme en témoigne la présence de cet anneau, tu n'es pas le premier à servir une noble cause.

Dans un sourire cruel, il se tourna vers ma tanière.

– Mademoiselle Naïla ! Je suis convaincu que vous nous voyez et nous entendez, alors écoutez-moi bien. Je vous donne une heure pour sortir de votre cachette ou je ferai un triste parti à votre compagnon de route. Si je me fie aux informations fournies par le sire de Canac, je doute que vous preniez plaisir à la torture de ce jeune homme.

Un sourire mauvais éclairait toujours son visage, n'augurant rien de bon pour la suite des événements. Je frissonnai, soudain mal à l'aise. Ma foi en mon Cyldias avait beau être grande, l'assurance de Simon ne l'était pas moins.

– Pour être certain que je me suis bien fait comprendre, voici un avant-goût de ce qui attend *messire* Alexis, si vous refusez de sortir de cette grotte...

Même s'il m'avait mise en garde, je n'étais pas préparée à ce qui allait suivre. Rufus quitta l'ombre de son chef et se campa derrière Alexis, jambes écartées et sourire sadique à la clé. Ce n'est que lorsqu'il leva son bras que je compris, et mes yeux s'agrandirent d'horreur. Le fouet claqua une première fois dans l'air. Je voulus détourner mon regard, mais j'en fus incapable ; j'étais hypnotisée par la scène. Au deuxième claquement, je fis un pas vers la sortie, puis me ravisai, sachant que ma soumission ne sonnerait pas nécessairement la fin de cette torture et que les conséquences pour Alexis seraient sûrement aussi graves. Un troisième sifflement me broya le cœur. Je ne savais pas combien de coups nécessitait un avertissement, mais j'espérais que ce serait bientôt fini. Même si nous nous étions quittés en très mauvais termes, je ne parvenais pas à me mentir en disant que je pouvais regarder son supplice sans le ressentir profondément. Je n'avais nulle envie de porter la responsabilité d'une quelconque punition à son endroit. Il était mon Cyldias désigné, et même s'il n'y mettait pas toute la bonne volonté requise, il n'en était pas moins efficace et sa présence me rassurait.

* *
*

Comme lors de son séjour dans les cachots du château de Canac, Alix déploya une partie de sa magie récemment acquise pour parer la douleur. Il ne pouvait rien contre les blessures purement physiques du fouet, mais il parvenait à faire une certaine abstraction de la souffrance qu'elles causaient. Il n'eut aucune difficulté à réussir puisque Naïla était tout près. Il savait cependant que la douleur reviendrait, plus vive encore, dès qu'il devrait se déplacer magiquement, puisqu'un bouclier de ce genre demandait trop de concentration pour pouvoir être maintenu en parallèle. Un instant, il se demanda quelle était la réaction de la Fille de Lune, mais il se ravisa, car cette unique pensée lui fit ressentir une pointe de douleur, preuve qu'il ne pouvait pas relâcher sa concentration. Malheureusement, il devait le faire pour envoyer un message.

* *
*

Le visage d'Alexis ne trahissait aucune émotion. Je le voyais serrer les dents et fermer les yeux à chaque nouvel assaut, mais je n'entendais pas même un semblant de plainte franchir ses lèvres. Tandis que le fouet fendait l'air une fois de plus, une voix d'homme, extrêmement lointaine et méconnaissable, m'enjoignit de ne pas faire un pas en direction de la sortie, mais de surveiller plutôt le soleil qui commençait à descendre sur l'horizon. Je regardai en direction de Madox, mais ne rencontrai que ses yeux clos et son visage impassible. Lorsque je reportai mon attention sur Alexis, je remarquai qu'il me fixait. Nos regards se croisèrent une fraction de seconde avant que tombe un nouveau coup, mais je sus que je devais lui obéir, quoi qu'il advienne. Je serrai les dents à mon tour, au son du sixième coup, résignée. Neuf autres claquements se succédèrent avant que la séance ne prenne fin.

Simon força ensuite Alexis à me tourner le dos pour que je puisse voir les effets de cet acte barbare, certain que je n'avais rien manqué du spectacle qu'il venait de m'offrir en guise d'avertissement. La haine que je ressentis à la vue du sang qui gouttait du dos meurtri me donna le vertige. La liste des gens à qui je vouais une rancœur sans limite ne cessait de s'allonger depuis mon arrivée. À ce rythme, je n'aurais bientôt pas assez d'une vie, aussi longue soit-elle, pour leur faire regretter, à chacun, leur conduite ignoble.

La voix bourrue de Simon me tira brusquement de mes pensées.

– J'espère que le message a été parfaitement compris. Nous reviendrons au même endroit, au coucher du soleil, accompagnés de votre... prétendant, il va sans dire. Puissiez-vous avoir quitté votre repaire d'ici-là, si vous ne voulez pas que chaque homme ici présent s'exerce au fouet sur le corps de *messire*.

Si je vis l'espoir d'un divertissement se peindre sur le visage de certains des hommes, d'autres jetèrent un œil incertain vers la grotte, craignant la vengeance de la femme qu'ils poursuivaient. « Cause toujours, me dis-je, en songeant à Simon. Au moment même où tu t'apprêteras à reprendre ta petite séance, je te fausserai compagnie. »

J'espérais seulement que mon départ n'entraîne pas de châtiment encore plus cruel pour Alexis. De toute manière, je me devais de suivre les recommandations de Wandéline et de mon Cyldias. J'étais presque certaine, après avoir entendu la voix d'Alexis dans ma tête, que Madox et lui disparaîtraient immédiatement après moi. Yodlas avait dit que les pouvoirs de voyage pouvaient être utilisés pour quitter la montagne. Je souhaitais de tout mon cœur que ce soit vrai. Je me détournai de l'entrée. La dernière image que je gardai de l'extérieur fut celle du dos d'Alexis, strié d'épaisses lignes rouges. Je fermai les yeux et me mordis la lèvre inférieure pour ne pas pleurer. J'étais certaine qu'il ne s'était pas défendu parce qu'il lui fallait rester alerte et relativement en forme pour mon départ. Il ne me laisserait sûrement pas disparaître sans me suivre...

* *
*

Le front appuyé à la pierre, Alix, toujours attaché, rageait d'avoir été ainsi bafoué sans pouvoir se défendre. Passer pour un imbécile devant des hommes comme ceux de Simon lui faisait haïr son rôle de Cyldias davantage encore, si tant est que la chose fût possible. En temps normal, il n'aurait eu que peu de difficultés à affronter ces hommes, malgré leur nombre. Quand il usait de la magie en plus de son épée, le jeune homme était pratiquement imbattable et sa réputation n'était plus à faire. Et si, par malheur, le combat tournait nettement à son désavantage, il disparaissait tout simplement – bien que la fuite n'ait jamais été ce qu'il privilégiait.

Mais voilà ! Dans le contexte actuel, il ne pouvait prendre aucun risque parce qu'il y avait beaucoup trop d'impondérables. Madox était vulnérable et incapable de se défendre ; il gardait ses dernières forces pour quitter magiquement la montagne. Cette tête de cochon refusait de partir avant que sa sœur ne le fasse. Comme s'il pouvait être d'une aide quelconque en cas d'échec de la part de Naïla ! Selon Alix, il pouvait déjà s'estimer chanceux qu'aucun des mercenaires n'ait eu l'idée de le tuer, tout simplement. Toutefois, Simon l'avait peut-être interdit, estimant que l'abandon de Madox sur place serait beaucoup plus cruel. Dans le cas de Naïla, rien ne garantissait qu'elle fût enfin capable de se servir de ses pouvoirs. Il ne pouvait donc pas partir avant elle. La montagne ne permettrait pas à Alix de revenir magiquement vérifier ce qui se passait dans le cas où la jeune femme n'apparaîtrait pas à l'endroit prévu. Et finalement, si lui-même était blessé dans un affrontement, tout pouvait arriver.

Considérant ces multiples raisons, Alix n'avait eu d'autre choix que de subir le fouet. Résultat : son dos cuisait et il ne pouvait même pas utiliser ses pouvoirs de guérison. S'il le faisait, il risquait d'inciter Simon à mettre sa menace à exécution avant l'heure...

* *
*

Le soleil n'en finissait plus de descendre derrière cette montagne. Je jetais de fréquents coups d'œil vers les hommes rassemblés, guettant le moindre mouvement, de peur que Simon perde patience et devance sa sentence. Alexis surveillait aussi l'horizon, en alternance avec l'entrée de la grotte, craignant manifestement que je ne suive pas ses recommandations ou que je sorte trop tôt.

Les derniers rayons de l'astre diurne firent enfin place à une pénombre grandissante. Je sortis lentement de ma cachette, attendant nerveusement le bon moment. Je joignis les mains à l'instant même où mes pieds touchaient la démarcation entre l'ombre et la lumière sur le sol, sous la voûte de l'entrée. Je me concentrai sur la cachette de Morgana, tentant d'oublier l'agitation que je discernais vaguement dans les troupes de Simon et le mouvement que je perçus vers la droite, à l'endroit où reposait Madox. Une sensation grandissante de vertige s'empara de moi et mon estomac se contracta fortement. Je perdis contact avec le sol en même temps qu'avec la réalité. Le tout ne dura que quelques secondes avant que je ne reprenne pied. Incapable de tenir sur mes jambes, je m'effondrai sur un sol dur et couvert de cailloux. Je n'ouvris pas les yeux, craignant d'être bêtement retombée à l'endroit exact où je me trouvais avant cette étrange sensation.

- 36 -

En quête de passages oubliés

Wandéline avait passé la nuit et la matinée suivante à revérifier dans ses étagères, marmonnant sans cesse des paroles inintelligibles. Elle avait déplacé des dizaines et des dizaines de fioles et de bocaux, en jetant même certains par la fenêtre en maugréant. Elle cherchait toujours à réunir le plus d'ingrédients possible de la liste des trente-trois qui composaient la potion souhaitée, espérant surtout en trouver qui lui aurait échappé lors de ses recherches des derniers jours. Dans l'âtre, le feu brûlait toujours. Wandéline y avait suspendu un chaudron de taille moyenne rempli d'une eau croupie qui dégageait une odeur particulièrement répugnante : la base de son bouillon de culture pour l'expérience à venir. La potion de Vidas n'avait rien d'une soupe aux légumes et la durée de préparation avoisinait les douze mois. Il allait lui falloir beaucoup de patience pour parvenir à un résultat digne de ce nom et, surtout, ne pas se tromper. Toutefois, la potion finale pouvait facilement se conserver pendant de très nombreuses années dans des flacons scellés. Un autre élément jouait en faveur de la sorcière et de Foch : les ingrédients les plus difficiles à trouver devaient être ajoutés dans les dernières semaines de maturation. Ils pouvaient donc commencer tout de suite la préparation et chercher les éléments manquants par la suite. Après avoir jeté un œil inquiet à Mévor, pour la centième fois au moins depuis le lever du soleil, Wandéline s'était tournée vers le sage.

– Est-ce que tu te rends compte que nous devrons, pour mener cette potion à son terme, nous rendre dans trois autres mondes ?

Sans attendre la réponse de son vis-à-vis, elle poursuivit :

– S'il est vrai que je sais où se trouve un des passages conduisant vers Bronan, je n'ai pas la moindre idée de la cachette de ceux qui mènent à Elfré et à Dual. Il nous faudrait le talisman de Maxandre pour le découvrir. Et encore, nous aurions besoin de la nouvelle Fille de Lune pour réussir à en extirper ne serait-ce que le millième de ce qu'il contient. Cette potion est une folie pure ; il doit y avoir une voie plus facile. Je ne peux toujours pas croire que Mélijna a réussi à créer cette mixture, ne serait-ce qu'une fois...

De guerre lasse, la vieille femme se laissa choir sur un banc de bois, déprimée. Pour la première fois depuis qu'il la connaissait, Foch vit le découragement et une réelle tristesse se peindre sur les traits de son amie de longue date.

– Il faut croire que je vieillis, moi aussi, et que les exaltants défis d'autrefois me semblent trop complexes aujourd'hui. Tu sais – elle leva des yeux inexpressifs vers l'hybride – j'ignore si j'aurai le courage de retourner sur Bronan après toutes ces années. J'ai peur que les souvenirs me submergent et m'empêchent de continuer une fois sur place. Je suis terrorisée à l'idée de replonger dans mon passé, dans mes souvenirs les plus heureux, mais aussi dans les années noires et difficiles qui ont suivi. Bien que j'en fasse rarement la démonstration, j'ai aussi un côté elfique en moi.

Elle regarda alors ses mains aux six longs doigts minces, héritage des elfes du côté paternel. Elle n'avait jamais été très sentimentale ou émotive comme chez le peuple de son père ;

en fait, elle était reconnue pour son manque de compassion et son incroyable détachement face à la souffrance des autres. Elle soupira profondément.

– Nous devons étudier toutes les possibilités qui s'offrent à nous. Je ne suis pas certaine, non plus, de parvenir à me rendre dans les autres mondes et d'y trouver ce que nous cherchons dans les délais prescrits par la formule. Il nous faudrait de l'aide et je ne sais vraiment pas vers qui me tourner. Impossible d'en appeler à la Recluse, elle ne peut pas quitter sa montagne. La seule Fille de Lune disponible n'est pas encore capable de gérer ses dons et ses pouvoirs, même si elle a reçu le minimum nécessaire au cours de la nuit dernière ; il lui reste un long chemin à parcourir avant de pouvoir s'en servir convenablement. Quant à Alexis... Eh bien, il faudrait que je commence par faire la paix avec lui avant de lui demander quelque chose de ce genre. Bien que je puisse toujours conditionner mon pardon à la réussite d'une mission visant à rapporter les ingrédients manquants...

Devant le regard réprobateur de Foch, Wandéline balaya l'idée du revers de la main. Elle savait parfaitement qu'elle devrait très bientôt mettre un terme à cette stupide querelle, mais elle avait de la difficulté à avouer sa part de responsabilité dans les événements.

– De toute façon, Alexis n'est plus disponible pour la moindre mission...

– Que veux-tu dire ? La tâche que lui a confiée Uleric n'est pas immuable. Il peut être relevé de ses fonctions n'importe quand. Je ne m'explique d'ailleurs toujours pas pourquoi il persiste à travailler pour ce prétendu sage. Alexis est plus perspicace que cela d'habitude et, surtout, moins docile...

L'érudit l'interrompit.

– Alix agit ainsi uniquement parce que côtoyer Uleric sert ses desseins. Quand il jugera que les bénéfices de cette alliance ne sont plus assez avantageux, il s'empressera de disparaître, je peux te le certifier. Pour ce qui est de protéger la jeune femme, il ne le fait pas pour Uleric, mais pour lui-même.

Wandéline haussa les sourcils.

– Pour lui-même ? Je ne vois pas ce qui...

– Alix est un Cyldias désigné, Wandéline. Comme ceux qui vivaient à l'ère de Darius et jusqu'à il y a deux siècles à peine.

La sorcière resta silencieuse un moment. Elle fixait simplement Foch, comme si elle attendait qu'il se reprenne et démente ce qu'il venait de dire. Il laissa plutôt la nouvelle faire son chemin dans l'esprit de sa vieille amie.

– Tu en es certain ?

Il hocha la tête.

– Je ne vois pas pour quelles raisons je te mentirais sur quelque chose d'aussi important que la mission des Cyldias. De toute façon, et bien qu'Alix ne le sache pas, les véritables Cyldias sont facilement repérables pour quelqu'un qui s'y connaît un peu ; je l'ai su dès que je l'ai vu. De son côté, il a plutôt cru que je l'avais découvert en le sondant.

Wandéline émit un long sifflement.

– Comme je connais ce bouillant jeune homme, cette affectation n'a pas dû lui plaire...

Elle laissa sa phrase en suspens sur un demi-sourire.

– C'est le moins qu'on puisse dire, acquiesça Foch. Mais tu sais aussi bien que moi qu'il ne peut rien y changer. Il devra s'en accommoder, comme tous les autres avant lui. Le fait qu'il ne soit pas disponible pour partir seul en mission ne l'empêche pas de le faire avec sa protégée. Les enfants mystiques de Bronan ont le pouvoir de voyager sans problème entre les mondes, contrairement aux Êtres d'Exception. Il est également possible qu'ils soient aptes à déceler les passages que les autres ne voient pas. Il est tout à fait envisageable que la Recluse, de même que les hommes d'Alix, aient déjà repéré certains passages. Ils n'ont simplement pas ébruité la nouvelle, ce qui est très sage à mon avis.

À mesure que le mage parlait, Wandéline reprenait espoir. Il est vrai que ce n'était pas dans ses habitudes de baisser les bras aussi rapidement. En dépit de son endurance, elle commençait à manquer cruellement de repos.

– Nous devrions prendre une bonne nuit de sommeil de même qu'un repas digne de ce nom avant de nous lancer dans la concoction de cette mixture complexe. Mais entre le repas et le repos, mon cher Foch, je vais avoir besoin de ton aide. Je dois créer un champ de force dans un large rayon autour de la montagne où la Fille de Lune doit se rendre, afin que Mélijna soit incapable de détecter sa présence avant vingt-quatre heures au moins. Nous ne serons pas trop de deux pour réussir cet exploit. Dès que le soleil se couchera, nous devrons entrer en action.

Le vieil hybride donna son accord. Par-devers lui, il se promit de mettre les prochaines heures à profit et tâcher de convaincre Wandéline de se rendre sur Bronan dans les semaines à venir...

- 37 -

Une revenante

– Vous avez l'intention de rester sur le dos encore longtemps ou vous pensez pouvoir vous relever avant la fin de la nuit ? grogna une voix que j'entendis avec soulagement, malgré son timbre bourru.

Décidément, il n'y avait jamais de place pour savourer quelques instants de répit dans ce monde de fous !

– Il se trouve que j'ai traversé plusieurs situations inhabituelles, au cours des dernières semaines, et j'ai besoin de refaire mes forces, annonçai-je fermement. Ne pourrions-nous pas profiter de notre fuite pour nous accorder un peu de repos ?

J'avais posé la question par principe, me doutant fort bien qu'il m'opposerait une fin de non-recevoir.

– Je vous ferai gentiment remarquer que nous ne sommes toujours pas à l'abri des poursuites et des indésirables. Il vaudrait mieux gagner un lieu sûr à la faveur de la nuit. Je vous promets que vous pourrez ensuite vous reposer quelques heures, répondit-il, légèrement insolent.

Si j'avais cru percevoir une subtile note de compassion dans sa voix, il avait rapidement repris son ton revêche.

Résignée, j'ouvris les yeux, ce qui ne changea pas grand-chose de prime abord puisqu'il faisait nuit. Une main se tendit vers moi dans l'obscurité et je la saisis, me hissant debout. Ma vue s'habituait lentement à mon environnement ; je fus même surprise de constater que je voyais particulièrement bien. Je levai les yeux vers la lune pour me rendre compte qu'elle n'éclairait que faiblement, presque entièrement masquée par les nuages.

– Cessez de chercher la source de cette lumière à l'extérieur ; elle est en vous depuis toujours. Cette faculté de voir la nuit, presque aussi bien qu'en plein jour, est un don d'Alana à ses Filles, puisque celles-ci appartiennent à l'astre nocturne. La déesse juge cette faculté nécessaire à la protection des passages et de vos longues vies. Croyez-moi, vous en retirerez des avantages insoupçonnés.

Quelque chose dans l'inflexion de sa dernière phrase me donna la chair de poule. Je le regardai attentivement, pratiquement certaine qu'il y voyait aussi bien que moi. Tant de choses chez cet homme étrange relevaient du mystère. Plus je le côtoyais, plus je trouvais qu'il ressemblait à une version masculine des Filles de Lune. Cela n'avait aucun sens... Pourtant, le fait qu'il soit à la fois Cyldias et Être d'Exception ne suffisait pas à tout expliquer ; je percevais autre chose sous la surface sans parvenir à mettre le doigt dessus. Je n'osai pas m'y attarder, de crainte que la paix tacite, ô combien fragile, qui régnait entre nous ne se désagrège subitement. De toute façon, des choses beaucoup plus urgentes requéraient mon attention. Madox, par exemple. Ce fut ma première question, après que j'eus récupéré mon sac et que nous nous fûmes mis en marche.

– Savez-vous où est Madox ?

– Il a regagné son refuge, à la limite des Terres Intérieures, afin d'y panser ses blessures. Sa « rencontre » avec les forces qui gardent l'entrée du sanctuaire lui a fait plus de torts qu'il ne l'aurait cru. Une aide extérieure lui était nécessaire pour éviter que le mal ne se rende trop loin. Ne vous en faites pas, il sera entre bonnes mains. Il nous rejoindra dès que son état le lui permettra, c'est-à-dire dans plus ou moins une semaine.

La pensée m'effleura que, si tout se déroulait comme je le souhaitais, j'aurais quitté ce monde de fous dans une semaine. J'espérais avoir regagné mon univers civilisé à ce moment-là et m'être débarrassée de l'encombrant fardeau qui grandissait en mon sein. Alexis interpréta vraisemblablement mon mutisme comme de la tristesse et se fit étonnamment rassurant.

– Ne vous inquiétez surtout pas pour votre frère. Il a vu bien pire au cours des dernières années. Il a simplement sous-estimé les pouvoirs des Filles Lunaires et de leur sanctuaire. Ses expériences passées auraient pourtant dû lui apprendre à se méfier...

J'allais lui demander ce qui était arrivé à Madox exactement, mais la pensée soudaine des coups de fouet que lui-même avait reçus me fit m'enquérir de sa santé.

– Je suis désolée pour le fouet. Quoi que vous en pensiez, je n'ai jamais souhaité vous voir souffrir. Je...

Il m'interrompit, visiblement embarrassé.

– Oh ! C'est moins pire que ça en a l'air. Même si c'est douloureux, il aurait fallu plus que quinze coups pour faire des dégâts permanents. Je dois tout de même reconnaître que Rufus a un bon bras et qu'il a mis du cœur à l'ouvrage !

Je m'apprêtais à lui proposer mon aide pour panser ses blessures, mais quelque chose dans son attitude me retint. Il ajouta :

– Ce n'était pas la première fois que je tâtais du fouet, et certainement pas la dernière, mais je ne me plaindrai pas. Il y a bien pire, croyez-moi.

Cette dernière phrase me donna froid dans le dos. Une vision de son séjour au château me revint subitement en mémoire, mais je n'osai pas lui en parler. Non seulement parce que je n'étais pas certaine d'avoir envie d'entendre la description de ce que Vigor, Mélijna ou Alejandre étaient capables d'inventer comme sévices, mais aussi parce que je lui avais fait méchamment savoir, tout dernièrement, qu'il me devait sa libération. D'ailleurs, nous n'en avions pas reparlé depuis...

Nous poursuivîmes notre route en silence. Si la conversation avait semblé couler depuis notre déplacement instantané, je craignais que le froid ne se réinstalle entre nous. Trop de non-dits et de secrets jetaient de l'ombre sur notre duo ; la trêve ne pouvait pas être éternelle. Je cherchai une façon de renouer le dialogue, tout en tentant de voir où l'on allait. Je venais juste d'éviter une dépression du sentier quand je réalisai que ma situation n'était pas celle que j'avais espérée.

– Pourquoi devons-nous continuer à pied alors que j'aurais dû me retrouver directement chez Morgana ?

La franchise d'Alexis me surprit.

– C'est ma faute. Comme vous le savez déjà, la plupart des gens capables de voyager ainsi ne peuvent le faire que vers des endroits qu'ils ont préalablement visités. Je ne me suis jamais rendu jusqu'aux monts qui abritent le repaire de Morgana, je ne peux donc pas m'y rendre directement.

– Mais en tant que Fille de Lune, je devrais pouvoir le faire. Je me trompe ?

– Non. Le problème, c'est que Wandéline ne voulait pas que vous arriviez seule chez Morgana. Elle a donc dévié votre course pour qu'on soit tous deux au même point et que je puisse assurer votre protection comme il se doit.

Je relevai, perspicace :

– Je croyais que les Filles de Lune ne pouvaient être amenées contre leur gré...

Il poussa un soupir, tout en passant une main dans ses cheveux. Je sentais que sa patience atteindrait bientôt sa limite.

– Je vous signale que Wandéline ne vous a pas amenée à elle ; elle a seulement augmenté la distance que vous deviez parcourir pour atteindre votre objectif. Rassurez-vous, lorsque vous maîtriserez vos pouvoirs, vous pourrez facilement contrer ce genre d'incursion dans vos décisions...

– Avec un peu de chance, j'aurai deux cent dix ans et je n'en aurai plus besoin depuis longtemps ! dis-je, sarcastique.

Bien que j'eus constaté certaines capacités hors du commun chez moi depuis mon passage au sanctuaire, je doutais de parvenir un jour à en utiliser le dixième correctement. À ce moment précis, ma rencontre avec Alana s'imposa à mon esprit. Je racontai aussitôt à Alexis ce que j'avais appris dans la grotte.

Même avec des yeux de chat, il est difficile de voir dans l'obscurité les sentiments que trahit le visage d'une personne. J'étais, par contre, certaine d'une chose : Alexis ne se doutait pas que ma mère puisse être encore en vie. Tout comme Madox, il la croyait disparue depuis bien des années. Je lui demandai s'il savait quelque chose des séjours de ma mère sur cette terre. Il poursuivit sa route comme si je n'avais pas posé de question. Il devait juger qu'il ne lui appartenait pas de me faire ce genre de récit, tout comme mon frère avait évité de discourir sur la vie de mon Cyldias. Je me résignai à attendre de revoir Madox – si je le revoyais, bien sûr. Une fois de plus, le silence reprit le dessus et s'installa résolument pour un très long moment.

Une demi-heure plus tard, je n'osais toujours pas demander si nous étions encore loin de notre destination, craignant de ne pas paraître à la hauteur de la situation. Pourtant, j'étais fatiguée et des nausées m'accompagnaient toujours, fidèles et désagréables. Je sentais que mes jambes ne pourraient me porter encore longtemps, ma résistance physique ne valant guère mieux qu'à ma sortie du château. Alors que je m'apprêtais à proposer un temps d'arrêt pour pouvoir récupérer un peu, Alexis s'arrêta brusquement. Un pas de plus et je lui fonçais dessus ! Je retins une exclamation de surprise et m'enquis à voix basse de ce qui se passait. Il se retourna sans me regarder, cherchant je ne sais quoi dans l'obscurité, derrière moi. Je ne voyais pas ce qu'il espérait trouver puisque nous cheminions sur une plaine déserte depuis un certain temps déjà et que rien n'était visible à des lieues à la ronde. J'eus beau scruter la noirceur et tendre l'oreille, je ne vis ni n'entendis rien de particulier. Que des insectes et le lointain sifflement du vent. Un chuintement m'indiqua qu'il venait de sortir son épée de son fourreau. Cela ne me disait rien qui vaille ! Je fis le vide dans mon esprit, puis me concentrai pour canaliser mon énergie – enfin, le peu qu'il me restait – sur lui, tentant une première expérience consciente de télépathie.

– *Qu'est-ce qui se passe exactement* ? demandai-je.

La réponse me parvint si vite que je sursautai. Je serrai instinctivement son bras, sur lequel j'avais inconsciemment posé ma main quand il s'était arrêté.

– *Je perçois une présence, mais je suis incapable de la localiser dans notre environnement ; sa magie dépasse la mienne, et de beaucoup. Peut-être pourriez-vous le faire. Normalement, vos pouvoirs devraient maintenant vous le permettre...*

Comme moi, il semblait douter que je puisse être capable de la moindre magie digne de ce nom.

– *Je veux bien,* répondis-je, *mais je n'ai pas la plus petite idée de la façon de procéder. Voyez-vous, mes supposés pouvoirs ne viennent pas avec la marche à suivre,* ajoutai-je, acerbe.

Que n'aurais-je pas donné pour me sentir moins dépendante et plus efficace !

– *Fermez les yeux et concentrez-vous sur votre environnement,* m'encouragea Alexis, luttant contre l'exaspération. *Vous percevez ma présence parce que vous savez que je suis là, mais aussi parce que votre corps et votre esprit la ressentent.*

Curieusement, je comprenais ce qu'il voulait dire, mais j'aurais été bien en peine d'expliquer pourquoi et comment.

– *Il vous faut chercher la même sensation, mais plus loin, tout autour de vous. Imaginez que vous cherchez quelqu'un dans le noir et que vous ne pouvez vous fier qu'à vos sens. Rien...*

– Taisez-vous, le coupai-je de vive voix, inconsciente de la brusquerie de mon ton.

Il se tint instantanément coi. Je sondai les alentours sans vraiment m'en rendre compte. Je me sentais bizarre et présumai que c'était ce que signifiait l'expression « entrer en transe ». Au bout de quelques minutes, j'eus l'impression que mon esprit quittait mon corps et survolait la plaine où nous nous trouvions. Je voyais tout d'en haut, même ma propre personne, presque aussi clairement que sur le coup de midi. Il me fallut peu de temps pour trouver ce qu'Alexis percevait, mais un peu plus pour bien assimiler cette vision et, surtout, m'en détacher. J'eus deux surprises plutôt qu'une et lorsque je revins sur terre, au propre comme au figuré, je portai une main à ma bouche, les yeux ronds, la chair de poule hérissant tout mon corps. Alexis comprit que j'avais réussi là où il avait échoué.

* *
*

Sans avertissement, Andréa, qui récupérait toujours de sa longue incarcération, avait brisé la cellule temporelle qui la protégeait du monde extérieur et qui la préservait de l'écoulement du temps. Derek, qui somnolait à ses côtés, lui tenant compagnie depuis plus de trente-deux jours maintenant, avait sursauté. Il avait immédiatement tenté de recréer la cellule, mais la magie de sa « protégée » avait retrouvé suffisamment de vigueur pour entraver à nouveau la sienne. La Fille de Lune avait tourné ses grands yeux dissemblables vers lui et avait seulement fait « non » de la tête, en silence. Sans même une explication, elle s'était soudain mise à réciter d'étranges incantations, dans le langage de ses semblables, jusqu'à ce que son corps devienne translucide. Derek comprit qu'il ne lui restait plus qu'à attendre son retour ; elle avait quitté son enveloppe charnelle pour une destination connue d'elle seule. Il se demanda qui pouvait bien nécessiter un déplacement comme celui-là alors qu'elle n'avait pas encore pleinement récupéré. C'était d'ailleurs l'une des choses qu'il ne comprenait pas. Pourquoi, après plus de quatre semaines de repos total, sa « protégée » ne parvenait-elle toujours pas à reprendre ses forces ? Elle sombrait constamment dans une profonde léthargie, créée par ses Âmes régénératrices pour sa survie ; elle ne parlait pas, excepté dans son sommeil, ne mangeait que du bout des lèvres et sa magie n'atteignait que le dixième de ses capacités réelles. Il doutait même parfois qu'elle l'ait reconnu.

À quelques reprises, il avait eu envie de demander de l'aide, mais il ne savait pas vers qui se tourner pour ne pas compromettre la sécurité de l'Insoumise. Il ne connaissait même pas l'identité de la personne qui avait permis à Andréa de s'échapper. Il aurait donné cher pour que la voix masculine qui l'avait guidé lors de son arrivée dans ce lieu se manifeste à nouveau pour lui indiquer ce qu'il fallait faire.

Pendant que Derek réfléchissait, Andréa se débarrassa, non sans d'immenses difficultés, du sorcier qui s'apprêtait à attaquer Naïla et Alix. Heureusement, l'effet de surprise avait joué en sa faveur. Elle ne put cependant sauver les amis du Cyldias. Ceux-ci perdirent la vie aux mains d'êtres qui accompagnaient le mage noir. Elle songea avec tristesse au nombre de vies sacrifiées pour le bien d'une cause et en eut la nausée. Elle n'arrivait toujours pas, même après plus de vingt ans passés sur cette terre, à accepter que des innocents meurent uniquement parce qu'ils avaient choisi d'embrasser la cause du bien. Elle ne voyait rien de noble à mourir pour ses convictions ; à son avis, cela relevait plus du gâchis.

Elle s'assura que Naïla et son Cyldias ne risquaient plus rien à poursuivre leur route et se préparait à retourner dans son refuge, quand elle perçut la présence de sa fille, tout près. Elle aurait pu disparaître, mais elle choisit de rester, ne serait-ce que quelques secondes, pour voir la jeune femme. Cette dernière ne s'attarda pas, malheureusement, trop surprise par la vision de sa mère. Sans plus attendre, Andréa regagna le repaire de son ancien Cyldias, cherchant toujours le moyen de lever le sortilège de Ralent qu'Oglore lui avait jeté. C'était l'un des seuls sorts, avec celui qui altérait la mémoire, que la sorcière des gnomes pouvait lancer avec suffisamment de puissance pour qu'il ne puisse être inversé que par un être particulièrement puissant. Que n'aurait-elle pas donné pour savoir où se trouvait Kaïn en ce moment même...

* *
*

L'homme que l'Insoumise aurait tant voulu voir avait été à moins de cent mètres d'elle quelques minutes plus tôt. Sa présence était due, comme celle d'Andréa, au désir de s'assurer que Naïla arrive chez Morgana sans encombre. Trop absorbée par sa volonté de se débarrasser de Saül, puis par celle d'apercevoir sa fille, elle n'avait pas perçu la présence de l'hybride. Tant mieux ! Kaïn ne se sentait toujours pas prêt à affronter sa colère, même si elle s'avérait pleinement justifiée ; il avait encore besoin de temps. Par contre, il lui donna un coup de main pour combattre Saül, sachant que les pouvoirs d'Andréa ne seraient pas à la hauteur de ceux de son ennemi. Connaissant son orgueil, il avait cependant fait en sorte de l'aider sans qu'elle s'en rende compte...

* *
*

Saül rageait. Le sorcier avait si bien préparé son coup qu'il n'en revenait toujours pas d'avoir été défait par l'Insoumise. D'où sortait donc cette femme que tous croyaient morte ? Par quel miracle était-elle encore capable de nuire autant ? Pourquoi était-elle indétectable, au contraire de toutes les autres Filles de Lune, même les maudites ? La puissance qu'il avait acquise au cours des dernières années aurait dû suffire à la réduire en miettes, surtout qu'elle ne paraissait pas au meilleur de sa forme. Que s'était-il passé ? Il allait devoir trouver un autre moyen de mettre la main sur la dernière descendante maudite sans faire connaître son existence. Il ne se terrait pas depuis si longtemps pour rien...

* *
*

– Où est-elle ? demanda Alexis à voix basse, soudainement plus nerveux.

– À quelques centaines de mètres derrière la colline, juste à l'orée d'une forêt où fume une cheminée, lançai-je dans un grand état d'énervement.

– Pas possible ! Comment a-t-elle su que nous étions ici ? Wandéline m'avait pourtant juré de rendre notre présence impossible à déceler aux yeux de cette harpie pendant plusieurs heures. Comment...

– Ce n'est pas Mélijna qui est là-bas. Vous vous trompez complètement, chuchotai-je, frôlant l'hystérie.

– Si ce n'est pas Mélijna, qui est-ce alors ? se buta mon Cyldias dans un froncement de sourcils. Je ne crois pas que la vue de Wandéline puisse vous mettre dans un état pareil. Et à part ces deux sorcières, je ne vois pas qui aurait encore autant de pouvoir dans notre monde...

Je cherchais mes mots, comme si ce que je m'apprêtais à lui dire était tellement invraisemblable que je ne pouvais trouver les paroles justes. Il s'impatienta, arguant que si nous étions en danger, chaque seconde comptait. Je hochai la tête, pour lui signifier l'absence réelle de menace, avant de prendre une grande inspiration et de lancer d'une traite :

– Ce-n'est-pas-Mélijna-que-j'ai-vu-c'est-ma-mère-et-l'homme-qui-...

Ce fut à son tour d'ouvrir de grands yeux ronds et d'avoir l'air un peu niais.

– Vous en êtes certaine ? s'enquit-il un peu stupidement tout en rengainant son épée.

– Je suis capable de reconnaître ma mère, même après toutes ces années. Pour qui me prenez-vous ? hurlai-je, ne me contenant plus.

Des deux personnes que je venais de voir, c'était ma mère qui méritait toute mon attention. L'autre pouvait bien attendre... Cette vision m'avait fascinée, mais aussi inquiétée. En la voyant, un souvenir m'était revenu en mémoire, vif comme le passage d'un éclair. J'avais déjà vu ma mère dans un état semblable à celui où elle m'était apparue, c'est-à-dire maigre et en haillons – il ne manquait que des chaînes à ses chevilles –, mais je n'arrivais pas à me rappeler où et quand. Je racontai tout cela à Alexis, tandis que nous reprenions la route. D'après mon compagnon, la fumée que j'avais aperçue provenait de la chaumière où nous nous rendions. Alexis saisit en un instant à quoi je faisais allusion.

– Vous ne seriez pas restée seule avec Oglore, par hasard, lors de votre visite chez les gnomes ?

– Je ne sais pas, répondis-je avec franchise.

Puis je me rappelai soudain ce que m'avait dit Madox, à ma sortie de la salle du trône de Phénor. En quelques mots, je résumai ce dont je me souvenais. À la fin de mon court récit, Alexis poussa un soupir résigné, mais aussi mécontent.

– C'est bien ce que je pensais ! Je suis surpris que Madox ne l'ait pas compris aussi. Quiconque connaît un peu les gnomes sait que l'Oulbe – un puissant sortilège qui altère la mémoire – est le plus efficace que puisse lancer leur sorcière...

– Il devait penser à sa sœur, l'excusai-je.

– Sa sœur ? répéta Alexis, tombant des nues.

Au cours des derniers jours, au lieu de nous piquer l'un l'autre, nous aurions été plus avisés d'échanger des informations pertinentes. Cela nous aurait évité d'avoir à le faire maintenant... J'expliquai donc :

– Sa sœur, Laédia, est sous l'emprise d'Oglore et de Phénor à cause de deux gnomes qui se seraient autrefois mis dans le pétrin et que l'aïeul de Madox aurait éliminés.

– Daméril et Dasca ! souffla Alexis. Mais ça remonte à des décennies... Je me souviens maintenant que Madox m'en avait glissé un mot...

– Il semble que le temps ait peu d'emprise sur le désir de vengeance de Phénor.

– Que s'est-il passé exactement ?

J'achevais de lui détailler l'épisode lorsque nous arrivâmes en vue de la chaumière.

– Cette traîtresse a bel et bien utilisé un sortilège d'amnésie partielle, m'informa Alexis. Elle n'a pas effacé les souvenirs de votre mémoire, mais a plutôt fait en sorte que certains d'entre eux deviennent insaisissables pour une très longue période.

– Existe-t-il une façon de rompre ce charme pour que j'aie à nouveau accès à cette séquence de mon existence qu'elle m'a ravie ?

Malgré la nuit, je devinai une lueur malicieuse au fond de ses magnifiques yeux étoilés. L'espace d'un court instant, je fus subjuguée. Je maudis le sort qui voulait que je sois en train de tomber amoureuse d'un homme inaccessible.

– Les gnomes, semble-t-il, ne comprendront jamais que, quelle que soit l'étendue de leurs pouvoirs dans les souterrains, ceux-ci perdent leur efficacité dès que la personne ensorcelée coupe tout contact avec l'élément dont ils ont hérité la garde. C'est tellement bête que c'en est presque comique !

– Vous voulez dire que je n'ai qu'à plonger dans l'eau et nager pour éviter que mes pieds n'entrent en contact avec le fond pour que cette forme de magie se rompe ?

– Aussi certainement que si elle n'avait jamais existé !

Instinctivement, je regardai autour de moi, cherchant un point d'eau suffisamment grand pour que je puisse y nager à mon aise.

– Vous ne trouverez rien qui corresponde à ce que vous cherchez à des lieues à la ronde. Vous feriez mieux de manger et de vous reposer avant de rencontrer Morgana. Vous pourrez ensuite envisager de conjurer le sort.

Je m'apprêtais à répliquer, mais il m'en empêcha d'un geste, croyant lire dans mes pensées.

– Vous avez certainement très hâte de retrouver votre mère, mais vous ne devez pas oublier que personne ne l'a revue depuis près de douze ans. Il faut d'abord vous occuper de vous, question que vous puissiez lui consacrer toute votre énergie par la suite. Je doute que le fait que vous soyez enceinte penche en faveur d'une action immédiate, conclut-il, un peu excédé.

Au rappel de ma grossesse, j'eus l'impression que les nausées qui m'assaillaient redoublaient d'intensité. Je me précipitai dans les buissons pour rendre le peu que mon estomac pouvait contenir avant de revenir vers mon Cyldias en titubant légèrement. J'en perdis le fil de mes pensées, oubliant momentanément ce dont je m'apprêtais à lui parler. Alexis avait le teint plus pâle et les sourcils froncés. Pas besoin d'un dessin pour comprendre que ma grossesse le rendait très mal à l'aise.

– Ça va ? demanda-t-il d'un ton où se mêlaient inquiétude et exaspération.

– Oui, oui, ce n'est rien, répondis-je en passant devant lui, me dirigeant vers l'habitation.

Je n'avais pas envie de discuter de ma grossesse ; cela risquait de me plonger dans des souvenirs que je cherchais davantage à oublier qu'à étaler. Alexis m'emboîta le pas sans dire un mot, respectant le silence dans lequel je me réfugiais, probablement parce que cela faisait aussi son affaire.

Il ne nous fallut que quelques minutes pour atteindre notre destination. C'est à ce moment seulement qu'une étrange sensation m'envahit. Ce n'était pas une présence que je craignais, mais plutôt la découverte d'un malheur déjà survenu. Au bruit derrière moi, je compris qu'Alexis avait ressorti son arme. J'en conclus qu'il devait percevoir la même chose que moi.

La porte de la demeure était entrouverte, un filet de lumière vacillante filtrant par l'entrebâillement. Alexis poussa l'épais panneau de bois avec la pointe de son épée.

– Restez ici. Je préfère y aller seul même si je ne perçois aucune présence vivante.

Je le regardai pénétrer à l'intérieur avec appréhension et continuai de fixer le battant après qu'Alexis se fut soustrait à ma vue. Mon attente ne dura pas très longtemps ; il ressortit bientôt, la mine sombre et le regard lointain. Malgré mes questions, il refusa de me dire ce qu'il avait vu à l'intérieur.

– Nous devrons nous contenter de dormir à la belle étoile avant de reprendre la route vers le repaire de Morgana.

Tout en parlant, il fourrageait dans son sac, cherchant probablement de quoi grignoter. Son regard évitant le mien, je me sentis étrangement mal à l'aise. J'avais clairement perçu une certaine forme de danger tout à l'heure. De plus, je ne comprenais pas pourquoi nous ne pouvions pas dormir à l'intérieur si la demeure était déserte. Les propriétaires ne nous en tiendraient pas rigueur, même s'ils le savaient un jour. Au Moyen Âge, l'hospitalité était beaucoup plus grande que ce qu'elle pouvait être à mon époque. J'étais certaine que c'était la même chose sur la Terre des Anciens. Puis il me vint à l'esprit que ce refus de me dire quoi que ce soit venait de ce que j'avais perçu la présence de ma mère plus tôt. Avant qu'il n'ait pu faire un geste pour me retenir, j'entrai dans la petite chaumière. Le spectacle qui s'offrit à mes yeux, sous la timide lumière d'une bougie achevant de se consumer, me cloua sur place.

La demeure n'était constituée que d'une grande pièce, mais elle était dans un fouillis indescriptible. Les quelques meubles étaient renversés et des traces de lutte, encore bien visibles. Ce n'est pourtant pas cette vision qui alimenta mes nausées, mais plutôt celle des gens qui avaient dû être les propriétaires de l'endroit. Un homme et une femme étaient allongés par terre, au centre de la pièce. La femme reposait en travers du corps de l'homme, et je compris qu'elle devait avoir trouvé la mort alors qu'elle pleurait celle de son conjoint. L'homme avait toujours son épée à la main, et son corps maculé de sang me fit espérer que sa souffrance avait été de courte durée. La femme avait un poignard enfoncé à la base de la nuque, et je pensai que sa mort avait dû être instantanée. Elle n'avait probablement même pas eu conscience que la vie la quittait, toute à son chagrin.

Deux mains fermes se posèrent sur mes épaules, m'obligeant à faire demi-tour. Je ressortis dans la nuit, le cœur gros et la tête vide, comprenant difficilement ce monde où l'on mourait l'épée à la main. Des larmes de tristesse et de colère me piquaient les yeux. La frustration et l'impuissance faisaient rage en moi à l'idée que des innocents payaient de leur vie pour qu'on puisse mettre la main sur ma personne ou celle d'Alexis. Pourquoi ceux qui avaient fait une pareille chose ne nous avaient-ils pas attendus après leurs crimes si nous étions vraiment ceux qu'ils pourchassaient ? Comment nous avaient-ils retrouvés si vite ? Comme s'il avait lu dans mes pensées, Alexis répondit à mes interrogations.

– J'ignore qui sont ceux qui les ont attaqués, mais ils n'étaient pas de taille face à Andréa, même si elle n'était pas physiquement sur place. Voilà pourquoi vous l'avez aperçue quand vous avez cherché une présence ; elle veillait à ce que personne n'entrave la poursuite de votre quête, dit-il d'une voix éteinte. J'aurais pourtant dû le comprendre.

Un court moment passa avant qu'il n'ajoute :

– Une chose est sûre maintenant : votre mère est bel et bien vivante. Les morts ne peuvent intervenir de cette façon. Ce que je me demande, c'est pourquoi elle revient soudainement. Est-ce que ses conditions de détention – parce qu'elle devait nécessairement être prisonnière – ont changé à un point tel qu'elle a retrouvé une grande partie de ses pouvoirs ? Serait-elle libre sans que personne ne le sache ?

Je ne savais si je devais me réjouir qu'il me croie enfin ou me désespérer de ne pas avoir tenté d'entrer en contact avec ma mère quand l'occasion s'était présentée.

– Nous ne pouvons pas faire de feu ; il faut absolument éviter d'attirer l'attention. Ce devait être des hommes sous les ordres d'Alejandre, eux aussi. Ils ne doivent pas avoir fui bien loin et reprendront sûrement la chasse très tôt demain. Il ne nous reste donc que quelques heures de sommeil avant de nous remettre en route, me rappela-t-il.

Il surenchérit, en marmonnant :

– Comment ont-ils su que nous passerions ici ? Wandéline m'avait pourtant promis sa protection...

Il secoua la tête et se massa énergiquement les tempes, visiblement dépassé par les événements. Alors que je tirais ma couverture de mon sac de voyage, l'être que j'avais aperçu loin derrière ma mère me revint brusquement à l'esprit.

– Qui donc est l'homme que j'ai vu lorsque j'ai touché la pierre de voyage, avant mon départ de Brume ? lançai-je tout à trac.

Durant un moment, mon Cyldias me regarda, faisant vraisemblablement semblant de ne pas comprendre. Épuisée, et surtout excédée de toujours me retrouver dans des situations rocambolesques, je n'avais vraiment pas besoin qu'on me nargue en plus. J'explosai :

– Ne faites pas celui qui n'a pas compris ! Il y a trois jours exactement, j'ai mentionné un homme aux cheveux châtains bouclés ayant six doigts à la main gauche, des oreilles en pointe et tenant une cordelette au bout de laquelle pendait une espèce d'amulette. Vous et Madox avez comploté à voix basse sans vouloir nous dire, à Yodlas et à moi, qui il était. Maintenant, j'exige que vous me disiez la vérité.

À ma grande surprise, Alexis ne bougea pas d'un poil devant mon agressivité. Il s'adossa à un arbre et leva les yeux vers le ciel. Les étoiles semblaient se réfléchir dans ses yeux étranges. Il se passa une main dans les cheveux, recommença son manège une deuxième, puis une troisième fois. L'indécision se lisait clairement sur ses traits. Les minutes s'écoulaient, interminables.

– Pourquoi ? Pourquoi vouloir savoir ça *maintenant* ? demanda-t-il finalement.

– Parce que cet homme était sur la plaine avec ma mère, dis-je d'une voix dure, toujours sous l'impulsion de la colère. Crachez donc le morceau qu'on en finisse...

Il ouvrit d'abord de grands yeux étonnés, avant de froncer les sourcils. Puis ses yeux rétrécirent jusqu'à ne devenir que deux minces fentes.

– Vous êtes sûre que c'est le même homme ? Vraiment sûre ? Après tout, vous n'avez eu qu'une vision de lui sur Brume et là...

Je l'interrompis, hors de moi :

– Vous êtes d'une telle mauvaise foi ! Si je vous dis que c'est lui, c'est que c'est lui ! Cessez de tourner autour du...

– D'accord, d'accord, calmez-vous, me coupa-t-il d'un ton encore plus acerbe que le mien. Je veux bien vous dire qui c'est, mais je doute que vous compreniez réellement la portée de ce que vous avez découvert...

Et voilà ! Il me prenait encore pour une attardée ! Faisant un effort visible de patience, il se lança néanmoins :

– L'une des premières histoires qu'on entend, quand on vit dans un environnement suffisamment en contact avec la vie secrète de la Terre des Anciens, c'est celle de Kaïn.

Alexis marqua une pause et tourna à nouveau son regard vers le ciel, comme s'il allait y puiser la force nécessaire pour continuer. Je ne me tenais plus d'impatience. Se passant à nouveau une main dans les cheveux, il reprit, mais sans se retourner vers moi.

– La légende des Anciens raconte que lors du dernier affrontement entre Darius et Ulphydius, il y avait des témoins, contrairement à la croyance populaire. Trois Sages extrêmement puissants, qui formaient la garde rapprochée de Darius, avaient suivi ce dernier jusqu'au Sommet des Mondes, espérant, en cas de besoin, le seconder contre Ulphydius. Mais il est dit que le grand mage noir, voyant que Darius n'était pas venu seul, punit les trois effrontés dans un accès de rage ; il les enferma individuellement dans une prison translucide. Ils ne pourraient plus bouger ni parler, n'auraient plus faim ni soif, mais ils garderaient conscience de tout ce qui se passerait aussi longtemps que durerait le sortilège, c'est-à-dire éternellement. Le vieillissement n'aurait pas non plus d'emprise sur eux et leur corps resterait exactement le même. Ulphydius les a condamnés à une forme de léthargie éveillée. Punition cruelle s'il en est une. Toujours selon la légende, Darius, sentant la fin venir au cours du duel, aurait dispersé les trois blocs transparents dans trois endroits différents de la Terre des Anciens, transmettant par télépathie à des êtres dignes de confiance des indications précises pour les retrouver. Il espérait que d'aucun parvienne un jour à les libérer.

– Je ne vois pas...

– J'y arrive, fit-il, sans même un regard dans ma direction. Deux des trois Sages avaient à peu près le même âge que Darius, mais le troisième n'avait que dix-neuf ans. C'était un Déüs extrêmement doué que le mage avait pris sous son aile quand il avait découvert l'énorme potentiel du garçon. Étonnamment, celui-ci n'était âgé que de dix ans quand il avait été conduit au grand Sage. Les années avaient ensuite donné raison à Darius, qui avait d'abord dû affronter de nombreux détracteurs, lesquels trouvaient ridicule de consacrer autant d'énergie et de volonté à former un gamin alors que des Êtres d'Exception tout aussi talentueux devaient attendre plusieurs années avant d'avoir accès à une véritable formation. Par la suite, tous perçurent le jeune homme comme le successeur de Darius. Il s'appelait Kaïn.

Alexis soupira et je me demandai pourquoi le fait de raconter cette histoire le dérangeait autant.

– Le chaos qui suivit la disparition de Darius et d'Ulphydius fut tel que l'histoire des trois Sages sombra pratiquement dans l'oubli. Ce n'est que bien des années plus tard que des Êtres d'Exception et quelques Sages partirent enfin à la recherche de leurs confrères disparus. Ils trouvèrent sans problème les deux plus vieux, toujours enfermés, et les ramenèrent avec eux. À ce jour, ils sont toujours prisonniers ; je les ai vus personnellement. Personne n'a encore réussi à les délivrer et bien peu de gens connaissent l'endroit où ils sont cachés ou sont même au courant de leur existence.

– Mais le troisième a disparu et sa description correspond à celle de l'homme que j'ai vu lorsque j'ai touché la pierre lunaire, énonçai-je, certaine de ne pas me tromper.

Je commençais à saisir ce que ces explications pouvaient impliquer. Alexis abandonna enfin la contemplation de la voûte étoilée pour poser les yeux sur moi. Il semblait toujours étonné que je sois capable de réfléchir, ce qui avait le don de me mettre hors de moi. Je m'abstins cependant de lui en faire mention. J'avais trop hâte d'entendre la suite.

– Effectivement. En fait, la seule différence entre la description que vous avez donnée et celle que nous connaissons, Madox et moi, concerne l'âge de cet homme. À l'époque de Darius, il avait dix-neuf ans, alors que vous affirmez avoir vu un homme d'une quarantaine d'années. Si c'est lui, ce qui est probable puisque rien n'est impossible sur cette maudite terre, cela implique que quelqu'un, quelque part, a réussi à le sortir de sa prison – ou qu'il en est sorti seul, mais j'en doute. Et si quelqu'un possède effectivement assez de pouvoirs pour l'avoir tiré de sa fâcheuse position, pourquoi n'a-t-il pas fait de même pour les deux autres dont il doit certainement connaître l'existence ? Et pourquoi Kaïn ne l'a-t-il pas fait, lui non plus ? Les Sages, à l'image des Filles de Lune, sont capables de repérer leurs semblables où qu'ils soient sur la Terre des Anciens. Et pourquoi n'a-t-il pas revendiqué la place qui lui revenait de droit ? Il devait nécessairement savoir où se trouvaient les Trônes mystiques. Si vous n'avez pas surévalué l'âge de l'hybride, il y a plus d'une vingtaine d'années déjà qu'il a quitté sa prison cristalline. Je ne sais pas si...

J'interrompis son monologue de questions pour pouvoir poser la mienne.

– Qu'est-ce que vous croyez qu'il faisait sur la plaine ?

Il détourna son regard et répondit trop rapidement :

– Je ne sais pas...

Je changeai d'approche.

– Vous croyez qu'il détient réellement le talisman de Maxandre ?

Alexis se passa à nouveau une main dans les cheveux en soupirant. Sa réponse n'en fut pas vraiment une.

– Si jamais c'est le cas, la situation est encore pire que je ne le pensais.

– Pourrait-il être...

Alexis me coupa d'un geste brusque, visiblement excédé.

– Ça suffit comme ça ! On ne va quand même pas passer la nuit à discuter de ce bougre d'homme ! Ça ne changerait d'ailleurs pas grand-chose à notre situation. Il nous faut dormir, alors dormons !

Sans plus rien ajouter, il déploya sa couverture à même le sol rocheux de la clairière. La discussion semblait close. Tant bien que mal, je m'installai à mon tour sur le sol inégal, cherchant en vain le sommeil, la tête trop pleine. La nuit était plus fraîche que je ne l'avais cru et le fait d'attendre dans l'immobilité me fit bientôt claquer des dents. Je frissonnais de froid et d'épuisement. Je remontai mes genoux vers mon menton et les entourai de mes bras, cherchant ainsi à garder le peu de chaleur que mon corps affaibli parvenait encore à produire. Mes efforts se révélèrent vains et le claquement de mes dents ne fit que s'accentuer, malgré ma volonté de me faire discrète. J'espérais qu'Alexis avait déjà trouvé le sommeil et qu'il n'avait conscience de rien, mais je le soupçonnais de réfléchir encore à l'histoire de Kaïn. Un mouvement sur ma droite m'apporta bientôt la réponse à mon interrogation. Mon compagnon de voyage s'était déplacé, étendant sa couverture juste à côté de la mienne, avant de me demander de m'y glisser.

– Mais je ne veux pas que vous geliez ! protestai-je.

– Ne vous tourmentez pas pour moi, affirma-t-il, une rare douceur dans la voix. Je ne compte pas dormir sans couverture même pour une femme aussi importante que vous. Allez ! Pas de discussion si vous voulez que nous ayons un peu de temps pour nous reposer.

J'obtempérai, trop épuisée et frigorifiée pour protester davantage. À peine avais-je roulé sur sa couverture qu'il se glissait à mes côtés et ramenait ma propre couverture sur nous. Il se lova dans mon dos, son corps épousant étroitement le mien et lui communiquant sa chaleur. Je me sentis instantanément mieux, me demandant comment il pouvait dégager comme une fournaise dans cet environnement glacial.

– Et maintenant, dormez ! dit-il de son ton revêche.

Je souris dans l'obscurité. Décidément, il était incapable de faire preuve de gentillesse envers moi sans aussitôt en éprouver une forme de remords. Il tenait mordicus à garder ses distances, même si la vie et les circonstances en avaient décidé autrement. D'un certain point de vue, c'était enfantin ; ce comportement me rappelait celui des cégépiens qui tentaient de se convaincre qu'ils n'éprouvaient rien pour quelqu'un avant de s'avouer vaincus après bien des efforts inutiles pour l'éviter. « Ne tentes-tu pas de te persuader que c'est ce qui se produit pour ne pas avoir à t'avouer que tu es réellement un embarras pour lui et qu'il n'a aucun intérêt pour toi, si ce n'est pour se servir de ce que tu es ? » J'ordonnai à la petite voix désagréable de ma conscience de se taire et sombrai rapidement dans le sommeil, ma tête reposant sur le bras d'Alexis, son souffle chaud caressant mon cou, et son autre bras, rassurant, entourant mon corps.

* *
*

Alix resta éveillé longtemps après que Naïla se fut endormie. L'histoire de Kaïn le préoccupait drôlement. Bien avant que la Fille de Lune en fasse mention, il se doutait déjà que le Sage n'était plus enfermé et qu'il vivait réellement quelque part sur la Terre des Anciens. Par le passé, le Cyldias avait quelquefois aperçu l'émule de Darius dans ses rêves prémonitoires et, à trois reprises au moins, il avait capté près de lui une aura magique d'une puissance phénoménale. Toutefois, il ne parvenait pas à se réjouir de cette résurrection. Il avait même plusieurs raisons de se méfier de l'homme. Si ce qu'il avait autrefois découvert était véridique, les ennuis ne faisaient que commencer...

* *
*

Je me réveillai à l'aube, plutôt bien portante, malgré cette courte période de repos. Le torse d'Alexis se soulevait doucement dans mon dos, au rythme de sa respiration. Je ne bougeai pas, de peur de le réveiller, mais mes membres engourdis souffraient d'attendre pour se détendre de leur position nocturne. J'essayai donc d'en changer le plus délicatement possible, mais je ne réussis qu'à moitié. À ce moment, la main d'Alexis se glissa sans douceur sous ma jupe. Je me figeai sur le coup, mais j'attendis, hésitant entre la curiosité et l'envie de le repousser. Je remuai tout de même pour m'éloigner un peu, sans grande conviction. Sa main remontait maintenant le long de ma jambe avec une hâte qui n'avait rien de tendre ou de sensuel. Ses gestes témoignaient même d'une certaine impatience. Je ne parvenais toujours pas à prendre une décision quant à la conduite à adopter ; l'ange et le diable se disputaient dans ma tête. Ce furent les paroles d'Alexis qui tranchèrent finalement pour moi, alors que je tentais discrètement de m'éloigner encore un peu.

– Reste donc tranquille, Marianne. Je n'en ai pas pour longtemps...

Je restai bouche bée devant le ton sans réplique. Il n'y avait aucune tendresse dans sa voix, rien qui puisse faire croire qu'il s'adressait à sa femme, si ce n'est le nom. Je compris alors ce qu'avait voulu dire Madox en mentionnant que la situation de famille d'Alexis n'était pas aussi simple que je le croyais. Ses mains avides avaient maintenant rejoint mes hanches, entraînant ma jupe à la hauteur de ma taille. Son membre dur, appuyé sur mes fesses, ne me laissa aucun doute quant à la suite. Comprenant enfin que la situation allait dégénérer si je ne faisais rien, et n'ayant nulle envie de participer à une activité à laquelle je n'étais manifestement pas conviée, je me retournai brusquement pour lui dire ma façon de penser. Surpris par mon mouvement soudain, il se réveilla en sursaut. Ses yeux s'écarquillèrent lorsqu'il réalisa que ce n'était pas Marianne qu'il s'apprêtait à prendre avec aussi peu de délicatesse, mais la femme qu'il avait la responsabilité de protéger et qu'il prétendait exécrer. Profitant de sa stupeur, je lui glissai des mains et me levai en hâte, replaçant ma jupe. Je ne le regardai pas, ayant peur de ce que je verrais au fond de ses yeux étoilés.

Son moment d'égarement ne dura pas plus de quelques secondes. En silence, il roula les couvertures et les remit chacune dans leur sac respectif. Il fouilla ensuite dans le sien, à la recherche de vivres. Toujours sans un mot, Alexis me remit les quelques fruits secs qu'il avait trouvés avant de se tourner vers la maison. Il y entra et en ressortit bientôt en tenant le corps de la jeune femme. Sous mes yeux ébahis, il le fit simplement disparaître avant de répéter le même manège avec la dépouille de l'homme. Son regard, où se mêlaient tristesse et colère, me dissuada de demander qui étaient ces gens et où il les envoyait. Je ne doutai pas un instant qu'ils aient été des amis et songeai avec amertume que leur disparition m'était en grande partie attribuable.

Il revint de sa troisième et plus longue visite avec un sac débordant de nourriture. Je ne posai aucune question quand il me fit simplement signe de le suivre. Il reprit la route, toujours silencieux. Le voyage allait me sembler encore plus long aujourd'hui que tous les autres jours réunis.

Il devait être près de midi lorsque nous fîmes halte pour nous reposer. Nous cheminions à travers la forêt pratiquement depuis notre départ, tôt ce matin, et il me semblait que cette dernière n'avait pas de fin. J'entrevoyais parfois de hauts sommets à travers la cime des arbres, mais ceux-ci me paraissaient toujours aussi loin de nous, malgré nos progrès. Nous trouvâmes de l'eau pour nous désaltérer et mangeâmes une petite partie de ce qu'Alexis avait pu dénicher dans la maison des disparus. Le fait de ne pas pouvoir converser avec mon compagnon de marche m'obligeait à occuper mon esprit à autre chose, ce qui impliquait nécessairement de revivre des portions, souvent désagréables, de ma vie dans ces contrées, de m'inquiéter pour ma mère, mon frère et ma sœur, de m'interroger sur mon père, sur Kaïn, Wandéline et Mélijna, de spéculer sur l'avenir de la piètre relation amorcée entre Alexis et moi et je ne sais combien d'autres sujets encore, lesquels contribuèrent grandement à la chute libre de mon moral et de mes espoirs d'être un jour en paix avec moi-même, mon passé et mon avenir.

Nous reprîmes la route dans ce silence oppressant, et jamais après-midi ne me parut plus interminable et montagne plus lointaine que celle que je voyais à l'horizon. Lorsque le soleil commença sa descente, mes pieds souffraient le martyre, je ne sentais pratiquement plus mes jambes et la fatigue pesait sur mes paupières. Les nausées m'avaient accompagnée sans relâche, tout au long de la journée, résultat non seulement de ma grossesse, mais aussi de mon surmenage et de mon alimentation déficiente. Je fus bientôt incapable d'avancer et je m'effondrai d'épuisement, trop orgueilleuse pour rompre le silence entre mon protecteur et moi.

Alexis s'immobilisa au bruit que fit mon corps au contact du sol. Lorsqu'il se retourna, j'étais allongée, tremblante, les yeux clos. Je n'étais pas vraiment évanouie, mais je n'avais pas envie de l'en informer. Je le sentis s'agenouiller à mes côtés, cherchant d'abord mon pouls au poignet. « Il est inquiet ? Parfait, me dis-je. Peut-être daignera-t-il me porter davantage d'attention dans l'avenir au lieu de croire que j'ai la même endurance que lui. » Je ne désirais pas qu'il me traite comme une porcelaine de Chine, mais plutôt comme le requérait ma condition. Je connaissais peu de femmes capables de marcher plus de douze heures durant, enceintes, fatiguées et sous-alimentées après des semaines de captivité, de viols et de poursuites. J'avais besoin d'un bon repas chaud, d'un cheval et d'un lit, un vrai... Le reste se perdit dans un brouillard confus que j'associai vaguement au sommeil.

- 38 -

Chacun ses tourments

À la demande d'Alix, Foch avait quitté le repaire de Wandéline pour se rendre auprès de Madox. Sa vieille amie n'avait pas vu d'inconvénients à son départ ; avec l'aide de la Recluse, elle avait finalement trouvé le moyen de tenir Mélijna à distance de Naïla.

L'hybride avait trouvé le jeune Déüs plus mal en point qu'il ne le croyait de prime abord. Les forces en présence pour protéger l'entrée du sanctuaire de la Montagne aux Sacrifices n'avaient pas fait de cadeau à celui qui avait osé les défier. Madox n'avait même pas conscience de la présence de Foch tellement ses sens avaient perdu de leur acuité. Plongé dans un sommeil artificiel qu'il avait lui-même créé, enfermé dans une cellule temporelle qui arrivait à se maintenir seule, le guerrier tentait de refaire ses forces. Mais les forces de Madox n'étaient pas préparées à combattre celles, ancestrales, de la montagne des Filles d'Alana.

Sans même perturber la cellule temporelle, le mage avait d'abord sondé le corps étendu pour mesurer l'ampleur des dégâts. Il avait ensuite mis à contribution les pouvoirs nécessaires à un début de guérison, mais il savait d'ores et déjà qu'il faudrait plus d'une semaine, contrairement à ce qu'Alix croyait, pour que le jeune homme guérisse. À moins que ce dernier, contre toute attente, ne soit capable de maintenir sa cellule temporelle indéfiniment, pour son rétablissement complet. Pendant qu'il se procurait magiquement, avec la complicité de Wandéline, les ingrédients nécessaires à quelque mixture de son cru, Foch se demandait ce qu'il était advenu de l'Insoumise Lunaire...

* *
*

Dans son sommeil, Madox rêvait. Il revoyait sa mère, son père et sa sœur, ensemble et heureux, au temps où sa famille était encore unie. Même s'il avait vaguement conscience que cette époque ne reviendrait jamais, il voulait s'abandonner à ce rêve de longues heures, histoire d'oublier ce qui l'attendait nécessairement à son retour parmi les vivants : sa sœur prisonnière, son père mort, sa mère disparue, voire morte elle aussi, et Naïla toujours en danger, sans compter le destin d'Alix...

* *
*

À partir du moment où protéger Naïla n'était plus essentiel, Wandéline se remit sans tarder à la confection de la potion de Vidas. Elle voulait que celle-ci commence à mijoter le plus tôt possible. Elle pourrait ensuite se consacrer entièrement à la recherche des cinq ingrédients toujours manquants et à la signification de la phrase trouvée dans le grimoire d'Ulphydius : « Bien qu'il soit né de la nuit, son secret repose à jamais à la naissance du jour. » Elle ressentit un regain d'énergie aussi soudain qu'inattendu en pensant que, si Foch avait raison concernant la longévité de Mélijna et qu'ils parvenaient à créer un contre-sortilège, la Terre des Anciens pourrait allègrement fêter la disparition d'une puissante sorcière d'ici un an.

* *
*

Comme le jour se levait, Derek entendit la voix consciente de sa protégée d'autrefois pour la première fois depuis son arrivée en ces lieux. Même si Andréa n'avait murmuré qu'un banal « merci », ce seul mot lui fit l'effet d'un baume sur ses quinze années de solitude, loin d'elle. Il savait qu'elle disparaîtrait à nouveau dès que ses pouvoirs, de même que ses forces, seraient revenus, mais il préférait ne pas y penser. Il voulait simplement profiter du moment présent...

* *
*

Andréa avait présumé de ses énergies en se rendant près de la montagne de Morgana. À sa décharge, cependant, elle ne pensait pas que c'était Saül qui attendait sa fille, mais plutôt les hommes d'Alejandre. De sa grotte, elle avait seulement pressenti le danger et sa localisation, mais pas la puissance du danger lui-même. À la suite de cette sortie imprévue, elle avait perdu les forces qu'elle avait eu tant de difficulté à reconstruire, revenant ainsi à son point de départ. Maudit soit le sortilège de Ralent, qui ralentissait de façon catastrophique toutes les fonctions de revitalisation ! Ce qui prenait normalement quelques minutes demandait maintenant des heures et des heures. Ironiquement, l'Insoumise n'avait même pas la force d'en pleurer ; elle se sentait plutôt amère. Elle qui possédait de si grands pouvoirs, elle en était réduite à végéter dans une grotte humide. Si Derek n'était pas venu à sa rescousse, elle ne serait déjà plus de ce monde.

Penser à Derek lui faisait mal. Elle savait qu'il était attaché à elle d'une façon qu'elle ne pouvait lui rendre, puisque son cœur était ailleurs depuis bien longtemps, appartenant à un hybride insaisissable. Elle avait bien tenté d'oublier celui-ci, de suivre une route différente avec Thanis – le père de Madox et de Laédia –, mais elle n'avait réussi qu'à moitié. La mort de Thanis avait ravivé le souvenir de son amour perdu. Si elle parvenait à retrouver sa splendeur d'antan, elle se jurait de venger la mort de l'Être d'Exception avant de se lancer à la recherche de celui qu'elle aimait toujours. Il lui devait au moins une explication.

* *
*

Au Sommet des Mondes, adossé à la paroi d'une grotte que tous les assoiffés de pouvoir de la Terre des Anciens cherchaient, l'un des deux derniers Sages en liberté contemplait avec désespoir deux trônes de pierre sculptés à même le roc. Sept cents ans après la tragédie, les larmes lui montaient encore aux yeux au souvenir de la mort de Darius. Il n'avait toujours pas accepté sa disparition.

Kaïn soupira. Plus de vingt-sept ans s'étaient écoulés depuis qu'il avait été libéré de sa prison de verre. Il aurait voulu effacer plus des trois quarts de ces vingt-sept années s'il en avait eu la possibilité, ne gardant que les premières, les plus heureuses. Mais il ne pouvait pas. Il avait choisi de redonner vie à cette terre qu'il chérissait plutôt que de profiter du merveilleux cadeau qui lui avait été offert : l'amour d'une femme exceptionnelle.

À ce jour, il avait réussi à localiser plus d'une quarantaine de passages entre les six autres mondes et la Terre des Anciens. Il désespérait maintenant de parvenir un jour à mettre la main sur le grimoire d'Ulphydius, de même que sur l'objet investi de son savoir et de ses pouvoirs. Tant et aussi longtemps qu'il ne détiendrait pas ces deux éléments, il était hors de question que qui que ce soit s'asseye sur le trône de Darius. Encore moins sur celui d'Ulphydius. Il voulait s'assurer que, le moment venu, il n'y aurait plus la moindre chance qu'un nouveau sorcier particulièrement noir puisse reprendre l'œuvre de son illustre prédécesseur. Avec amertume, il pensa qu'il n'aurait pas trop de sa longue espérance de vie pour parvenir à ses fins...

* *
*

Tandis que Griöl cherchait l'Insoumise Lunaire, Mélijna quittait le château pour le désert de Jalbert, oubliant momentanément la poursuite de Naïla. Elle devait proposer un second privilège aux mancius, question de s'assurer de leur loyauté avant qu'il ne soit trop tard, mais aussi tenter de rencontrer le jeune homme qui ressemblait tant à Mévérick. Elle aurait préféré ne pas avoir à quitter son antre avant d'avoir retrouvé Maëlle ou l'une de ses condisciples, mais elle ne pouvait pas courir le risque de voir les mancius lui glisser entre les doigts, pas plus qu'elle ne supporterait plus longtemps de rester dans l'ignorance de l'identité du rouquin.

À peine eut-elle posé les pieds sur le territoire des mutants qu'elle le regretta. Sur la vingtaine de chefs de clans qu'elle attendait, trois seulement avaient répondu à son appel : les trois plus radicaux, les trois plus difficiles à satisfaire. Ils se tenaient côte à côte, leur épée rougeoyante du feu de Phédé à la main et l'air décidé à obtenir bien plus que ce qu'elle se proposait de leur offrir. Il allait falloir jouer serré...

* *
*

Mélijna aussitôt partie, Alejandre sortit à son tour, s'éloignant au galop sur sa monture. Il se rendait à Nasaq, ville mal famée sise à la naissance de la péninsule. Vivait là-bas une vieille femme dont les pouvoirs occultes pourraient probablement lui venir en aide. Cette sorcière ne pratiquait plus qu'une seule forme de magie, mais pas la moindre ; elle avait la faculté de faire revivre le passé, remontant parfois jusqu'à la naissance d'une personne pour connaître la source d'un mal, d'un don, d'un sortilège ou d'une malédiction. Il espérait qu'Élisha découvre pourquoi il était né sans pouvoirs, qui avait jeté le sortilège de Dissim et peut-être, par le fait même, la façon de faire pour le briser. Il en profiterait également pour la questionner sur l'étrange sortilège de Siam, qui le liait à son frère et qui l'empêchait de le tuer...

* *
*

Tout à fait inconscient de la recherche dont il faisait l'objet, Yaël poursuivait sa quête en solitaire. Depuis longtemps déjà, il avait compris que cette façon de travailler était extrêmement efficace en raison de la facilité déconcertante avec laquelle il passait inaperçu. Heureusement, bien peu de gens associaient aujourd'hui les traits physiques qui le caractérisaient à ceux de son tristement célèbre ancêtre. D'un autre côté, il savait que, dans certains milieux, son apparence ne pourrait que lui donner un coup de main.

Revenu au sein de l'épaisse forêt de conifères où son regard avait croisé celui du Traqueur de Mélijna le rouquin se dirigeait vers le nord. Convaincu d'avoir interprété correctement ce qu'il avait découvert dans les vestiges du château de ses ancêtres, il ne désespérait pas de retrouver la fameuse clairière. Sa persévérance fut récompensée moins d'une heure plus tard quand il déboucha brusquement dans une immense trouée de quelque trois cents mètres carrés où de jeunes arbres témoignaient d'un déboisement pas si lointain. Au centre de celle-ci, un amas de bois calciné et de pierres noircies achevait de disparaître sous l'assaut de la végétation.

La peur d'être arrivé trop tard le tenaillant, il s'approcha. Le dernier maillon de la longue chaîne qu'il remontait depuis près de dix ans reposait-il vraiment ici ? Il n'hésita pas à se salir les mains, arrachant par poignées les hautes herbes et déplaçant les poutres carbonisées, s'écorchant maintes fois. Ses recherches lui arrachèrent un cri de victoire lorsqu'un rayon de soleil effleura le médaillon qui, soudain scintillant, accrocha son œil. Quand il voulut le récupérer, le jeune homme eut un mouvement de recul : l'objet tant convoité pendait toujours au cou de son dernier propriétaire...

* *
*

Alors que Naïla se rapprochait de son repaire, la Recluse plongea Maëlle dans un profond sommeil. Pour un certain temps encore, elle préférait que chacune des deux femmes ignore l'existence de l'autre. Il y aurait ainsi moins de questions embarrassantes et de situations complexes. Déjà que la jeune Naïla ne maîtrisait pas ses dons et ses pouvoirs, qu'elle ne connaissait pas grand-chose du monde où elle avait échoué et qu'elle s'était retrouvée enceinte sans le vouloir, Morgana craignait qu'elle soit tentée de profiter de la situation pour déléguer ses obligations à une autre et disparaître. Or, personne ne pouvait remplacer l'Élue de la lignée maudite. Elle était unique de par sa naissance, point final...

- 39 -

Morgana

Lorsque j'ouvris les yeux, je me souvins de ma faiblesse, mais rien de ce qui lui avait succédé. Je crus un instant que nous étions revenus dans les souterrains des gnomes, avant de rappeler mes souvenirs à l'ordre. Jamais Alexis n'aurait consenti à accepter leur aide. Pourtant, la voûte que je contemplais ne pouvait qu'être celle d'une cavité rocheuse. Je perçus soudainement le bourdonnement d'une conversation non loin de moi et focalisai mon attention sur elle. Je reconnus la voix d'Alexis, mais pas celle de son interlocutrice.

– Je vous le répète pour la centième fois : j'ai commis une erreur en croyant qu'elle pourrait tenir le coup jusqu'ici. Vous m'en voyez désolé. Je ne pouvais pas deviner que les Âmes régénératrices ne sont pas automatiquement à l'œuvre chez les Filles de Lune que la déesse reconnaît comme siennes. Je...

– Et moi je vous dis que vous auriez dû le savoir, Alix de Bronan !

Un silence pesant accueillit la dernière phrase de la femme, avant que celle-ci ne reprenne :

– Eh oui ! Je connais votre vrai nom, mon cher, de même que beaucoup de choses sur votre passé que vous ignorez.

Alexis dut faire mine de vouloir en apprendre davantage, car la dame lui dit qu'il ne saurait rien avant qu'elle n'ait pu parler un long moment avec moi. Je présumai que nous étions enfin parvenus jusqu'à Morgana. Je remerciai intérieurement la déesse Alana et ma mère, qui devaient veiller sur moi. La voix de mon compagnon se fit plus forte à mesure que Morgana et lui se rapprochaient.

– De toute façon, ce qui m'importe pour l'instant, c'est qu'elle s'en tire.

– Oh ! Ce n'est qu'une question d'heures peut-être même de minutes, avant qu'elle n'ait pleinement recouvré ses forces. Le réveil de ses Âmes s'est fait sans peine et elles sont à l'œuvre depuis son arrivée. Je remercie le ciel que vous me l'ayez amenée à temps, car sans ses précieuses protectrices internes, elle aurait été perdue.

Un long silence, lourd de sous-entendus, s'installa entre eux tandis qu'ils s'arrêtaient à mon chevet. Je ne bougeai pas d'un poil, trop curieuse d'entendre la suite.

– Je croyais que vous refusiez d'assumer la garde des Filles de Lune, jeune Alix ! Qu'est-ce qui vous a fait changer d'avis ?

– Décidément, vous êtes bien informée pour une vieille femme que tous prétendent folle...

– En effet, ricana-t-elle. Mais ne détournez pas ma question.

Alexis poussa un profond soupir avant de répondre.

– Des circonstances exceptionnelles et hors de mon contrôle ont fait que je me suis porté à sa rencontre, le jour de son arrivée. Je devais ensuite être relevé de mes fonctions, mais la vie en a décidé autrement.

Il marqua une pause ; j'aurais pu jurer qu'il se passait une main dans les cheveux avant de continuer.

– Je suis un Cyldias désigné.

Morgana ne sembla pas s'émouvoir outre mesure de cette déclaration.

– Je sais. Mais qu'un homme comme vous accepte si facilement un enchaînement de ce genre...

Elle laissa sa phrase en suspens et le silence plana quelques secondes entre eux.

– Je ne l'accepte pas, nuança Alexis, je vis avec...

Il poursuivit, avec une pointe d'exaspération.

– Si je croyais un tant soit peu qu'il soit possible pour moi de disparaître de la vie de cette Fille de Lune, je le ferais sans attendre, avoua mon Cyldias en toute franchise. Les événements des derniers mois m'ont toutefois convaincu qu'il valait mieux que je me plie aux exigences de mon rôle pour un certain temps.

– N'oubliez jamais que l'inconscient des êtres de votre espèce sait bien souvent des choses que vous ignorez délibérément. Il agit continuellement selon ce qu'il croit être le mieux pour vous, quoi que vous en pensiez. L'Élue a besoin d'un puissant protecteur dans l'univers hostile qui l'attend. Et vous n'êtes pas sans savoir que les hommes capables d'assumer pareille responsabilité se comptent sur les doigts d'une seule main dans notre monde déserté.

– Je sais, je sais, s'impatienta le jeune homme. Inutile de le rappeler, surtout à moi. C'est juste que...

La vieille femme éclata de rire sans que je comprenne pourquoi.

– Douce Alana ! Seriez-vous en train de tomber amoureux, Alix de Bronan ? Vous que tous considèrent incapable d'amour véritable, sauf pour cette terre que vous vous êtes juré de sauver, au péril de votre vie...

Alexis ne répondit pas immédiatement. Je le soupçonnais de réfléchir à la meilleure façon de le faire sans se compromettre. Je dressai l'oreille, beaucoup plus impatiente de connaître la réponse que son interlocutrice ne pouvait l'être.

– Même si vous restez coi, je me doute de ce que vous pensez. Laissez-moi toutefois vous mettre en garde ; ne commettez pas l'erreur de croire qu'il est préférable que rien ne vous atteigne. C'est lorsque nous devenons insensibles que nous nous engageons sur une pente glissante et dangereuse, tant pour nous que pour ceux qui nous entourent.

La réplique d'Alexis fusa, laconique et chargée de ressentiment.

– J'essaierai...

J'aurais donné cher pour en apprendre davantage sur le passé de mon Cyldias.

– Je vois, dit Morgana. Dans ce cas, dépêchez-vous de filer si vous ne voulez pas perdre une belle occasion de passer quelques jours loin d'elle. Vous aurez votre liberté pleine et entière aussi longtemps qu'elle restera en ma compagnie.

– Mais Madox affirmait que seuls...

La vieille femme lui coupa la parole.

– Rassurez-vous, je veillerai sur elle jusqu'à ce que vous vous sentiez prêt à revenir. Nous avons amplement de choses à nous dire pour occuper notre temps jusque-là.

Alexis grommela quelques mots inintelligibles qui provoquèrent à nouveau l'hilarité de Morgana. Puis leurs voix se firent de plus en plus lointaines et je n'entendis bientôt plus qu'un murmure. Je me rendormis paisiblement, une douce chaleur m'enveloppant comme un cocon. Lorsque j'émergeai enfin pour de bon, la pénombre avait envahi l'endroit ; la nuit devait maintenant être tombée. Je me redressai en position assise et laissai mes yeux s'habituer à la faible lueur qui baignait mon environnement.

– Ah ! Je vois que tu es réveillée. J'espère que tu te sens reposée ?

Je sursautai légèrement et me retournai, me retrouvant face à face avec une petite femme maigre, qui devait certainement être plus que centenaire. Ses cheveux blancs étaient relevés en chignon et ses traits, de même que ses yeux, trahissaient une intelligence encore très vive. Prenant soudain conscience que je la détaillais de façon très impolie, je balbutiai des excuses maladroites.

– Oh ! Ce n'est rien. Il est plutôt rare, depuis quelques siècles, de côtoyer des femmes de mon âge dans ces contrées hostiles. Je comprends fort bien.

– Pourtant, j'en ai croisé plus que nécessaire depuis mon arrivée ! Et pas des plus accueillantes.

Elle fronça les sourcils.

– Je sais que tu as fait la connaissance de Mélijna et de Wandéline...

– Celle d'Oglore aussi, dis-je avec lassitude.

Les traits de Morgana se durcirent.

– J'apprends avec un grand déplaisir que cette vieille folle est toujours en vie. Je doute que tu gardes un bon souvenir de votre rencontre, cette sorcière ayant une fâcheuse tendance à faire le tri parmi les souvenirs qu'elle accepte de laisser aux gens qui croisent sa route. Attitude qui dénote une honte de son propre comportement envers autrui... Que veux-tu ! Mélijna et elle sont des sorcières aigries à qui la vie a fait bien peu de cadeaux, termina-t-elle dans un soupir résigné.

Puis elle me sourit.

– Avant de poursuivre cette conversation, tu devrais manger quelque chose. Nous aurons ensuite tout le temps voulu pour discuter. Ton Cyldias semblait dire que tu m'apportais des nouvelles de ma très lointaine petite-fille...

J'eus à peine le temps de lui répondre par l'affirmative avant qu'elle ne disparaisse au fond de la grotte. J'en profitai pour regarder autour de moi. L'endroit ne devait pas faire plus de dix mètres sur dix. Il était aménagé pour y mener une vie simple. Un feu brûlait dans un coin, profitant d'une cheminée naturelle pour évacuer la fumée. Il y avait très peu de meubles : deux lits de fortune, celui de Morgana et le mien, et des effets personnels. Dans un autre coin, des livres, beaucoup de livres, et des parchemins s'entassaient sur des étagères de bois brut. Je ne vis aucune chandelle ou source de lumière, aussi je présumai que l'éclairage avait quelque chose de magique. Morgana réapparut bientôt, des victuailles à la main. Je mangeai de bon appétit. Quand ma faim fut calmée, nous reprîmes notre conversation.

Je commençai par lui raconter la fin de mon séjour au château des Canac pour lui donner des nouvelles de Meagan. Elle comprit enfin pourquoi elle était sans nouvelle de cette dernière depuis si longtemps. La compagnie d'une personne aimée et aimante avait dû cruellement lui manquer au cours des derniers mois. Je revins ensuite à ma capture et à la grossesse qui s'ensuivait. Elle poussa un soupir à fendre l'âme lorsque je terminai. Un long moment passa avant qu'elle ne prenne la parole.

– L'oracle avait vu juste, une fois de plus. Que comptes-tu faire maintenant ?

– D'abord, interrompre cette grossesse. Après, je ne sais pas... Pour être honnête, je me demande si je ne devrais pas tout simplement disparaître de la circulation.

Je fis une courte pause avant de lui demander :

– Que feriez-vous à ma place ?

– Avant de te répondre, j'aimerais savoir comment tu procéderas pour te débarrasser d'un fardeau sur lequel même Wandéline n'a aucun pouvoir.

Je lui expliquai, le plus clairement possible, d'où je venais et les différences majeures qui opposaient le monde de Brume à la Terre des Anciens. Elle ouvrit de grands yeux surpris en apprenant à la fois que la magie n'avait pas cours de l'autre côté et que nous étions si avancés au point de vue scientifique.

– Si tu réussis, reviendras-tu ensuite ?

– Pourquoi reviendrais-je ? Si je ne suis plus là et s'il n'y a pas d'autres Filles de Lune, ils devront bien se résigner à abandonner leur rêve de gloire et leur quête de pouvoir. Une fois les passages définitivement fermés, faute de femmes pour les ouvrir, peut-être oublieront-ils aussi le trône d'Ulphydius ?

– Je crains que ce ne soit pas aussi simple, Naïla. Vois-tu, d'autres femmes – encore faut-il qu'on parvienne à en trouver sur cette terre – n'auront jamais la même valeur que toi aux yeux de ceux qui convoitent le trône d'Ulphydius. Tu es la dernière descendante de la lignée maudite qui s'est associée au traître lors de la grande guerre. Mais tu es aussi la descendante d'Éléoda, celle qui a découvert le passage par lequel tu es arrivée et qui, à l'instar d'Acélia, s'est ainsi trouvée à trahir les Filles d'Alana. Tu sembles aussi oublier que Mélijna a trouvé le moyen d'ouvrir les portes de voyage.

– Je ne comprends pas. Le passage par lequel je suis arrivée n'a pas toujours existé ?

Alors même que je lui posais cette question, je me rappelai que quelqu'un avait abordé le sujet à un moment ou à un autre, mais je ne me souvenais plus qui.

– Il a toujours existé, mais il débouchait dans une grotte souterraine, sans sortie extérieure. Il n'y avait donc pas d'autre choix que de rebrousser chemin. En réalité, c'était une excellente chose, puisque cela faisait un passage de moins à surveiller. Un jour, à la suite d'un gigantesque glissement de terrain dans le monde d'où tu viens, la pierre de lune permettant de traverser l'espace et le temps s'est trouvée découverte. C'est Éléoda qui s'en est rendu compte la première, mais plutôt que de prévenir la grande Gardienne, elle s'est empressée, à l'exemple de son illustre aïeule Acélia, de trahir les autres et de divulguer la précieuse information à Mévérick. Faisant fi de nos lois, celui-ci a voulu profiter de cette brèche pour emprunter au monde des humains les hommes nécessaires à la concrétisation de ses rêves de domination et de richesse. Il connaissait les conséquences physiques destinées aux êtres qui empruntaient les passages sans en avoir le droit et cette transformation répondait exactement au but qu'il recherchait : la création d'une armée de mancius qui lui vouerait un véritable culte et une obéissance aveugle.

J'étais de plus en plus intriguée. Si je savais que seules les Filles de Lune, de même que de très rares élus chez les hommes, pouvaient effectuer ce genre de voyage, je n'avais aucune idée de ce qu'il advenait des autres s'ils essayaient.

– Je risque de vous paraître bien ignorante, mais qu'arrive-t-il exactement à ceux qui traversent sans protection ?

– Je t'en prie, tu peux me tutoyer puisque nous sommes de la même famille, celle des Filles d'Alana.

Je n'étais pas prête à tant de familiarité et je le lui dis. Elle sourit doucement avant de reprendre :

– Pour ce qui est des récalcitrants aux lois, Darius leur avait réservé un terrible sort, pour éviter que les passages ne deviennent de vraies passoires. Les indomptables se transformaient lentement en mancius, des mutants aux formes disgracieuses et à l'intelligence parfois intacte, parfois réduite ; des êtres souvent sans avenir. Il fut même un temps dans ma jeunesse – cela remonte à quelque deux cents ans –, avant que tout ne sombre dans l'oubli, où les jeunes villageois organisaient des chasses aux mancius. Celui qui en avait éliminé le plus se voyait souvent élevé au rang de héros par les jeunes femmes qui attendaient le retour des chasseurs avec impatience.

– Nous avons parfois des comportements étranges..., dis-je en levant les yeux au ciel.

– En effet. Un jour, les mancius disparurent tous, probablement las de se faire pourchasser. Ils se réfugièrent dans les Terres Intérieures, où personne ne s'aventure plus, à part quelques fous en manque de sensations fortes ou les armées des seigneurs qui cherchent encore et toujours les trônes légendaires. Étonnamment, ils arrivent à se reproduire entre eux, mais leur population décline sans cesse. Peu d'êtres connaissent encore l'existence des passages ; il est donc rare que de nouveaux mutants s'ajoutent à leur communauté restreinte. Par ailleurs, ils ont la fâcheuse habitude de se détruire entre eux. Peu nombreux sont ceux, parmi les paysans, qui croient toujours que les mancius ont même seulement déjà existé.

– Que dois-je faire si jamais je croise l'un d'eux ? demandai-je, soudainement inquiète à l'idée de me trouver face à face avec un être si effrayant.

– Je doute fort que cela puisse t'arriver tant et aussi longtemps que tu ne t'aventures pas au-delà de la péninsule. Rassure-toi, tu sauras quoi faire sans hésitation si tu en rencontres un. Les Filles de Lune réagissent très fortement en présence de ces êtres qui ont violé les passages dont elles ont la garde. Il fut un temps où le seul fait de croiser leur regard suffisait à une femme de ton rang pour faire disparaître l'indésirable. Darius voulait ainsi nous empêcher de nous lier avec eux, leurs comportements étant contraires à nos devoirs. Il semble pourtant que cette magie n'ait pas été assez forte pour ne pas être contournée puisque Éléoda a réussi à se faire obéir d'eux.

– Est-ce que Mévérick est lui-même devenu un mutant ou a-t-il préféré rester de ce côté-ci de la frontière et attendre qu'Éléoda fasse le sale boulot pour lui ?

– Jamais Mévérick ne se serait risqué à franchir un passage, trop conscient qu'il pourrait alors devenir l'esclave de celui qui lui succéderait. Il s'est contenté d'attendre que ton aïeule lui apporte, sur un plateau, ce qu'il désirait tant. Bientôt, une armée fit des ravages en son nom parmi notre peuple. S'ensuivit une guerre sans merci, la première depuis le combat de titans ayant opposé Darius et Ulphydius. Les Sages restants disparurent, les uns après les autres, de même que Mévérick, quelque part dans les Terres Intérieures, peut-être plus près du but que nous ne le croyons. Depuis ce temps, notre terre dépérit chaque jour davantage, alors qu'elle était lentement parvenue à se refaire après le premier affrontement, avec l'aide des rares Sages et de leurs élèves. Aujourd'hui, on ne compte plus que quelques Êtres d'Exception aux pouvoirs limités par leur manque d'enseignement. Les rares Filles de Lune sont recherchées et traquées comme des bêtes, de même que toutes les créatures étranges qui font encore partie de notre univers.

Morgana soupira.

– Nous ne savons pratiquement plus rien des six autres mondes depuis la défaite présumée de Mévérick ; leurs gardiennes ont disparu et, avec elles, leurs connaissances et les emplacements qui permettent de voyager. Seule une Fille de Lune peut retrouver le talisman de Maxandre et récupérer tout le savoir, le pouvoir et les connaissances qu'il renferme. Ce qui te rend si précieuse, c'est que peu de sortilèges exercent une emprise sur toi, encore moins depuis ta visite au sanctuaire. D'une part, tu es protégée par ton appartenance aux Filles d'Alana et, d'autre part, par ton ascendance avec la lignée d'Acélia la Maudite. Cela a pour effet de te rendre difficilement repérable pour les deux camps, à moins d'utiliser une très forte magie, dont peu connaissent encore les formules...

– Mais je ne suis pas la seule dans cette situation, il y a aussi ma mère, laissai-je subitement tomber.

– Ta mère n'est plus, ma pauvre enfant, il...

Je l'interrompis une fois de plus et lui relatai toute mon histoire. Elle m'écouta sans rien dire, songeuse. Je ne savais pas si elle me croyait, mais cela m'était soudainement égal. J'avais juste envie d'en parler, de revivre toute cette aventure en la relatant. Peut-être espérai-je ainsi exorciser mes démons ou me convaincre moi-même que tout cela était bien réel, que je ne l'avais pas rêvé. Lorsque j'eus terminé, je me sentis mieux que jamais au cours des trois derniers mois, soit depuis mon arrivée.

Morgana semblait de plus en plus songeuse, le regard perdu au loin. Je respectai son silence, comme elle avait respecté ma longue tirade. Au bout d'un temps qui me parut une éternité, elle leva vers moi des yeux embués.

– J'espère que le pire est désormais derrière toi, mais je ne peux m'empêcher de penser que tout ceci n'est qu'un commencement. Les nymphes que tu as vues – de familles différentes, en plus ! –, la conduite de Mélijna lorsqu'elle sondait les profondeurs de ton être, Uleric, ce faux Sage qui rêve de te voir lui rendre visite, Yodlas, qui aurait dû revenir avec son peuple pour t'aider, ta rencontre avec Wandéline, puis Oglore, la vision de ta mère et de ta demi-sœur, l'histoire de Kaïn et j'en passe... Il y a tellement d'informations dans ce que tu viens de me raconter, et en même temps tellement de choses que tu ignores les concernant, que je ne sais par où commencer.

Sans que je réfléchisse, une question franchit mes lèvres.

– Savez-vous qui est mon père ? lui demandai-je, le cœur soudain rempli d'espoir.

Cette information aurait été comme un baume, en attendant que je retrouve ma mère. D'un ton navré, elle me dit qu'elle ne le savait malheureusement pas et qu'elle n'avait aucune idée de la personne qui pourrait me renseigner à ce sujet, si ce n'est ma mère elle-même. Je soupirai bruyamment en signe de résignation ; ce n'était pas aujourd'hui que je pourrais panser une partie de mes blessures. Par contre, ma seconde question lui arracha une ébauche de sourire.

– J'aimerais savoir comment m'y prendre pour retourner sur Brume au moment même où j'en suis partie, le temps de me débarrasser de mon encombrant fardeau. Je pourrai ensuite revenir vous voir pour approfondir mes connaissances de cet univers avec un souci en moins.

Je passai sous silence mon intention d'en profiter pour mettre un terme de façon permanente à mes capacités de procréation. Magie ou pas, il faudrait bien que mes poursuivants trouvent une autre façon de concevoir l'espèce de monstre dont ils me croyaient aujourd'hui porteuse. Morgana me fixa un long moment, comme si elle cherchait à savoir jusqu'à quel point j'étais sincère en disant que je reviendrais. J'étais presque certaine qu'elle savait que je ne pourrais pas résister à l'envie de revoir Alexis, que je serais sûrement tentée de me lancer dans cette folie que représentait le sauvetage de mondes étranges, malgré les récriminations de la partie purement rationnelle de mon cerveau. Ce qu'elle ne savait sûrement pas, c'est pourquoi je serais prête à revenir.

Cette raison en béton, moi seule la connaissais ; plus rien ne m'attendait de l'autre côté, si ce n'est Tatie et une multitude de souvenirs douloureux. J'avais aussi réalisé, pendant ma captivité, que ce changement radical dans ma vie avait le mérite de me faire oublier ma douleur des dernières années, mes deuils, et ce grand vide qui me remplissait, parce que je luttais désormais pour rester en vie et faire payer à certaines personnes les outrages qu'on m'avait fait subir. Certains diraient que la vengeance n'était pas la solution, mais j'étais persuadée du contraire ; dans mon cas, c'était la meilleure thérapie possible. Perdue dans mes pensées, je mis un moment avant de réaliser que Morgana me parlait.

– Tu dois adresser ta demande de voyage à la lune, puisque c'est elle qui vous accorde le pouvoir de traverser l'espace et le temps. Aujourd'hui, je me contenterai de t'expliquer comment faire pour retourner sur Brume au moment où tu le souhaites. Si, plus tard, tu as besoin de te rendre dans l'un des cinq autres mondes, il faudra d'abord revenir me voir si tu désires là aussi arriver à une époque particulière.

J'acquiesçai. Pour l'instant, je n'avais pas besoin d'en savoir plus. J'avais surtout besoin de recul.

– Il y a de très nombreux passages sur la Terre des Anciens parce qu'on ne peut accéder aux six autres mondes que par celui-ci ; ils ne sont pas censés être accessibles entre eux. Et chaque passage a une destination unique ; tu ne pourrais donc te rendre sur Golia, par exemple, à partir du passage par lequel tu es venue de Brume. Les Sages voulaient ainsi conserver un certain contrôle sur le nombre de voyages, la destination et, surtout, la raison...

– J'avais cru comprendre, d'après ce que j'ai entendu depuis ma venue ici, que tous les passages étaient cachés et fort difficiles à repérer. Pourtant, celui par lequel je suis arrivée est bien visible, au vu et au su de tous. Ne devrait-il pas y avoir au moins une certaine forme de protection autour ?

Alors même que je formulais ma question, il me revint en mémoire que j'avais déjà demandé la même chose à Madox. Elle éclata de rire, ce qui me fit hausser les sourcils.

– Ce passage est un cas à part. Il n'est pas dissimulé, contrairement à tous les autres, parce qu'il est maudit. Personne ne se risque plus à l'emprunter, même les plus téméraires et les plus magiquement habiles. Les derniers à avoir tenté de le franchir, sans en avoir le droit, ont subi un sort tel que la dissuasion a été totale et permanente. Tu peux l'emprunter seulement parce que tu es issue de la fameuse lignée maudite, ce qui est une caractéristique suffisamment rare pour limiter les risques de problèmes à long terme.

– Mais je dois quand même utiliser une certaine méthode pour passer ?

– Bien sûr, puisque tu désires revenir à un moment particulier et non pas simplement retourner sur Brume.

– Pourquoi a-t-on appelé mon monde de cette façon ?

– Parce que tous les passages y conduisant, à part celui qui est maudit, bien sûr, sont dissimulés par des nappes de brouillard permanentes. Voici ce que tu dois faire pour revenir chez toi...

Je l'écoutai attentivement m'expliquer la marche à suivre. Lorsqu'elle eut terminé, je posai une dernière question, qui me chiffonnait depuis mon arrivée sur la Terre des Anciens.

– Comment se fait-il que je sois capable de parler et de comprendre un aussi grand nombre de langues et de dialectes alors que je ne les ai jamais appris ? Je possédais déjà cette faculté bien avant de visiter la Montagne aux Sacrifices.

Ma mère avait seulement écrit que c'était ainsi, mais je voulais savoir pourquoi.

– C'est un don inné, rare et précieux, même pour une Fille de Lune et davantage marqué chez les descendantes d'Acélia. Les Sages appelaient cette particularité « xénoglossie ». Peu importe l'endroit où tu te trouves dans notre monde, aucune langue ne te résistera jamais. Ce sera un incontestable avantage pour toi dans l'avenir. De plus, ton passage au sanctuaire a fait que ce don fonctionnera aussi dans les autres mondes. J'en connais qui donneraient cher pour avoir cette chance.

– J'avoue que je n'y ai trouvé que des avantages jusqu'à présent.

– Tu sembles avoir hérité de nombreux pouvoirs rares et précieux, à l'image de Maxandre. Je ne suis guère surprise qu'Alana t'ait réservé un avenir aussi exceptionnel. Oglore et Mélijna n'ont pas dû apprécier qu'autant de dons inhabituels dorment en toi...

– Détrompez-vous ! Mélijna y a vu un avantage certain pour les supposés héritiers que je porte.

– Il est vrai que, de ce point de vue, ça peut être magnifique mais, d'un autre côté, cela implique une Fille de Lune beaucoup plus difficile à contrôler et à dominer.

En entendant nommer Oglore, un détail m'était revenu en mémoire et je lui demandai :

– Est-ce qu'il y a d'autres manières de parvenir à comprendre tous les dialectes ? Je me souviens que Fénon a tâté mes mains. Il était à la recherche d'un anneau. Alexis et Madox me semblent également trop doués pour que ce soit un simple apprentissage.

Morgana tendit sa main droite et la posa sur mon genou. À son annulaire brillait un large jonc argent orné de dizaines de petits symboles. Je me rappelais avoir vu le même aux doigts de mon frère et de mon Cyldias.

– C'est un anneau de Salomon. Un bijou aussi unique qu'inestimable, surtout de nos jours. On l'offrait autrefois à tous les Êtres d'Exception, de même qu'aux Filles de Lune, lorsqu'ils étaient assermentés. Il a exactement les mêmes caractéristiques que le don que tu as reçu à la naissance. Il a toutefois un seul défaut : il ne fait pas partie intégrante de l'individu qui le porte ; il vaut donc mieux veiller sur lui avec vigilance pour ne pas le perdre. Comme il est facilement repérable, les gens peuvent se méfier et se taire en notre présence. Dans ton cas, ces mêmes personnes croiront probablement que tu ne peux pas comprendre la teneur de leur conversation.

Je ne pus m'empêcher de lui demander pourquoi elle n'avait pas pris le relais de Maxandre. Constatant l'étendue de ses connaissances, il me semblait que cela aurait été une option envisageable. Ses yeux se voilèrent instantanément. Elle se leva et laissa son regard errer sur le paysage, depuis le seuil de sa demeure. Elle soupira bruyamment avant de m'avouer :

– C'est une longue histoire que je n'ai pas racontée très souvent, mais que tu dois savoir. Pour être honnête, et aussi étrange que cela pourra te paraître, ça me fait du bien de la partager de temps à autre ; ça m'aide à accepter...

Elle marqua une courte pause avant de reprendre.

– Vois-tu, il y a près de deux cents ans, Maxandre était mon idole. Avant qu'elle ne devienne si importante pour notre monde, je la suivais déjà partout, j'apprenais avec elle l'histoire et les secrets de notre univers et, surtout, je rêvais de lui ressembler. Un jour, elle m'annonça son départ pour la Montagne aux Sacrifices. C'est là que devait se faire la passation des pouvoirs entre Hémélinie et elle. J'étais encore jeune – je n'avais que quinze ans –, mais j'ai demandé à l'accompagner. Malgré toute l'affection qu'elle me portait, elle a hésité. Normalement, elle devait se rendre seule là-haut et respecter les traditions millénaires des Filles d'Alana. Devant mon insistance et mes promesses de bien me conduire, et de ne surtout pas lui causer d'ennuis, elle a fini par céder. Le voyage fut long et pénible, et nous avons dû surmonter de nombreuses difficultés.

Une ombre douloureuse traversa son regard.

– Une fois là-bas, Hémélinie, qui était déjà sur place, et elle ont disparu dans le sanctuaire, me laissant seule pour les attendre. Elles m'avaient prévenue que beaucoup de temps s'écoulerait avant qu'elles ne reviennent, mais je les avais assurées que je saurais me montrer patiente. Trois jours plus tard, elles n'étaient toujours pas ressorties et je commençais vraiment à m'inquiéter. Maxandre m'avait fait promettre que, quoi qu'il arrive et peu importe le délai depuis son départ, je ne devais tenter d'entrer dans la grotte sous aucun prétexte. Mais voilà, quand on est jeune, on ne mesure pas toujours la portée de ses actes. On se montre souvent impulsif ; on croit, à tort, tout savoir.

Elle soupira une fois de plus, une larme roulant sur sa joue.

– J'ai commis une terrible faute aux yeux d'Alana et de notre univers ; j'ai voulu pénétrer dans la caverne, croyant que mon amie pouvait avoir rencontré des difficultés et avoir besoin de mon aide. Mon geste irréfléchi a perturbé la fin des rituels et fait perdre le contact essentiel entre Maxandre, Hémélinie et Alana. Inutile de t'énumérer les dégâts. Disons simplement que rien ne pouvait racheter mon erreur et ses conséquences à long terme. Les dieux exigèrent pour moi le châtiment suprême, le sacrifice de ma vie pour le retour de l'équilibre dans le sanctuaire et sur la Terre des Anciens.

Maxandre tenta de s'opposer, objectant mon jeune âge et mes qualités exceptionnelles, qui faisaient de moi l'une des meilleures Filles de Lune en devenir. Elle argua que c'était elle qui avait accepté que je la suive jusque-là. Rien n'y fit...

Elle soupira une fois de plus.

– C'est Hémélinie qui me sauva finalement la vie.

Les larmes glissaient maintenant abondamment sur les joues ridées de la vieille femme.

– Gravement blessée au moment de mon apparition impromptue, elle se savait condamnée. Elle demanda donc à Alana que sa vie soit prise à la place de la mienne, plaidant que j'avais de longues années devant moi pour racheter ma faute. Il fut difficile de convaincre les divinités et ce ne fut qu'une demi-victoire pour moi. Hémélinie fut sacrifiée sur le plateau, plus bas, et je fus condamnée à la réclusion éternelle. Je ne pourrais quitter la montagne où l'on m'expédia, sauf en de très rares occasions, et je consacrerais mon existence à l'enseignement, à la recherche et à la préservation du savoir et des connaissances. Mes pouvoirs, aussi grands soient-ils aujourd'hui, après tant d'années de pratique et de découvertes, ne fonctionnent en totalité que sur la chaîne de montagnes qui m'abrite et quelques centaines de mètres en périphérie. Il m'arrive parfois de...

Elle s'interrompit et ferma les yeux, se prenant la tête à deux mains. Devant sa douleur évidente, je m'abstins de la questionner davantage, voulant lui éviter de revivre ces trop longues années de solitude et de souffrance. Je lui promis cependant que je serais plus tard de retour pour entendre la suite. J'étais convaincue que je reviendrais assouvir ma soif de savoir et de vengeance dès que j'aurais avorté. Je dus me faire violence pour ne pas poser de questions sur ma mère, alors que mon souhait le plus cher était de savoir ce qui lui était arrivé depuis son retour sur cette terre. Je craignais, maintenant que je la savais en vie, de ne plus avoir le courage de partir. Je ne devais surtout pas commettre la bêtise de me lancer à sa recherche dans mon état actuel.

Je quittai le refuge de Morgana au lever du soleil, refusant de rester une autre journée. J'avais besoin d'être seule pour faire le point avant de quitter ce monde mythique. Je savais qu'Alejandre, sa sorcière et ses hommes ne tarderaient probablement pas à se mettre une fois de plus en travers de ma route. Mais je savais aussi que je pouvais me retrouver en un instant sur les lieux mêmes de mon apparition sur la Terre des Anciens : il me suffisait de le vouloir intensément. C'est ce que je fis après deux jours de pensées vagabondes et de remue-méninge qui ne me menèrent nulle part, si ce n'est à me poser davantage de questions et à hésiter quant à la voie à suivre.

* *
*

Morgana avait regardé la jeune femme partir en laissant échapper un profond soupir. Elle avait dû taire tellement de choses à la Fille de Lune qu'elle avait l'impression d'avoir trahi sa confiance, même si cette dernière ne l'avait pas longuement interrogée. Elle savait aussi qu'elle ne pouvait faire autrement. Pour le bien et la survie de cette terre, elle était convaincue qu'il fallait que Naïla chemine à sa façon. Si on essayait de lui en enseigner trop à la fois, elle se rebellerait, et c'était la dernière chose qui devait arriver. Morgana avait donc choisi de la laisser s'en aller, pour mieux revenir du monde de Brume, car elle ne doutait pas un instant qu'elle reviendrait. Il y avait tellement longtemps qu'une puissance comme la sienne, dépassant même celle de sa mère en potentiel, n'avait pas été vue en ces contrées. Et c'était sans compter le jeune Alix, son Cyldias, fils de la nuit des édnés. Le jour viendrait bientôt où le jeune homme ne serait plus connu que sous son véritable nom – Alix de Bronan –, faisant craindre le pire à ceux qui se mettraient sur son chemin. Pour la première fois depuis bien longtemps, la réclusion de la vieille femme lui sembla moins lourde à porter. L'espoir revenait enfin...

* *
*

Avant même de le réaliser, je me retrouvai exactement à l'endroit souhaité. Le moment ne pouvait être mieux choisi : la nuit à venir en était une de pleine lune, celle-là même où j'aurais dû épouser le sire de Canac. Toutefois, je ne m'attendais pas à faire une rencontre sur la grève...

Il était nonchalamment adossé à la pierre. Je devais avoir l'air passablement ahurie de le trouver là, parce que j'eus droit à son fameux sourire narquois.

– Morgana m'a mis au courant de votre départ par télépathie, mais c'était inutile. Je n'ai besoin de personne pour savoir où vous vous trouvez...

Il fit une courte pause avant de reprendre, l'air grave.

– Je comprends votre désir de mettre un terme à cette... grossesse indésirable. J'espère seulement que Morgana a vu juste dans votre volonté de revenir. Je n'ose croire que vous laisseriez impunis les crimes d'Alejandre, d'Oglore ou de Mélijna, que vous renieriez vos responsabilités envers la Terre des Anciens ou que vous abandonneriez sciemment votre sœur et votre mère. De toute manière, maintenant que tous connaissent votre existence, ils n'auront de cesse de vous poursuivre, où que vous alliez. Ne vous imaginez surtout pas que le fait que vous soyez dans un autre monde les arrêtera. Vous ne pourrez fuir toute votre vie. Un jour, vous devrez bien faire face !

J'aurais dû lui confirmer que je reviendrais, que j'avais simplement besoin de prendre du recul, mais sa façon de me rappeler mes supposées responsabilités et ma situation de fugitive me refroidit considérablement. J'eus envie de l'envoyer paître, mais j'inspirai profondément et gardai le silence. J'aurais pourtant dû être habituée à son comportement à mon égard...

Avec un soupir, je détournai les yeux. Alors qu'il me fallait attendre le lever de la lune pour partir, il me semblait que cette aventure reprenait son aspect irréel. Je regardai autour de moi pour m'imprégner de l'atmosphère, du paysage, de tout en fait, comme lors de mon départ de Brume. Morgana avait usé de sa magie sur moi pour éviter que ma présence ne soit repérable par Mélijna. Je n'avais cependant que peu de temps pour me fondre dans le passage avant que la vieille ne puisse me retrouver. J'avais demandé à Morgana pourquoi cette dernière ne quittait pas tout simplement son antre pour me mettre le grappin dessus. « Parce qu'il y a de grandes limites à la magie qu'une Fille de Lune maudite peut utiliser contre une autre issue de sa lignée. C'est le moyen le plus sûr qu'Acélia avait trouvé pour éviter que ses précieuses descendantes ne s'éliminent d'elles-mêmes en usant de leurs nombreux pouvoirs les unes contre les autres au lieu de s'unir. C'est une des raisons pour lesquelles tu es encore en vie aujourd'hui. » Sa réponse expliquait bien des choses, la plus importante étant que je sois toujours là, comme elle l'avait si bien dit. Je soupirai encore une fois, avant de m'adresser à Alexis, qui gardait étonnamment le silence. Inconsciemment, je délaissai le vouvoiement et l'appelai même Alix.

– Je suis ici depuis quelques mois seulement, mais j'ai l'impression qu'il s'est écoulé un an depuis le moment où j'ai fui les hommes d'Alejandre en ta compagnie, Alix. Je me suis depuis découvert un frère et une sœur, j'ai appris que ma mère était toujours en vie, j'ai rencontré des êtres plus étranges les uns que les autres, certains sympathiques et d'autres absolument détestables, j'ai été initiée à la magie, à la télépathie, à la xénoglossie et à je ne sais quoi encore. Et pourtant, j'ai ce sentiment bizarre que je ne sais toujours rien de ce qu'il me faudrait savoir...

Comme il ne disait rien, je me détournai du large pour le regarder. À sa vue, je fronçai les sourcils ; il me regardait intensément, hochant la tête dans un mouvement de droite à gauche à peine perceptible. Je l'entendis gémir – ce qui ne lui ressemblait vraiment pas.

– Non ! Non, pas elle... Pas elle, je vous en conjure...

Puis il ferma les yeux, expirant bruyamment tout en rejetant la tête vers l'arrière. Il resta ainsi une bonne minute, sans bouger. Mais qu'est-ce que j'avais bien pu dire pour qu'il se mette dans cet état ?

* *
*

Pour le Cyldias, le fait que Naïla l'ait appelé Alix tenait du cauchemar. Contrairement à ce que tous pouvaient croire, Alix n'était pas un surnom et ne le serait jamais ; il ne pouvait même pas être utilisé comme tel par quiconque. Seuls les êtres en qui Alix pouvaient avoir une confiance pleine et aveugle l'utilisaient d'emblée. Même s'il se présentait en tant qu'Alexis aux gens appartenant à cette catégorie, ceux-ci adoptaient l'autre nom instinctivement et sans poser de question. Le reste du monde ne pouvait le faire ; systématiquement, il achoppait sur la prononciation, comme Naïla l'avait fait une semaine plus tôt – à son grand soulagement, d'ailleurs. Les rares personnes qui l'appelaient Alix étaient presque toutes particulièrement chères à son cœur ; pour elles, il était prêt à tout, même à risquer sa vie. Il entretenait avec ces êtres des liens étroits et quasi indestructibles. Toutefois, en ce qui concernait sa mission de Cyldias, ces sentiments de fidélité, d'attachement et de loyauté étaient imposés plutôt qu'intuitifs et spontanés...

* *
*

Comme il semblait décidé à ne pas me dire de quoi il retournait, je répliquai à ses avertissements, espérant le faire réagir.

– Ça ne doit pas être facile pour toi de me rappeler de revenir pour assumer mes responsabilités alors que tu rêves depuis si longtemps d'être débarrassé de mon encombrante personne...

Toujours adossé à la pierre de voyage, il rouvrit les yeux et m'observa un bref instant avant de regarder au loin à son tour.

Il se tourna ensuite vers moi et ses yeux étoilés s'arrimèrent aux miens, ce qui risquait malheureusement de me faire perdre tous mes moyens. Il poursuivit, se passant une main dans les cheveux.

– Je n'ai d'autre choix que de te conseiller fortement de revenir, mon désir de sauver cette terre étant plus fort que mon exaspération face à mon rôle de Cyldias.

Après un bref silence, il ajouta, franchement insolent :

– Et peut-être que je commence à m'habituer à ton embarrassante présence dans ma vie...

Son sourire en coin, je l'aurais juré, aurait fait fondre un glacier. Pour me donner une contenance, je me détournai fièrement et rejoignis la pierre pour accomplir le rituel de Morgana. J'avais déjà tracé les chiffres représentant la date à laquelle je souhaitais rentrer chez moi et j'allais poser ma main sur la pierre, au moment même où le soleil cédait sa place à sa consœur, mais une main se referma alors sur mon bras, me tirant vers l'arrière. Je ne saurais dire si j'en éprouvai de l'irritation ou un intense soulagement. Alix me fit tourner sur moi-même et je me retrouvai une fois de plus plongée dans son intense regard bicolore. Lorsque ses lèvres se posèrent sur les miennes, je n'opposai aucune résistance et m'abandonnai à cette étreinte que mon cœur et mon corps avaient si souvent espérée. Curieusement, je ne voulais pas de long discours ni de déclaration d'amour ; j'avais davantage besoin de quelque chose de physique, d'un contact charnel qui laisserait des traces plus vivantes que les seules paroles. Malheureusement pour moi, notre étreinte fut de très courte durée. Alix se détacha brusquement de moi et m'éloigna de lui.

– Il vaudrait mieux que tu partes, Naïla. Maintenant.

Je m'apprêtais à protester, mais Alix laissa simplement tomber :

– Ils arrivent...

Je ne m'insurgeai pas, sachant qu'il pouvait détecter une présence ennemie dans un large rayon ; pour ma part, je devais encore user de toute ma concentration pour y parvenir. Inutile de me demander comment on avait pu me retrouver : la magie de Morgana n'avait probablement pas pu résister à celle de Mélijna.

Sous les rayons de la lune, je m'assurai à la hâte que les symboles tracés par mes soins étaient demeurés intacts, avant de me remémorer les paroles que je devais prononcer pour que tout fonctionne.

– Naïla...

Je me retournai pour le regarder une dernière fois.

– Ne m'oblige surtout pas à aller te chercher...

Mes yeux s'agrandirent de surprise, mais je n'eus pas le temps de riposter. Un bruit de cavalcade se faisait entendre, croissant rapidement. Je ne saurais jamais si les nouveaux venus étaient amis ou ennemis. Je récitai rapidement la formule, avant de tendre la main pour plonger dans le néant.

* *
*

Si aucun tremblement de terre ne signala le départ de la Fille de Lune, il n'en demeura pas moins qu'un certain nombre de personnes en eurent conscience. Uleric, Mélijna, Panthaléon – le plus haut dirigeant de la Quintius –, de même que Saül, le sorcier qu'Andréa avait affronté, chacun dans leur repaire, surent immédiatement que leurs projets venaient d'être mis une fois de plus en veilleuse. Ils en ressentirent une colère indicible.

Andréa, Morgana, Wandéline, Foch et Kaïn, pour leur part, poussèrent tous un soupir de soulagement devant la trêve qui s'annonçait. L'absence de Naïla obligeait les ennemis de la Terre des Anciens à attendre son retour. Ce délai permettrait certainement de parfaire encore la magie et les connaissances pour les événements à venir...

Alix fut le seul à ressentir des émotions profondément contradictoires. D'une part, il était soulagé que Naïla ait enfin quitté ce monde. Il avait grandement besoin de temps pour lui-même, ne serait-ce que pour se préparer à son éventuel retour. Mais d'un autre côté, il ne parvenait pas à faire taire le désir sourd, d'une intensité surprenante, voire sauvage, qui était monté en lui lorsqu'il avait embrassé la jeune femme. Une sensation aussi soudaine que violente qui lui avait donné envie de retenir la Fille de Lune, *sa* Fille de Lune...

* *
*

J'ouvris les yeux, tout en me débattant contre les vagues qui m'assaillaient. Refusant de céder à la panique, je m'efforçai d'être rationnelle. Rapidement, je me rendis compte que l'eau n'était pas très haute. Trempée comme une soupe, j'étais couchée dans une trentaine de centimètres d'eau, la tête sur un rehaussement de sable. Je m'assis et regardai autour de moi, un désagréable goût d'herbes salées dans la bouche. Il faisait nuit noire ; je ne voyais strictement rien. Pourtant, mon don aurait dû me permettre de voir dans l'obscurité, même dans le monde de Brume.

Et puis, j'aurais dû apercevoir les lumières du quai ou celles de l'ancien chantier maritime. C'était bien ma veine de revenir un soir de panne d'électricité ! Ignorant si la marée montait ou non, je me mis debout à la hâte et entrepris de regagner le rivage ; je n'allais quand même pas mourir noyée après tout ce que j'avais vécu... Je distinguais à peine les contours des berges sous les faibles rayons de la lune, qui jouait à cache-cache sous un épais couvert nuageux. Je marchai d'instinct et m'arrêtai lorsque j'atteignis les foins salés. Ne pouvant rien faire avant la venue du jour, je me laissai choir sur le sol, tirai ma couverture de laine trempée de mon sac et m'enroulai dedans. Je m'endormis sur-le-champ, épuisée...

Au lever du soleil, je constatai immédiatement que quelque chose clochait. Il n'y avait strictement rien devant moi, aussi loin que portait mon regard. Pas de clocher d'église, pas de goélettes, pas de quai, pas de traversiers ; il n'y avait rien d'autre que des végétaux. Seule la vision de l'Île-aux-Coudres, derrière moi, me conforta dans l'idée que j'étais bien où je devais être. La pierre non plus n'était pas au même endroit : j'étais beaucoup plus à gauche par rapport à la petite rivière qui coulait au centre du village, presque à la pointe où aurait dû se trouver le quai. La partie imaginative de mon cerveau avait déjà enregistré toutes ces données et en arrivait à une conclusion que la partie rationnelle refusait même d'envisager. Mon cœur battait à tout rompre. Je n'étais pas revenue au bon moment ! Mais alors vraiment pas...

Récapitulant à toute vitesse l'histoire de ce coin de pays que je connaissais sur le bout des doigts, je me précipitai en direction du Cap Martin, suivant la pointe d'éboulis et me retrouvant bientôt en vue de la partie où auraient dû se trouver le musée maritime, l'église et les maisons. Il n'y avait rien. Rien de rien. Je longeai les rives sur un bon kilomètre, gagnée par l'affolement, avant de me résoudre à admettre la vérité. D'un côté, je savais que la seigneurie des Éboulements datait de 1683 ; de l'autre, je savais que le tremblement de terre ayant donné son nom à la seigneurie remontait à 1663. Il était donc évident que je me trouvais quelque part entre ces deux dates. À en juger par la rare végétation qui recouvrait les éboulis de terre, je pouvais même affirmer que j'étais plus près de l'époque de la secousse que de celle de la première habitation.

Je tâchai de réfléchir. Qu'est-ce que j'avais bien pu faire pour me retrouver en plein développement de la colonie au lieu d'être dans la douillette réalité du XXe siècle ? J'avais pourtant suivi les instructions de Morgana à la lettre... Morgana ! Elle m'avait dit de m'adresser à la lune pour mon retour :

je devais lui demander d'approuver ma destination et de me protéger comme l'une de ses Filles. Je me remémorai les étapes du rituel de mon passage : j'avais tracé inversement les symboles, de droite à gauche, mais je ne les avais peut-être pas soumis à la lune sous la forme qu'il fallait. À l'aide d'un bout de bois, je traçai à nouveau les signes sur le sable découvert par la marée. Je me levai ensuite pour examiner le résultat sous des angles divers. Je compris bientôt mon erreur et tout ce qu'elle impliquait. Les probabilités pour que je me retrouve ici devaient être extrêmement faibles puisque le genre de combinaison le permettant l'était. En choisissant juin 1999, j'avais en quelque sorte forcé le destin. Dans ma hâte de fuir, je m'étais moi-même propulsée en 1666...

Les bras ballants, je restai là, terriblement seule dans ce paysage que j'avais pourtant chéri par le passé. Je ne savais que faire... Un sentiment de panique monta en moi en même temps qu'une rage indescriptible face à la cruauté de la vie. Je hurlai de toutes mes forces, même si personne ne pouvait m'entendre ; je hurlai à pleins poumons de longues minutes, jusqu'à ce que ma voix se brise, étouffée par les sanglots. Mue par la colère et le ressentiment, je ramassai des pierres que je lançai avec une inquiétante puissance, maudissant Darius et son monde de fous, maudissant tous ceux dont j'avais croisé la route et qui avaient fait de ma vie un calvaire, maudissant ce que j'étais et sans quoi jamais je ne me serais retrouvée ici, maudissant même Alix de n'avoir pas su me protéger de ce nouvel enfer. Puis je m'effondrai sur les genoux, la tête entre les mains, anéantie...

BIENTÔT

Tome 3
Le Talisman de Maxandre

Parachutée par sa propre faute dans un univers qui lui est tout aussi étranger que celui qu'elle a fui, Naïla fait face à un défi de taille : survivre. Première étape d'une longue série qui, espère-t-elle, la ramènera au XXe siècle avant qu'elle accouche. Pour sa part, Alexis tente par tous les moyens de localiser la Fille de Lune, craignant à la fois pour la vie de sa protégée et la sienne. Toutefois, la quête du Cyldias sera sans cesse entravée ; certaines rencontres lui seront salutaires tandis que d'autres ne feront qu'ajouter à ses ennuis déjà nombreux. Le talisman de Maxandre pourrait bien être la solution à tous leurs maux. Mais encore faudrait-il le retrouver...

MARQUIS
Québec, Canada